社会評論社

目　次

第3章　愛と欲望の都市、平壌

第4章　統一時代の創業ブルー・オーシャン、今は平壌だ

原書の著者紹介

著者　周　成賀

記者・周成賀（チュソンハ）の文章は「両刃の剣」である。南と北の権力を、左と右を全て切り裂く。記者16年の間、韓国では紙面とインターネットで、北朝鮮には電波により人権と真正な民主主義を説破してきた。彼は、一方の理念に傾倒する執着狂が嫌いである。南北の極右と極左に辛辣な警告を飛ばし、彼らの反撃をグッと我慢する。

同時に彼の文章は、温かさが染み込んでいる。人道的な対北支援に賛成しつつ、開城工業団地の閉鎖に積極して反対した。太永浩（テヨンホ）・前駐英朝鮮大使館公使は、2名の息子と共に彼の文章を読んで涙を流し、韓国行きを決心するのに大きな影響を受けたと述べた。周成賀は朝鮮半島の平和を熱望しながら、今の南北、米朝の対話局面を歓迎する。この頃の彼の関心事は、脱北した大学生たちが統一時代の主人公として成長するのに寄与する後援者グループを作ることである。

平壌の金日成大学を出て、3回も脱北を試みた。その過程で北送されて6つの収監施設を移って回り、北朝鮮の極めて劣悪な人権蹂躪を生々しく経験しもした。2002年ついに韓国に入国して貿易会社、週刊誌などを経て、2003年に東亜日報の公開採用試験に合格した後、社会部、政治部、国際部の記者を歴任した。今日は韓国で、統一となれば北朝鮮で評価を受けるという姿勢で文章を書いている。『ソウルで書く平壌の話』、『金正恩の北朝鮮どこへ行くのか』など10余冊の本を書いた。

主要経歴

・金日成（キムイルソン）総合大学外国語文学部英文科卒業
・延世大学校行政大学院国際関係安保学科政治学修士
・東亜日報記者、固定コラム「ソウルと平壌の間」連載

・大統領直属民主平和統一諮問会議常任委員
・南北ハナ財団諮問委員兼財団雑誌『同胞サラン（愛）』編集委員
・ブログ「ソウルで書く平壌の話」運営、累計8,500万名訪問
・自由アジア放送、KBS、一民族放送など対北放送の進行
・第1回三星言論賞専門記者賞
・第2回韓国人権報道賞
・第3回韓国記者賞・趙啓彰（チョゲチャン）・国際報道賞部門
・第5回老斤里平和賞
・徐載弼（ソジェピル）言論文化賞
・258回今月の記者賞など受賞

(2018年9月現在)

韓国語版の序文

はじめに　北朝鮮社会の「ガラパゴス式進化」を理解するための百科事典

この世に北朝鮮ほど外と内が異なる所は、断言してどこにも無い。住民も、政権も非常に二重的である。ひどく大胆な仮面を被っていて、外部からその実体を正確に窺い知ることは、ほとんど不可能である。

北朝鮮住民は、口さえ開けば革命を語り、党と首領の愛、配慮、山や海のような恩徳を称賛する。しかし、彼らの実際の暮らしは、革命や恩徳などとは何の関係も無い。党と首領は、基本的な配給と月給さえも責任を負えないでいる。

平壌中心部のアパートに居住する平壌市民に会い、その職業を尋ねるならば、十中八九「平凡な労働者」だとか事務職だとか答えるであろう。平壌中心部のアパート価格は、最低でも数万ドルである。1ドルにもならない月給をもらう労働者が、その中でも充分に受け取れない労働者が、どうしてこのようなアパートに居住しているのだろうか。

北朝鮮で月給を集めて平壌中心部のアパートを手に入れるのは、当然ながら不可能である。社会主義施策の恩恵を受け、運よく無償で手に入れたとしても、月給と配給だけでは平壌の物価を凌ぐことは出来ない。彼らは明らかに別の副業を持っている。たとえ建設労働者だと明かしても、実際にはインテリアやチャンマダンの物品配達などの副業でカネを稼いでいるのが明らかである[1)]。職業が幹部である入居者であれば、彼は副業ではなく特権の行使でカネ（賄賂）を稼いで豪華に暮らしているであろう。

外部の人は、このような北朝鮮の現実を見ることも、知ることも出来ない。外部の人に会う瞬間、平壌市民は内心を徹底して隠す俳優として正体をくらまし、労働党で不便に思う話は絶対にしない。

本書は現在、平壌に暮らしている市民の伝えた内容であり、彼らの監修を受けた。すなわち、平壌市民が自ら作成した平壌深層報告書というわけである。いま韓国の人々が各種の媒体を通じて接している北朝鮮関連の情報は、不正確なものが多い。平壌市民は外部の人に彼らの中身や裏面を決して見せてくれない。北朝鮮を正確に知ろうと思えば、「観光用人民」と「取材用市民」を越えて本当の人民の内部を開いて見なければならない。敢えて述べるが2018年9月現在、本書は北朝鮮の現実をありのまま理解する「最も良い方法」である。

北朝鮮体制は、特に平壌社会は現在、市場経済へ急激に進化中である。この進化は、非常に独特である。過去のソ連と東欧のように社会主義崩壊の後に市場経済へ進化するのではないし、現在の中国やベトナムのように政治と経済を分離して進化しているのでもない。

二重的な平壌市民のように、北朝鮮政権も外部に向かって「革命の赤い旗を高く掲げて社会主義の道へ前進する」と叫ぶけれども、実相は反対の道を辿っている。これに加えて北朝鮮の進化は、史上に類例の無い崩壊の中で、世界と分離されたまま達成されている。北朝鮮の「市場経済化」は「ガラパゴス式進化」だと言える。比較するに足る類似の事例が無いゆえに、この進化を理解するのに参考に足るほどの百科事典も無い。

北朝鮮で最新の『朝鮮大百科事典』では「百科全書」を「多くの分野の用語と術語、事実と事件、対象などを体系性もって盛り込み、解説した本」と定義している。さらに進んで「政治、経済、文化、軍事など多くの分野を広範囲に包括しているが、必ずしも事典の形式を備えているものだけを意味していないところにおいて百科事典と区別される」と具体的な追加説明をしている。

本書は、平壌の多様な分野を最大限、広範囲に説明しようと試みた。不足した点が多く、紙面の情報が限定されたが、敢えて百科全書という題目を付けた。一方、堅苦しくなく面白くスラスラ読めるように、多くの苦心を傾けた。

私は脱北して韓国に来て後、今まで10余冊の北朝鮮関連の本を出したけれども、その中で本書を一番先に、いちばん積極的に推薦したい。『平壌資本主義百科全書』が北朝鮮を理解するのに代表的な入門書となることを希望する。

2018年9月

周　成賀

日本語版の序文　近くも遠い国、北朝鮮を理解する百科事典

日本の購読者の皆様、アンニョンハシムニカ？

わたくしは、北朝鮮で最高の名門大である金日成（キムイルソン）総合大学外国語文学部英文科を卒業し、将来が保障される人生でしたが、命を懸けて脱北して2002年、韓国に来た周成賀（チュソンハ）と申します。

口では社会主義革命を叫びながらも、実質的には人民を飢え死にさせながら、王朝時代へ猛烈に回帰している北朝鮮の支配層を近くから見守っていた私は、その体制にこれ以上は忠誠を捧げながら暮らすことが出来ませんでした。

北朝鮮の独裁体制を崩壊させるところに人生を捧げるという一念から、北朝鮮を脱出した私は、中国で逮捕されて北朝鮮へ連行されて行き、6つの監獄を経て地獄の門前まで行きましたが、ついに再び生きて逃れ出て来て、自由の世界に到着しました。

韓国に到着4ヵ月後から、北朝鮮の消息を外部に知らせる記者になりました。

韓国の代表的なメジャー新聞社である東亜日報で記者として仕事をしてから、もう今までで18年目になりました。今は北朝鮮を去ってからは、いくらか歳月が長く経ちましたが、北朝鮮関連の消息を伝えるために、記者という職業を充分に活用して、韓国に来る脱北者たちと無数に多く会い、北朝鮮の異なってきた環境を取材しました。また、北朝鮮に各種の高位級情報員たちを置いて、北朝鮮内部の隠された秘密を数限りなく報道しました。

こんな努力により、わたくしは2016年に韓国で最も権威ある三星言論賞の第1回専門記者賞の受賞者となりもし、韓国の主要言論賞を数多く受けました。

一方で私は今まで、北朝鮮関連の著書9冊を叙述し、共同著述まで含めて17冊の本を書きました。しかし、その中で真っ先に躊躇なく推薦する本は、正にこの『平壌資本主義百科全書』です。

この本の本当の著者は、実は私ではありません。

現在は平壌に暮らしている住民３名が本当の著者だと言えます。隠密な方法で私と連絡が取れる彼らは、わたくしが題目を送れば、自分たちがその関連内容を記して送ってきました。私は、彼らが送ってくれた情報を取材して、この本を出しました。

それだから、この本には平壌を訪問する外部の人たちが絶対に知ることが出来ない平壌の内実が非常に生々しく盛り込まれることになりました。未だ韓国にも、この程度以上に平壌の外皮を１つ１つ剥がして裸にし、実相を示した本は無いと自負しています。

けれども、北朝鮮にいる住民たちの名前を著者として明かせないので、この本は私の名前で出版されました。統一となれば、必ず彼らの名前を明らかにしようと思います。

本を全て書き、作業に参与しなかった別の北朝鮮に住む１人のエリートに、もしや私が間違えて記録したことが無いか見てくれと原稿ファイルを送りました。最終監査をさせたわけです。直ちに翌日、彼からこんな返信が来ました。

「きょう人目を避けながら、記者先生の本を全て読んで見ました。本当に感動的に読みました。わたくしが北で経験したいろいろな内容が全て包含されていて、その時の出来事が１つ１つ連想されましたよ。一言で述べて、北朝鮮の政治、経済、文化相を再び新たに知ることの出来る百科全書たる本です。」

この答えを聞いて、この本に「平壌資本主義百科全書」と題目を付けました。

この世の中には、北朝鮮ほど外と内が異なる所は、断言してどこにも無いです。住民も、政権も、非常に二重的です。あまりにも固い仮面を被っていて、外部からその実体を正確に覗き見ることは、ほとんど不可能です。

外部の人が北朝鮮に行って見て書いた本には「観光用の人民」、「取材用の人民」だけが盛り込まれています。もちろん、そんな本も明らかに存在の意味があると考えますが、北朝鮮の案内員に従って行ったり来たりしながら見たことだけ書いてみるから、美化された平壌市民の生き様しか見えず、スイカの皮だけ舐めて来た感じです。

誰でもそれが北朝鮮の本質ではあり得ないということを余りにもよく知っています。ところが、その内実を暴いた本がありません。それで、「これは私が行う仕事だ」と思い、この本を書くことになりました。スイカの赤い中身と種まで、そのまま余す所なく表れ、甘い汁までポトポトと落ちるようにしようと心を決めました。

わたくしは、北朝鮮を悪し様に非難する考えも、美化する考えもありません。裏通りまでそのままある、そのとおりを読者たちに示してやるために集中しました。生きている情報を面白く伝えるために努力しました。

平壌市民たちは、口さえ開けば革命を語り、党と首領の愛情、配慮、山や海のような恩徳を称賛します。彼らは、金日成広場で「日本帝国主義を打倒せよ」と叫ぶけれども、チャンマダンでは日本産の製品であれば、頭が上がらない人たちです[1)]。

この本は、このような平壌の多様な内実を最大限、広範囲に説明しようと試みましたし、一方で堅苦しくなく、面白くスラスラ読めるようにするのに力点を置きました。

日本の購読者の皆様に『平壌資本主義百科全書』が北朝鮮の本当の実体を理解するところにおいて最も代表的な入門書となることを希望します。

2020年2月

周　成賀　　拝

訳書の体裁

訳書では次のように体裁を整えたので、ご留意いただきたい。

イ．大韓民国と朝鮮民主主義人民共和国の各名称は、日本で使用される韓国と北朝鮮で統一した。原書で「南朝鮮」とされている箇所は、そのままにした。また、「南韓」や「北韓」という用語は定着していないので、それぞれ韓国と北朝鮮と訳出した。

ロ．末尾に訳注を付けて、意味の難しい言葉や出来事を可能な限り解説して、読者諸氏の理解を助けるように努めた。訳注の箇所は、読みやすいように句読点の横に付けた。インターネットの普及により検索が容易な言葉については意図的に割愛した部分がある。

ハ．原書で朝鮮語により表記される中心的な用語は、可能な限り発音どおりにカタカナと漢字で翻訳し、訳注にその意味を記した。例えば「チャンマダン」、「トン主」などであり、原書にあっては核心的な概念となっている。

ニ．固有名詞のうち、姓名については各章の初出にルビを振った。地名にあっては頻出する「平壌」が既に「ピョンヤン」などと日本語で普通に読まれている点などを考慮し、そのまま漢字表記に止めた。また、特定の歌謡曲やその歌詞については、ハングル表記の後に括弧（　）で翻訳を示した箇所がある。

ホ．辞典やインターネット等により確認しながら、固有名詞は可能な限り日本語で用いる漢字で表記したが、どうしても判然としない表記はハングルの音訳を当て、その旨を（　）内に示した。また、元々がハングルでしか記せない表記は、カタカナで表音を示した。

ヘ．同音異義語で通用する漢字語については、本来の言葉の後（　）内にハングル表記と漢字表記を記した。いわゆる掛け言葉に当たる表現の場合、漢字表記でその後の説明が分かるように工夫した。

ト．金日成、金正日、金正恩の「3代世襲」体制を踏まえ、各人の姓名はそのまま翻訳する一方、「金氏」のように総称する場合は、堅苦しくないよう「金さん」と訳した。他の名前についても同様に「李くん」、「崔さん」などと処理したが、職責が付いた名前には「周成賀・東亜日報記者」のように中黒・を用いて記した。

チ．数詞に関しては「ひとつ」、「第一」、「1つ」、「2瓶」、「数十」などと訳し分ける際、その記述の内容に最も相応しい表記を心掛けた。

リ．韓国や北朝鮮の独特な文化、例えば性文化、食文化などについては日本で理解できるように意訳した部分がある。例えば、朝鮮半島では「処女」を重視する傾向があり、そのまま訳出すると日本では差別表現になるので、一部を除き「未婚女性」と意訳した。

ヌ．原書が2018年に出版された関係から、その時点で進行形の事件を表記した部分に、現時点から見て不自然でないよう過去形表現を用いて翻訳した箇所がある。

ル．学制と呼称の違いから、日本で小中高生を生徒と呼ぶ慣例に従い、北朝鮮でも大学生以上を「学生」と訳し、小中高生については「生徒」の呼称を当てた。

ヲ．原書では韓国と北朝鮮で言い回しが異なる場合、北朝鮮の用語に続き（　　）内に韓国語を付けている箇所があるが、訳出すると同じ意味になる場合、これを省略した。

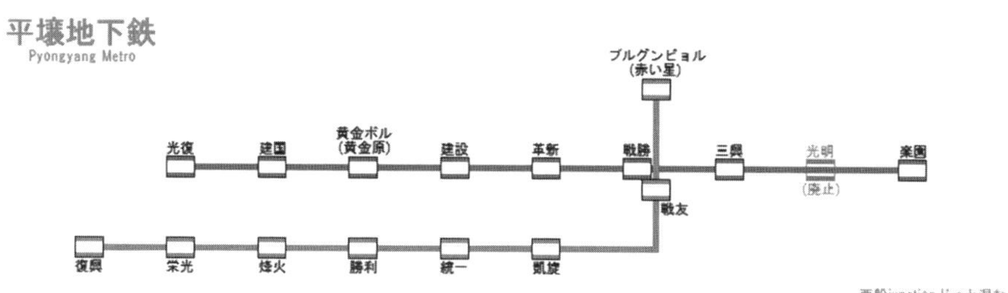

出典：www.2427junction.com/dprkpyongyangmetro.html

平壌市内地図

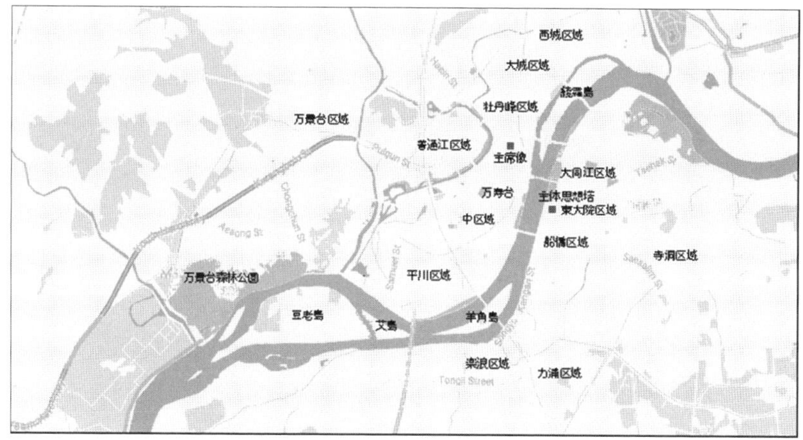

出典：www2s.biglobe.ne.jp/~yoss/W-map/pyongyangcitymap.html

崔賢実（音訳）博士

電子決済カード（訳者撮影）

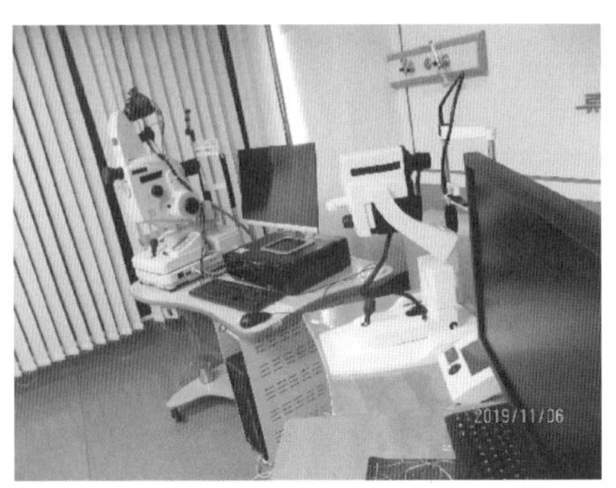

柳京眼科総合病院の内部（訳者撮影）

文字「米帝（米帝国主義）」が黒塗りのスローガン（訳者撮影、2018年6月）

3・26電線工場の内部（訳者撮影、2019年）

第1章
ようこそ、市場経済！
おいで下さい、資本主義！

江南の成金を凌駕するトン主[2)]の全盛時代

平壌にもカネを湯水のように使う金持ちがいるのか？　北朝鮮の最上位層の金持ちは、どのように生活しているのか？　国内外の多くのチャンネルを通じて彼らを追跡した。その過程で海外へ出て来た北朝鮮の上位0.01％級の金持ち1人を探し出した。昨年に彼と初めて出会い、今まで何回にもわたる電話での通話、Eメールの交換、SNSのチャット等を通じ、取材を重ねてきた。本文は、その内容を整理したものである。平壌の富裕層の日常を調べてみる端緒となるであろう。

0.01％級の大金持ちにインタビュー

「平壌最高の金持ちたちは、どのように暮らしているのか気がかりだって？」

彼は北朝鮮の高位層幹部であった父親がいたお陰で、カネの心配なしに暮らしている。海外にもしばしば出かけた。彼は、南側で自分のような人を「成金」と言うのを知っていた。ソウル江南にも金持ち家族の子どもが富を誇示しながら闊歩するが、彼の外貌や言動はそれ以上であった。一言で財閥級の子ども水準であった。

「私の話を聞いて驚きませんか？　海外でインターネットを通じて脱北者の証言に少なからず接するけれども、よその国の話みたいでした。彼らの証言に慣れた下の村（韓国）の人々は、私の話を信じないかも知れませんね。何から始めましょうか？　飲み食いすることからですって？」

彼が気軽に話すように任せておいたまま、彼の話と行動に表れる真正さに焦点を合わせて傾聴した。ところが、彼の話は聞けば聞くほど、驚く外なかった。

彼は、週末になれば友達らと一緒に高麗ホテルの道の向かいにある「蒼光宿所」を訪ねる。昼食に友達3名と一緒に行けば、1,000ユーロ（約13万円）で明け方まで楽しめる。時折、気分が乗れば1,500ユーロを使う時もある。彼が蒼光宿所を好むのは、食べて飲んで寝ることを一度に解決できるからである。

蒼光宿所は、半地下の駐車場がある地上2階の建物である。一名「在胞（在日同胞）」出身が運営している所である。元来は外国人専用なので当然、北朝鮮住民は出入りが禁止されているが、事実上そこを訪ねる外国人はほとんどいない。主要な顧客は北朝鮮の成金やトン主（北朝鮮の新興資本家。外貨稼ぎの社長）のような部類である。

蒼光宿所の1階には最高級サウナ、最新式按摩施術所と一緒にニューヨークのマンハッタン通りにでもありそうなバー（bar）がある。価格はユーロで定められているけれども、ドルも受け取る。サウナは3ユーロ、按摩は20ユーロほどで、施設とサービス水準に比べて高くない。バーで売る酒はウイスキー、ブランデー、コニャック等、無いものが無い。

「私は普通『サントリーオールド』や『スコッチ』を飲むのだが、大略50ユーロ前後ですよ。いちばん安いのはロシアのウォッカだけど、15～30ユーロ程度はします。『ヘネシーXO』のような900ユーロ台の洋酒もあります。ビールはオランダ産ババリアやハイネッケンを好むけれども、1本に各々5ユーロ、3ユーロです。何だっけ、料理は普通5～10ユーロで、30ユーロのものもあります。」

バーで洋酒を飲んで酔いが回れば、2階に上がって卓球をする。卓球の料金は時間当たり7ユーロである。韓国に比べて4～5倍も高い。卓球場がある2階には寝台部屋もあり、「愛人と一緒にくればピッタリ」だという。営業規定上やはり2階も外国人だけ利用できるが、「グラント（50ドル）1枚をそっと差し出せば」、チェックインなしに部屋を借りられる。ここでVIP対応を受けようと思えば、1階にある男性「接受員（サービスマン）」に贈物をやれば良い。贈物としては普通、外国産タバコ1カートンやビール5本を与える。ビールを贈物とする時は、おつまみに「タルピ（明太を乾かした乾物）」まで与える。

「これを北では『マナー』と言うんですよ。マナーという言葉、北でもよく使います。私たちは外国の水を飲んだから。」

彼は、蒼光宿所の他に西城区域の「北城食堂」も数に入れた。蒼光宿所と北城食堂は、1泊2日で楽しむには良いけれども、最も値が張る所ではない。さらに高い所は、5年前に張成沢（チャンソンテク）が建設した大同江区域の「海棠花館」である。今は名前が「柳京館」へ変えられたが、平壌市民は依然として海棠花館と呼ぶ。

海棠花館は、中央党の幹部や軍部の将官（将星）級が主に行く所である。彼らがそこを訪問する時は、いつも私服の身なりである。到着する1kmくらい前で運転手に車を止めろと言って私服に着替えた後、歩いて入って行く。海棠花館は保衛省と保安省が常に注視しているので、公務用の車を引き連れて通うと報告が上がるかも知れない。

彼は、中央党の幹部や軍部の将星ではないけれども、海棠花館にもしばしば出入りすると述べた。

「私を含めて3名が行けば、酒代だけで『ベンジャミン（100ドル）』5枚は使いますよ。私の友達は、誕生日の夕方に家族7名を連れて行き、5,000ドルを使ったこともあります。北朝鮮の一般労働者の月給がいくらかだって？　3,000～4,000ウォン、闇市場のレートで0.5ドルにもならないよ。」

北朝鮮の一般労働者の月給を1年間まるまる集めても、やっと5ドル程度である。もちろん、北朝鮮で月給は現実的に何の意味もなく、やはり北朝鮮の労働者も、この程度の月給に神経を使わないとは言うものの、物凄い消費力であることは明らかである。

「私は隠すことが無いので、車を引き連れて行きます。海棠花館は北で唯一、地下駐車場がある建物でしょう。出入口の通路が1つなので、いつも車が混んでいます。ときどき見物に来た外国人観光客も目につきますが、実際にカネを払って飲食をする外国人は会ったことがないですね。1階の名品館から始めて4階まで見て回り、そのまま帰ります。余りに高いと気後れするのです。」

彼は、さらに驚くべき話をした。

「海棠花館も最も値が張る所ではありません。清流館の横の『銀盤食堂』に行って高い酒に刺身をちょっと注文し、キャビアや鮫ヒレまで追加すれば、3名の基準で1,000ドルは面白いように出て行きますからね。」

名品で着飾った女性

このような高級食堂に行けば、髪を黄色く染め、ミニスカートの身なりに全身を名品で巻き付けた女性も、しばしば見られる。

「最高位層を監視する保安員たちが、この女性たちを見れば『日本人かシンガポール人か』と言いつつ、首を傾けるんです。取締もしませんよ。われわれ同士はこんな子たちを『麻薬』と呼ぶのです。大部分が音大生だったり歌手候補生の身分だったりなんだが、『相方作業(スポンサーを求めること)』をしに来たのです。」

気が乗れば「一緒に一杯やろうか？」と呼び、一緒に酒を飲み、歌を歌って楽しむ。平壌の最高級食堂は、ほとんど例外なくカラオケ施設を備えた独立の部屋が出来ていて、大衆ホール（開放されたホール）も座席間を遮る間敷居が高い。

「一緒に遊んだ女の子が気に入って、その明け方に海を見せてやると元山に連れて行ったこともあります。酒にしこたま酔ってからね。平壌から車で2時間あれば元山です。帰って来ながら女の子に名品をちょいと買ってやり、あれするのです。平壌ではベンツＣクラスであれば、どれも費用がかかります。Ｓクラスは高くて乗れないのではなく、尻が痛くて乗らないのです。中央党の秘書以上級の官用車なので、噂でも間違えて立てば大事ですからね。」

シャネルから外国産食料品まで、豪華百貨店

彼にシンガポールの会社が平壌で運営する名品商店の写真を見せながら「これが最高級商店か」と尋ねた。彼は言下に「ノー（No）」と答弁した。「こんな北塞商店や普通江柳京商店のような所は小さく、商品も少ないのに加え、価格がいたずらに高く、あまり行きません。」代わりに彼は、他の外貨商店や平壌で最も大きく商品が多い統一通り市場を訪ねると述べた。

「ミンクコートもチャンマダンで売りますよ、もう。名品を売る商店は平壌に本当に多いです。シンガポールからどれだけ奢侈品が入るとしても、せいぜい商店２つ分じゃないの。氷山の一角ですよ。」

彼らがシンガポールの会社の運営する高級外貨商店をさほど訪ねないところには、また別の理由がある。

「その商店では、食品を買おうとすればカートを押さなければならないのだが、入口に監視員を立たせておいて、隙なく捜索をします。（捜索を）受けて出ると気分が大概わるいです。人民の意識が発達しておらず、泥棒が甚だしく多いから、CCTV で監視もしますよ。そのくらい

のレベルの外貨商店は甚だ多く、その中でも『楽園百貨店』が一番よいです。」

楽園百貨店は、北朝鮮で真っ先に生まれた外貨商店である。建物が少し古びたが、商品が全て信頼に足り、高くもない。このように、北朝鮮の外貨商店では外国産の名品ブランドを容易に探して見ることが出来て、金持ちは躊躇うことなくこの名品をショッピングする。

「本当の金持ちは、シャネルを好みます。李雪主（リソルジュ）もシャネルを好むとか言います。私の妻はカバン、化粧品はもちろん、パジャマまでシャネルですよ。模造品ではありません。触感でも直ぐ分かります。妻がサファイア宝石のはめられた首輪や指輪を好みます。私は、12ヵ月の誕生石の名前をみんな覚えていますよ。はは、平壌には無い名品がほとんど無いが、意外に『ルイ・ヴィトン』は少ないです。あ、もちろん、模倣品は多いですよ。」

靴は「ナイキ」、「フィラー」、「ミズノ」が人気である。子どもたちは「アディダストレーニング」を好む。サングラスは無条件に「グッチ」を選択する。女性たちが最も好んで選ぶ化粧品は「シャネル」だが、コスパの良い「資生堂」もよく売れる。彼は、名品の時計をはめていたが、手首を揺らして見せながら、このように話した。

「数千ドルずつする時計の名前は、人々がよく知りません。私もロ－レックスはめて往来しますが、これが分かる人は、いくらもいませんよ。」

最上流層が日常的に消費する外国産の食料品も、外貨商店で売っている。彼は、日本の「ジャワカレー」を好む。辛い味、まろやかな味どちらもあり、その時の好みに合わせて選んで食べるという。

「カネが無ければ、チャンマダンで韓国産のオットギ・カレーを買って食べるんです。ラーメンも北では日本産のラーメンが最高の人気であり、カネが無ければ韓国産の牛肉味ラーメン、メップシ麺、辛ラーメンを買って食べます。カネがもっと無ければ『テノム・ラーメン(中国産ラーメン)』を買い食いしますよ。ほんと、朝鮮味噌はオットギ味噌が良いですよね。私の母は、南側のチョコパイを好むのだが、2013年10月に金正恩が『傀儡商品は売るな』と指示した勢いで、たちまち価格が2倍に跳ね上がりました。今は開城工業団地さえ消え失せたので[3)]、母にはけしからんことでしょうよ。」

対北制裁にも溢れる輸入品

平壌上流層の奢侈は、国連の対北制裁の過中にも何ら変わりが無い。平壌で勤務していたある西側国家の前職外交官は、牡丹峰区域にある「北塞商店」に入って、開いた口が塞がらなかった。最高級ブランドのカバンと化粧品、酒類などが一杯に充ち満ちていたからである。彼は、最上流層でもない一般富裕層が100ドル紙幣の束を持って来て、憚ることなく取り出して計算する姿もしばしば目撃した。

平壌にはドルで外国産輸入品を買える商店も多くの場所にあるのだが、その前職外交官はその中でも北塞商店が印象的であった。価格が他の場所より2倍以上も高く、偽造紙幣の鑑別を徹底していた。実際に彼は、妻と一緒にショッピングに出かけ、偽造紙幣が紫外線鑑別機を通過できない状況も何度か見た。「ここは平壌、合っているか？」と言いたいほどであったいう。

「高級化粧品」という案内板が付いた売場には、世界的な名品ブランド・コーナーが設けられている。売場の所々に「写真撮影禁止」という文句が付けられている。シャネル、グッチ、プラダ、バーバリー、モンブランなど西側のブランドとソニー、パナソニック、ヤマハ、セイコー、ポッカなど日本のブランドがあり、外国産の缶コーヒーも売る。ランコム、ロレアル、ヴィダルサスーン等を販売する化粧品専用売店と薄型テレビ、ノートブック・コンピューター、宝石類、カメラ専用の売店もある。

北塞商店の壁面は、欧州産ならびに日本産の最高級酒類で一杯に充ち満ちている。全て禁輸品（禁止された輸入物品）である。1瓶に数百ドルと価格が付けられたスコットランド産ウイスキー「ジョニーウォーカー・ブルーラベル」とフランス産コニャック「ヘネシーXO」等、海外有名ブランドの高価な酒も販売する。海外空港の免税店を彷彿とさせる北塞商店は、一般の北朝鮮住民の目に余りつかない所に位置している。

普通江区域の105層の柳京ホテル近所にも、似通った商店がある。普通江柳京商店という看板を掛けているが、韓国で300～400万ウォンで売られるモンブランの時計が定価そのままに展示、販売されている。

北塞商店と柳京商店は、平壌市民に「シンガポール店」として知られている。2ヵ所どちらも外国人観光客の動線から外れており、旅行ガイドもよく知らないのが実情である。ある高位脱北者は、当局が核心「ロイヤル階層」のカネを「吸収する」ために、このような商店を運営していると説明した。

この豪華商店は、シンガポールの貿易業者A社が運営している。普通は北朝鮮が中国を通じて奢侈品を入れると理解しているが、シンガポール、マレーシア、ロシア等、余り知られていない貿易ルートも存在する。

A社が流通させる禁輸品は、中国などを通じて迂回しながら何回もの「貨物洗濯」を経たものと明らかになった。一部の製品は、生産した企業も分からないまま北朝鮮へ入って行く。国連安全保障理事会が北朝鮮の核実験に対する制裁として戦略物資と奢侈品などの対北輸出を禁止したけれども、このように所々に大きな穴がたくさん空いている。

例えば、A社は日本が2012年に自国製品の対北製品の輸出を全面中断するや否や、日本産「ポッカコーヒー」をシンガポールへ輸入し、これを再び中国へ輸出した後、北朝鮮へ搬入する方法を使った。中国内の寄港地で送り状をすり替えた後、中国と北朝鮮の間の貿易と偽造する典型的な「貨物洗濯」の方法を用いたのである。

北朝鮮当局も対北制裁により奢侈生活を出来なくなった富裕層の不満を宥めると同時に個人が持っている外貨を吸収するため、奢侈品の販売を奨励しているものと見られる。このような方法を使う会社がシンガポールのA社だけであろうか？　北朝鮮は、中国が塞がればシンガポールへ、シンガポールが塞がればマレーシアへ輸入国を替えるであろう。そのどんな対北制裁も、北朝鮮の上流層の奢侈は妨げられない。

1%の金持ち、彼らは何者か

「最高の金持ちは、中央党の幹部でしょう。以前には中央党で働けば質素だと考えたけれども、この頃は全く異なります。彼らが立派に暮らすのは、人事の権限を持っているからです。普通より良い職業は、価格がきっちりと定められています。内閣の省部員（指導員）程度が賄賂1万ドル、それよりも高ければ数万ドルずつ。平壌は全国の賄賂が全て集まるので、当然に金持ちが多いのですよ。」

北朝鮮では軍の将官級人事を担当する中央党61部やその下の軍官人事を受け持つ軍総政治局幹部部（幹部を管理する部署）で働けば、組織指導部副部長よりも更に立派に暮らす。躊躇なく裏取引を行い、この裏取引を通じて富を蓄積する。一般兵士を更に良い部隊へ引き抜いてやるのには500ドルが要り、入隊した息子を将軍の運転手として入れようとすれば1万ドルを与えなければならない。それで、本人が軍の「スター（将軍）」となるためには「10万ドル未満に唾を吐いていては（10万ドル未満の賄賂を与えていては）何にもならないね」という言葉が出て来るのである。彼らは、このように幹部事業をやりながら瞬く間に百万長者になる。

「我が社会は賄賂なしには何事もならないのです。金大（金日成大）

入学は3,000ドルの賄賂を与えなければならないという南朝鮮の新聞記事も見ましたが、それは昔の話であり、今は1万ドル以上でしょう。この前、経済学部政治経済学科のある学級は、30名中29名が中央党幹部の子どもだそうだと話題になりました。ところが、カネは全て中央党幹部たちが握っているのだから、当然なことではないですか？」

賄賂の連鎖が堅固な北朝鮮の実相を見れば、腐敗した資本主義国家以上である（これについては「賄賂」と関連する章で詳細に扱う）。

北朝鮮では本当の金持ちと認定されようとすれば、隠して置いた愛人ひとり程度はいなくてはならないという話がある。美しくて若い愛人を置こうとすれば、10万ドル程度のアパート1部屋は基本として買ってあげなければならない。名品を買ってやるのは基本である。

「それでも愛人が嫁に行くと言えば、送ってやるのが礼儀です。以前には普通、25歳で嫁に行きましたが、この頃の平壌では30歳前に嫁に行けば『異物（準備不足の人）』、『半人前（足らない人）』だと言います。嫁に行って子どもを産み、夫の面倒を見たって特別なことがありますか？　そのまま金持ちの情婦として子どもまで産み、心のままに暮らす女たちも多いですよ。」

彼は、常連である家屋式酒場についても衝撃的な話を止めなかった。一般のアパートに酒場を設けておき、芸術家出身の可愛い女性が身分の確実な固定VIPを相手にあれこれと世話をしながら接待（寝床も含めて）を行う。一晩に100ドル以上だという（これと関連した具体的な実相は酒と遊興を扱う章で仔細に述べる）。

権力と癒着したある企業幹部の豊穣

この事例は2018年9月現在、平壌に住むある国営企業の運営幹部の話である。彼の名前と正確な職責まで知っているが、明かさないことにする。

彼の家に入ろうとすれば、出入り門の監視カメラを通過しなければならない。家の中には個人のヘルス場もある。寝室の豪華さは想像以上であり、前室と呼ばれる居室には最高級の酒が一杯に充ち満ちているバーが設けられている。事務室として利用している部屋には、企業所に設置されたCCTVと連結された何台ものモニターが置かれている。あえて企業所に出て行かなくとも、家で現場を点検できる。文件の決済や事業上の論議のために訪ねて来る人は「事務室」で面会する。

この幹部は、家に専門の執事を置き、下人のように雇っている。この執事は、企業の職員である。幹部の家で働けば、カネをたくさん与えるので、足を洗う水まで準備するほどに熱心である。現場で働く職員の給与も、平壌で広く知られるほどに高い方である。この幹部の経営能力がずば抜けていることもあるけれども、物品そのものが非常に市場でよく売れるからである。

企業では、この幹部の一言がそのまま法である。彼の視界の外に出るというのは、つまり解雇を意味する。管理幹部はもちろん下級労働者に至るまで、この幹部によく見られるために、ありとあらゆるおべっかを使う。

この幹部が持つカネがどれほどになるかは、本人だけが知っている。彼は毎日、1回以上は外食をするのだが、1回に100ドル以上を使う。彼は、成長した子どもに企業も作ってやった。このように豪華に暮らすこの幹部が誰なのか、北朝鮮当局が知るところになったとしても、彼には何事も起こらないであろう。彼の後ろには強大な権力者がいるからである。この幹部が処罰の対象になるならば、北朝鮮の大多数の企業幹部も、やはり処罰を免れられないであろう。

もう一歩さらに

アパート伝月貰、PC房[4]も繁盛

「ところで、なんだかんだと言っても、金持ちの象徴は高い家ではないですか？　この頃、平壌に建てるアパートは、ほとんど全て200m²（約60坪）を越える大型坪数です。位置によって30万ドルまでしますが、基本的に10万ドルは全て超えます。中区域は建てる場所さえ無く、牡丹峰、普通江、西城、平川の方に新しいアパートを多く建てるのですが、売れないものを見ることが出来ません。みんな売れるのです。金持ちが初期に投資して、月貰を定め、伝貰を定めて、経営するのですよ。月貰、伝貰があるかって？　平壌の不動産市場は、南朝鮮と全く同じです。銀行の貸出は無く、自分のカネで建てるのが異なるだけです。

不動産でカネを儲ける人も、確認して見れば、みんな中央党の高位幹部たちです。ところが、自分が乗り出せないので、妻が動くのです。妻は、また賢い奴ひとりを前に立てるのです。アパート1棟を建てようと思えば、承認の印鑑7つを受けなければなりませんが、その1つ1つに賄賂が大変ですよ。権力者が間に入らなければ、良い敷地は確保できませんね。こんなことをカネ目当ての幹部たちが背後で全て解決してくれます。

建設人力は、建設業体や軍建設部隊から1～2個大隊くらいを借りて来るんだが、代わりにアパート何部屋か与えれば良いのです。今は金持ちがタクシー会社や運送事業のような、ボロボロの紙幣を受け取る詰まらないことはしません。カネがあれば全てアパート事業に跳び入ります。

いくらかでも暮らすに足る家だという噂を聞こうと思えば、弾く人がいなくてもピアノは無条件に1台なければなりません。日本のヤマハピアノが2万ドル、中古が7,000～8,000ドルします。家具も全て日本産を最高と認めてくれます。韓流、そんなのは知りません。もちろん、テレビは三星とLGを最高と認定します。3,000ドル程度に売れるのですが、中国のテレビは同じ大きさが500ドルしかしません。炊飯器も韓国産は知られているが、その外は全て日本製が最高です。この頃は金庫

が物凄くよく売れます。銀行があるものの、あるだけなので、金持ちはドルの札束を家に置いています。重く、こじ開けられない金庫は、金持ちの必需品でしょう。

暮らすアパート団地の周辺には大体『コンピューター教育室』、『情報奉仕所』などの看板を掛けたPC房がありますが、金持ちの家の子どもたちは、そこで暮らすのです。そこは部屋の中にコンピューターが20～30台あり、同じPC房のコンピューターとだけサーバーが連結されています。ゲームをして死ねば『「ドラゴン」の名前を使う奴は誰だ？』と言いながら探し回ったりもします。それで、PC房で子どもの争いが時々おこります。米軍が主人公の『コール・オブ・デューティ』とか『カウンターストライク』、『007ゲーム』がPC房で一番人気があります。笑わせるじゃないですか？」

市場経済のポンプ、チャンマダン

北朝鮮の住民は、「チャンマダン」と呼ばれる自由市場で生計を維持し、富を蓄積する。「トン主」と呼ばれるチャンマダンの資本家も続出している。北朝鮮経済の実状が最もよく現れるこの「大型マート」は、2000年以後「巨大市場」へ進化しつつ、北朝鮮の経済・社会的な変化を牽引している。この韓国産「辛ラーメン」からドイツ産「ベンツ」まで全ての物が取引されるチャンマダンは、北朝鮮式の市場経済、北朝鮮式の資本主義を理解するために必ず通過しなければならない関門である。

北朝鮮の権力も退かせた市場の風

北朝鮮は、時代を主導した20〜30代を基準として「革命世代」を規定してきた。革命1世代は金日成(キムイルソン)と一緒にパルチザン闘争を行った世代、2世代は6・25戦争と戦後復旧を経験した世代、3世代は1970年代に3大革命小組運動を率いた世代、4世代は1990年代に苦難の行軍を経験した世代である[5)]。金正恩(キムジョンウン)時代の開幕と共に、今や北朝鮮には5世代が登場した。

ところで、1〜4世代と異なり、1980年代中盤から1990年代後半に生まれた5世代は、自らを規定する用語を持てなかった。私はこの5世代を「チャンマダン世代」と定義したことがある。今は学界と言論界すべてで、この金正恩時代の青年世代をチャンマダン世代と名付けて呼ぶ。

チャンマダン世代が生まれた時、北朝鮮は国家配給網が崩壊した。父母である苦難の行軍世代は、国家ではないチャンマダンに全的に依存しつつ、子ども世代を食べさせて生かした。チャンマダン世代の最も大きな特徴は、急激な人口減少と発育障害である。1990年代中盤に大規模な餓死事態が起きた時、このチャンマダン世代が最も多く死んだ。

現代の北朝鮮で「チャンマダン」という名称は、口伝えでのみ通用し、実際に平壌を含む全ての道、市、郡では「市場」という看板を掛けて運営されている。本書でもチャンマダンと市場を混用しているが、意味と対象が同一であることを明らかにしておく。

チャンマダンは、北朝鮮住民の生計を左右する現実的な消費ならびに流通の市場である。チャンマダンを離れて北朝鮮の経済を説明することは不可能である。チャンマダンは闇市場から始まったものと知られているが、その端緒は「農民市場」へ遡る。韓国式に表現しようとすれば、三日市や五日市のような在来市場である。農民市場は、北朝鮮政権の樹立初期からあったけれども、1958年8月に個人事業を廃止し、国営の流通と協同の事業に統合する中で廃止された。

しかし、国営の流通と協同の事業だけでは北朝鮮住民の必要を充足させられず、結局1964年に農民市場が再び生まれた。以後、農村地域を中心に月3回、十日市（1、11、21日）が開かれた。特に1984年以降、工場と企業所から出て来た副産物で作った「8・3人民消費品」が取引される中、市・郡別に1～2カ所の農民市場が生まれた。

農民市場が再び生まれた時、資本主義思想と個人利己主義を呼び起こすかも知れないので廃止すべきだという主張もあったが、1969年に金日成が農民市場の必要性を認定する中で解消された。この時、北朝鮮の指導層は「国家が全ての消費品を生産して供給すると同時に、共産化が完全に実現されれば、農民市場は自然に消え失せるであろう」と信じた。

現在、北朝鮮の大学の経済学は「社会主義社会で市場の存在」について次のように説明する。

「社会主義社会でも商品生産があるので、やはり市場があることになる。しかし、この市場は資本主義の市場とは本質的に区別される。再び述べると、社会主義の国内市場は資本家がいない市場として、商品市場としてのみ残っている。この市場では価値法則も制限された範囲においてだけ作用する。この市場は、人民生活を体系的に高めるための経済的空間として社会主義国家の活動により意識的に利用される。」

社会主義を標榜する北朝鮮政権が、個人間の物々取引がなされる市場を認定する根拠だと言える。もちろん、北朝鮮の経済学者の相当数は、北朝鮮住民がそれぞれに食べて暮らすのは全てこの市場のお陰だという事実をよく知っている。

2009年、金正恩体制へ移って行っていた時期に北朝鮮は、深刻なインフレーションを経験した。インフレーションを抑えるために貨幣改革を断行したが、ひどく失敗した。韓国へ亡命した太永浩(テヨンホ)・前駐英北朝鮮大使館公使は、2009年に進行した貨幣改革をこのように回想した。

「大々的な処刑が起こった。商店が門を閉ざし、市場から商品が無くなった。平壌市党責任秘書の金万吉(キムマンギル)が住民たちの前で謝罪し、すべての商業活動を再開してくれと訴えたけれども、何らの効果も無かった。住民たちの反発に金正日(キムジョンイル)はひどく驚いた。北朝鮮の指導者の一言にビクビクとこびへつらっていた住民たちが集団的に抵抗するとは推し量れなかったのである。」

結局、金正日は1ヵ月ぶりに朴南基(パクナムギ)・財政経済部長をスパイとして公開処刑し、住民に謝罪した。父親の舐めた人生最大の屈辱と失敗を後継者の身分で眺めていたであろう金正恩は「住民の生計を揺るがせにすれば、出来ないことが無い権力者も膝をつくことになる」という教訓を骨身にしみて得たであろう。

金正恩は執権後、市場の統制を放棄した。むしろチャンマダンに対する規制を再び解いてやり、奨励する方へ政策方向を転換した。その結果、北朝鮮の市場は恐ろしいほど大きくなり、それなりに精巧に分業化された。貿易商人と同様にチャンマダンのトン主も、やはり一定程度の資金を金日成・金正日の基金や各種の支援作業の名目で国家に捧げる中、「労力英雄」の称号まで得ている。

標準化されるチャンマダン

北朝鮮のチャンマダンの大部分は、該当地域の名前を付けている。統一市場や船橋市場のように通りや区域の名前を付けた所もあり、1つの区域や市の中に市場が2つ以上ある場合、上新市場や下新市場のように洞の名前を付けた所もある[6)]。

チャンマダンは、住民の居住地域の中心に位置するものが一般的で、めったにないけれども、敷地の問題により住居地域の外郭に位置したりもする。外廊式（多層住宅で各層の外側に共同で使用できる複道が付いている構造）アパートの余裕空間に開設されたチャンマダンもある。チャンマダンが位置したアパートは当然に同じ条件の他地域のアパートよりも価格が高く、同様にアパートに位置したチャンマダンは同じ条件の他地域のそれよりも商売が上手く行く。

チャンマダンの規模が大きくなり、資金流通が増えるに連れて、施設も改善された。平壌市内の中心部の市場は、比較的に綺麗な環境を備えている。特に、平壌駐在の外国人がしばしば訪れる統一市場は、数度にわたりリモデリングされ、北朝鮮版市場の標準となっている。

チャンマダンは、商品の類型に従って区画されている。衣服類、穀物類、肉類、水産物類、鉄器類、靴類、化粧品類、菓子類、雑貨類、食料品、日用品、学用品などが、その類型別の区画である。この区画は、具体的な項目に従い、もう一度さらに分けられるのだが、例を挙げれば衣服類は洋服、男性服、女性服、子ども服などに細分される。

各区画には該当商品の名前を書き込んだ表示が付いている。市場の商人の身なりも区画または市場の単位で統一されており、右側の胸には名前と業種を知らせる表示を付けている。国家政策ながら、平壌など繁華街に位置する市場でこそ見られるが、地方では有名無実である。

チャンマダンには無いものが無い

「チャンマダンには猫の角を除いて全てあります」という言葉がある

くらい、ここには無い物が無い。市場で統制する物品は、当局の要求と指示事項に従って異なるけれども、電子製品と家電製品、家具類、軍需品くらいである。しかし、これらの物品も、どれだけでも購入できる。

市場に行けば販売者の仲介人が告示用メモ紙を持って立っている姿を見ることが出来る。そのメモ紙には、上述した統制物品をはじめ全種類の物品名がことごとく書き込まれている。仲介人は購買者を連れて来て取引を成就させ、一定の報酬を受ける方式で販売者たる商人と連結している。商品の類型に従って異なるが、だいたい購買者1名当たり北朝鮮のカネ1,000ウォン程度を受け取るという。

容積が大きくない統制物品は、現場に隠して置いて売る。例を挙げれば、USBメモリーやCDのような物は統制物品だが、日用品の売場でどれだけでも求められる。もちろん、商人は保衛員や保安員のような取締者を避けるために購買者の服装や態度を注意深く調べる。商人は大体、女性の購買者を警戒しない傾向があるが、このために女性の保安員を通じた取締も、しばしばなされる。

チャンマダンには商人を対象とした、また別の分類の商人がいる。朝鮮式の味噌汁、海苔巻き、朝鮮式の汁ご飯、飲料などを作って手押し車に積んで往来する「ご飯保障業者」が代表的である。

腕章を巻いた市場管理員と闇ドル商

チャンマダンには腕章を巻き、場税（場所の使用料として出す税金）を受け取ろうと行ったり来たりする「市場管理員」がいる。彼らのパワーは、とても大きい。毎日のように商人を相手にするので、誰が不法製品を売り、誰が「カネ商売」をするのか、明らかに詳しく知っている。ここでカネ商売とは、闇ドル商による外貨の闇取引を意味する。チャンマダンで外貨を使うのは違法である。それで、ほとんど全てのチャンマダンの「前」には、北朝鮮のウォン貨と外貨を「チャンマダンのレート」で交換して差益を得る闇ドル商が陣を張っている。やはり闇ドル商もチャンマダンの商人と同様に、市場管理員と上手く通じてこそ商売を

「安全にやって食べる」ことが出来る。

市場管理員の実際の収益は、商人の平均を大きく上回る。これゆえに誰でもその職責を得たいと思っている。チャンマダンの市場管理所には所長と多数の指導員、そして市場規模に応じて数十名に達しもする市場管理員がいる。市場管理所の所長になるためには、区域党や人民委員会の課長以上、または区域級企業所の支配人や党秘書くらいの経歴がなければならない。

チャンマダンの周辺には該当地域の地方権力機関と給養奉仕機関が建てた小規模の食堂と商店、売場が雨後の筍のように生まれ出ている。この他にも、市場は靴の修繕、鍵および印鑑の加工、時計の修理をはじめ楽器の教習から病気の治療に至るまで多様な各種の類似専門街により門前の城市をなしている。

このように韓国の大型マートを彷彿とさせるチャンマダンは、単純な商品販売場所を越えて、価値を帯びたあらゆる財貨と才能が取引される北朝鮮式市場経済の第一線だと言える。

北朝鮮経済の支柱となったチャンマダン

北朝鮮住民が自ら作り出した事実上の市場経済であるチャンマダンは、今も継続して成長しつつ、その影響力を大きくしている。2000年以後、巨大市場へ発展したチャンマダンは、北朝鮮の経済ならびに社会の発展に導火線の役割を果たしている。

生存のための北朝鮮住民の身悶えと一緒に成長したチャンマダンは2018年2月現在、公認された総合市場だけで480余ヵ所に至り、以外にも裏通り市場、野市場など多様な市場が各所に存在する。そして、北朝鮮住民はこの市場で生活需要の80〜90%を解決している。

対北制裁の打撃にも関わらず、北朝鮮住民がそれなりに生きて行けるのは、正にこのチャンマダン経済のお陰である。500カ所に至る市場をはじめとして、多様な形態の取引空間に従事する北朝鮮住民が100万名を超える。チャンマダン関連の従事者とその家族を含めれば、北朝鮮住民の3分の1以上が収入の3分の2以上をチャンマダンで得ている。そして、その基底には富裕層を中心とした私金融が金融会社の役割を果たしている。市場経済の循環体系と異ならない。

チャンマダン世代と携帯電話

チャンマダンは、市場経済を経験した新世代を作り出した。このチャンマダン世代は、集団の利益や価値より個人の富を重視する。この世代は、自らの生存を国家に任せず、自らの運命を体制に掛けない。

チャンマダンを通じてカネを儲けた新興の金持ちも立場を広げている。市場の発展と分化による各種の差別と不平等は、必然的に「競争」と「私的欲望」の拡大をもたらした。成長期から自然に市場経済体系に目を覚ました若い世代が、社会変化の核心になっているのである。

北朝鮮住民は、市場で資本循環の原理に慣れ、独自に生存の知恵を体得している。事実上、政府が広げてくれた市場経済のムシロにおいて物件を売り買いしながら、そのように得た収益の一部をムシロの使用料として出しているのである。

北朝鮮にはスマートフォンを含め、約500万台の携帯電話機が普及している。この電話機の用途は、正にカネを儲けること、すなわち商売である。全てのチャンマダンの関連従事者が携帯電話を持っていると言っても過言ではない。初期の携帯電話機は、情報を得る手段であった。各地域の物品の時勢と需給現況など携帯電話機を通じて得られる情報は、チャンマダンの金儲けで最も重要な要素であった。

今は情報交換よりも注文・販売にもっと有用に使われている。野菜や樹木も携帯電話で注文を受け付ける。このような注文・販売が定着する中で登場したのが、正に配達文化である。配達文化は、専門配達員という職業まで作り出した。今はほとんど全ての物品が個人の家へ配達される。平壌市民は、時間が経てば味の落ちる冷麺も配達させて食べている。もちろん、専門配達員にも携帯電話機が必須である。商人と顧客の間で随時に連絡をしなければならないからである。

韓国製品も人気のうちに流通

チャンマダンの活性化により韓国ドラマと映画が北朝鮮に流入した。これは、北朝鮮住民が韓国製品を肯定的に受け入れるのに一助となった。実際に2000年以降、中朝国境地域のチャンマダンには中国を通じて韓国製品を密輸して販売する商人が急増した。韓国製品の質が良いという認識を持つようになった北朝鮮住民は、今や韓国産であれば尋ねることもなく買っていく状況に達した。

幹部からして韓国産の家電製品と化粧品、衣類、生活必需品を購入し始めた。韓国産製品は当然に統制物品なので商標をはがして売らなければならないが、そうすれば価値が下落するから、販売者の大部分が危険を敢えて甘受しながら商標の保存のために努力する。

韓国製品と関連する逸話も多い。そのうち1つを紹介しよう。不法流通過程で押収したクークー炊飯器[7)]が平壌のある幹部に賄賂として入った。ところが、賄賂を受け取った幹部は、正にその取締、摘発、押収を行う保安署の所属であった。甚だしくも、その幹部の妻は、炊飯器を使用してみてから夫に「こんなに便利で良い物品をなぜ取り締まるのか」と言いつつ詰め寄ったという。チャンマダンは、北朝鮮住民の商品交流と生活保障の空間であると同時に文化的、精神的な変化が達成される空間でもある。

チャンマダンの進化、多様な小市場の誕生

2000年代までだけ述べても、北朝鮮で最も大きなチャンマダンは、平城と水南のそれであった。北朝鮮の西南部と東北部を代表していた、この2つの市場は、有名になると共に人力と資金が大挙して流入する中で、際限なく肥大化した。北朝鮮住民であれば誰でも、この2つのチャンマダンが北朝鮮で最も大きく商売がよく出来る所だということを知っている。

市場が肥大化して見ると、窃盗、詐欺、夾雑、強盗のような犯罪も増

えた。当局は、この問題を解決するため、数次にわたり位置の変更と細分化の措置を取った。その間に他の多くの地域のチャンマダンが発展する中で似通った規模を持つようになった。

大規模なチャンマダンの周辺には、数限りなく多くの小規模の衛星チャンマダンが存在し、この衛星チャンマダンには家屋が商店である小規模な民間企業も包含される。このような小規模企業は、北朝鮮で流通の中心都市のうちの1つである平城市に多い。元来、小規模企業は商売に遅れて跳び込んだり場税の準備に苦労したりして、チャンマダンに場所を得られなかった小商人が始めたものであった。今は完全に自由化されて、北朝鮮のチャンマダン経済の一部分を占めている。

チャンマダンでカネを儲けた商人も、この小規模企業の小市場に関心を持ち始めた。市場管理員もおらず、組織も無い、自分だけの市場だからである。さらに進んで、配置の良い所に位置した小商人は、チャンマダンの商人よりも高い収益を上げもする。

この小規模な衛星チャンマダン、小規模企業の小商人は、該当地域担当の保衛員と保安員を抱き込んで商売をするので安定的なのである。また、チャンマダンとは異なり、多様な商品を1ヵ所に置いて売ることが出来る長所もある。一般的に地方都市の物価が首都より低いように、やはり平城の物価も平壌よりも低い。平壌と平城周辺都市の商人は大部分、この平城から商品を持って来る。商人はもちろん一般住民も、価格の良い商品を購入するために平城を訪ねる。平城に到着したこの「外部人たち」は、小商人が派遣した「勢子」どもの客引きに接することになる。

小市場で市場経済を経験し、カネの味を覚えた小商人のうち、一部は更に大きな企業である国営企業の私営化を狙い始めた。元来、北朝鮮の全ての都市、郡、区域には直売店、工業品商店、食料品商店と該当地域の特産品を専門に販売する国営商店がことごとく1～2ヵ所ずつ存在する。苦難の行軍の時期を経る中で典当舗の形態の需買商店[8]が生まれもした。このような国営商店は、正常に運営はされ得ず結局、トン主になった小商人がこの商店に投資する中、チャンマダン経済の変種と言える「民需企業」が生まれ始めた。

民需企業は、個人が投資して運営する小規模企業を指す。トン主が運営する企業なのである。もちろん、個人の名義で運営できないので、国家機関に籍を上げておいて、一定の費用を支払う。商品の生産と販売、職員の雇用と解雇など全ての責任は、トン主が負う。利潤は、やはりトン主が取る。北朝鮮が市場経済を受け入れ始めるならば、この民需企業が最も早く、かつ大きく図体を育てることになるであろう。

民需企業のトン主は、今や国営商店の投資を越えて外貨稼ぎ企業と直接に連結し、チャンマダンに商品を供給する。入出庫、帳簿管理、財政統制、運搬に至る全過程の専門性は「商売」を越える「企業経営」の水準である。

裏通り商圏の拡大

チャンマダン経済は、また別の変種である裏通り市場も作り出した。前述した小規模企業と同様に、チャンマダンで商売する与件が出来ていない販売者が作り出した空間であり、よく「バッタ市場」と呼ばれる。稲が最も豊かに実った季節、畦道をそぞろ歩けば、今が出番だと感じたバッタどもが大急ぎで飛び立って場所を占める姿を見ることが出来る。取締員を避けて四方へバラバラと離れる裏通り市場の商人の姿を見て、誰かが考え出して付けた名前である。

このような「バッタ」は大部分、老人、基本資金が無くてチャンマダンで商売できない零細商人、昼には職場生活をして夜になれば生計のために再び金儲けに乗り出す貧民である。北朝鮮当局は通り商売、裏通り商売を無くさなければならないと言って講演も行い、統制も行うけれども、根本的な対策が無くては、この「バッタ」たちを市場に安着させるのは難しいであろう。

地方ではこのような裏通り市場がほとんど黙認されるが、平壌は「革命の首都」のイメージを損傷させると言って強く統制している。2018年3月「一切の非社会主義的行為を厳禁することについての布告」が発表されて後、平壌の中心部に繁盛していた裏通り市場は、ほとんど消えてしまった。

北朝鮮の公式レート vs. チャンマダンのレート

チャンマダンは、自らのレートを持っている。北朝鮮には公式のレートとチャンマダンのそれ（市場レート）が存在する。外貨の闇市場は、世界どの国家にもある。中国についてだけ述べても、大都市の国営銀行の前で人民元と外貨の闇取引が常になされている。

しかし、北朝鮮の外貨闇市場は、ちょっと特異である。事実、闇市場という表現が相応しくないほど、公々然として外貨の取引がなされている。ドルと人民元、円、ユーロ等を自由に使える国家が正に北朝鮮である。特にドルは、平壌市内のほとんど全ての商店、食堂で自由に使える。

北朝鮮の通貨である「ウォン」のISO4217コードはKPWで、記号は₩である[9)]。日常生活ではハングルで「ウォン」と書いて読んでいる。固定レート制を取っている北朝鮮は、交換率を国家が指定する。公式レートは朝鮮貿易銀行が告示するが、この資料はドイツ連邦銀行が毎日提供する米ドル貨およびユーロ貨に対する買入売渡率の統計に根拠を置く。

2018年7月現在、北朝鮮で発表した公式レートは、1ドル当たり102〜112ウォンである。このレートは、北朝鮮当局が開設した公式の外貨両替所で適用される。しかし、北朝鮮住民の中にこの公式の外貨両替所で両替するバカはいない。1ドルを持って近隣の市場に行けば、北朝鮮のカネ8,400ウォン（2018年7月基準）と交換できるからである。事情を知らない外国人が公式の外貨両替所で100ドルを交換すれば、北朝鮮のカネで1万ウォン、すなわち5,000ウォン券で紙幣2枚を受け取ることが出来るけれども、市場で両替すれば84万ウォン、すなわち5,000ウォン紙幣168枚を受け取れるのである。このように北朝鮮の公式レートと市場のそれが大きな差異を示しているのは、北朝鮮の貨幣の信頼度が地に落ちたからである。

北朝鮮の貨幣の信頼度を叩き落した主犯は、逆説的ながらも今まで5回も実施した貨幣改革である。1次貨幣改革は、1947年12月6日から12日まで進行した。当時、日本の朝鮮銀行券1円を朝鮮中央銀行券1ウォンとして制限的な交換を行ってやった。2次貨幣改革は、北朝鮮経済の全盛期である1959年2月13日から17日まで進行し、旧貨幣と1：1で無制限交換を行ってやった。

3次貨幣改革は、1979年4月7日から12日まで進行した。2次と同様な1：1の無制限交換であった。この時期から外貨と交換できる兌換券が朝鮮中央銀行から発行された。この時、公式レートは米貨1ドル基準が北朝鮮の貨幣2.18ウォンであった。兌換券は1988年、朝鮮貿易銀行へ移管されて「パックントン票」という名前で発行された。

4次貨幣改革は、1992年7月15日から20日まで進行した。この時から北朝鮮当局の白昼強盗行為が本格化した。この時、交換比率は2次、3次と同じ1：1であったが、1人当たり交換限度が400ウォンに制限された。当時、北朝鮮労働者の月給は80〜100ウォン程度であった。400ウォン以上を持っている北朝鮮住民は、残りの金額を全て銀行に貯金しなければならなかったが、貯金の額数も1人当たり3万ウォンと制限された。結局、この貨幣改革は財政回収のために計画的に恣行されたものであった。

北朝鮮当局の「自殺行為」は、5次貨幣改革の時に極に達した。この2009年11月30日から12月6日まで進行した貨幣改革は、北朝鮮史上はじめて失敗を認定した通貨改革であった。旧貨幣100ウォンを新貨幣1ウォンに替え、1人当たり交換限度は10万ウォンに制限した。2009年11月当時、北朝鮮の米価は1kgに2,200ウォンであった。結局、コメ45kgを買えるカネ以外は全て紙屑になってしまった。

この貨幣改革は、国家がインフレーションを抑制し、タンスに保管された個人のカネを無用の長物とするために断行したのである。ところが、交換比率により確認すれば、約230倍のインフレーションを招き寄せてしまった。北朝鮮で物価のバロメーターである米価を基準に計算すれば、次の通りである。貨幣改革前の米価が1kgに2,200ウォンであったとすれば、それ以後の米価は22ウォンにならなければならない。けれども、2009年12月中旬には50ウォン、2010年1月初めには150ウォン、同月中旬には300ウォン、同月末には800ウォンまで暴騰した。結果的に2ヵ月の間に物価が最小30倍以上も急騰したのである。現在（2018年11月）、北朝鮮の米価は貨幣改革前に比べて230倍も上がった5,000ウォン程度で、この貨幣改革の残酷な失敗を傍証している。

北朝鮮は、3次貨幣改革の以前まで米貨を認定も使用もしなかった。当時は社会主義圏の国家の援助だけでも経済運営に支障が無かったからである。1968年1月にプエブロ号を拿捕した時、相当な量の米貨を回収したが、ゴミ扱いにして全て燃やしてしまった逸話もある。

1970年代に入ってから事情が異なりだした。ドル貨と円貨をはじめ、資本主義国家の貨幣を使用する中で外貨に対する貪欲が育ち、今は周知の事実のように外貨なしには市場の取引が不可能な社会となった。

北朝鮮の二重的な外貨レートは、外国の投資者による投資の成敗と関連があるので、注視しなければならない。本書では北朝鮮の携帯電話事業に投資したエジプトの多国籍通信会社である「オラスコム(Orascom)」の例を調べてみることにする。

オラスコムが残した教訓

オラスコムが朝鮮半島のニュースに登場したのは、2008年からである。オラスコムは、移動通信サービスが脆弱であった北朝鮮で独占事業権を獲得し、高麗リンクという会社を設立した後、平壌はもちろん中朝国境地域とその近接地域に至るまで携帯電話の熱風を吹き起こした。わずか数年のうちに北朝鮮の携帯電話の普及台数は、300万に達した。

2015年6月末、意外な消息が聞こえてきた。独占事業の期間が終了して以後、この会社が相当に困難な境地に置かれたというのであった。この頃に公開されたオラスコムの第1分期会計監査の報告書によれば、

3月31日基準でこの会社が高麗リンクを通じて保有中の総資産は58億4,400万エジプトポンド（約7億6,600万ドル、円貨約766億円）で、そのうち現金資産が41億2,000万エジプトポンド（約5億4,000万ドル、円貨540億円）であった[10)]。

報告書の現金資産の大部分は、北朝鮮で儲け入れたウォン貨の収益金を北朝鮮の公式レートで換算したものであった。2014年当時、北朝鮮の公式レートは1ドル当たり98.4ウォンであった。オラスコムは、このレートを基準と見なして北朝鮮に5億4,000万ドルを出せと言い、北朝鮮は市場レートである8,400ウォンで計算してやると言った。そのようにする場合、オラスコムの収益は85分の1へ減額された640万ドルになる。オラスコムは受け入れられないと踏ん張り、北朝鮮も当然に5億ドルを出してやる考えは無い。

オラスコムの事例は、対北投資の不透明性と危険性に言及する時、しばしば引用される。ところで、貪欲を張って世界を欺瞞したのはオラスコムである。オラスコムは、自社の投資者に対北投資の成果を誇張するため、投資以後の収益を北朝鮮の公式レートで計算して公示した。けれども、実際の販売の大部分は、チャンマダンのレートで計算した金額でなされた。やはり収益金もチャンマダンのレートで計算するのが当然だったが、投資者たちに長い期間にわたりウソをついてきたオラスコムは、これを公式に認定できなかった。

オラスコムが北朝鮮の通信事業に投資した金額は、1億5,000億ドルである。1億5,000万ドルを投資して5億ドルの収益を得たというわけだが、常識的に見て北朝鮮のような国家で4年の間に投資額の4倍を稼いだこと自体が話にもならない事態である。オラスコムの事例は、どれだけ北朝鮮が憎らしいと言っても、事実関係を確認せずにがむしゃらに欲をかいてはいけないという教訓も一緒に与えている。

恐れ入りますが、
切手をお張り下さい。

〒113−0033

東京都文京区本郷
2−3−10
お茶の水ビル内
（株）社会評論社　行

おなまえ　　様

（　　才）

ご住所

メールアドレス

購入をご希望の本がございましたらお知らせ下さい。
（送料小社負担。請求書同封）

書名

メールでも承ります。　book@shahyo.com

今回お読みになった感想、ご意見お寄せ下さい。

書名

メールでも承ります。 book@shahyo.com

アパート再建築ブームと投機の熱風

いま平壌にはソウルに勝るとも劣らない不動産投機の熱風が吹いている。住宅に対する平壌市民の熱情は、冷めることを知らない。韓国と同様に北朝鮮の住宅は「資産」として、手の届かない遥かなマイホーム以上の意味を持っている。北朝鮮にも個人所有の不動産がある。北朝鮮にも再建築ブームがあり、投機の熱風がある。北朝鮮の土地問題と不動産の開発方式についての話は、北朝鮮投資者の予備軍である韓国人の相当数に興味深い知識であると同時に有用な情報となるであろう。

不動産売買と伝月貰の方式

北朝鮮は形式上、個人の土地所有、建築物所有を認定しない社会主義体制である。過去、金日成の執権時代までを述べても、社会主義計画経済に従い、住宅は国家から無償で供給して管理した。

北朝鮮の住宅政策は1世帯1住宅分配原則で、基本的に電気、水道、暖房など使用料を支払いながら、生涯にわたり使用できるシステムであった。しかし、1990年代中盤、苦難の行軍の時期を経る中で国家中心の住宅供給体系は、それ以上もう役割を果たせない程度に崩壊した。飢える人が多くなる中で不動産取引が多くなった。家を売って食料を買おうとしたのである。余裕がある人は、廉価で良い家を求められる機会でもあった。当局の供給を待つだけでは一生涯、手に入らない機会であった。生きるか死ぬかの問題であったので、当局も強力に処罰できなかった。

住宅取引の形態も売買、伝貰などへ多様化した。最近は単純な売買を越え、トン主が資金を投資し、住宅を供給して売り払う、韓国とさして変わらない方式が拡散している。住宅取引が活発化する中、不動産仲介人も各地で生まれた。住宅市場は、北朝鮮の資本主義を最も赤裸々に示してくれる。

北朝鮮は住宅の所有権を保障しないが、代わりに居住権を保障する方式で住宅に対する「入住権」を発給する。販売者と購買者は相互の合意を通じて入住権を取引する。入住権は相続が可能なので、これを売り買いする行為が不動産市場の形成と一緒に暗々裏のうちに進行するのである。

取引が済めば、入住権の購買者は該当機関を訪ねて、自分の名義になった入住権を新たに発給してもらわなければならない。すなわち、名義変更をするのである。この入住権の発給は、該当区域の人民委員会住宅配定指導員の依頼を受けて、市人民委員会住宅配定処で進行する。住宅取引は不法であるけれども、やはり彼らも賄賂を受ける楽しみに陥っているので、一定額をこっそり渡せば大きな無理なしに名義の変更が進行する。住宅配定指導員と住宅配定処は、労働党と軍部、保衛部などに押されて何も特別な実権を持てなかった人民委員会の「卵の黄身」と言える。これゆえに、ここに入り込もうとする幹部たちの努力も涙ぐましい。もちろん、努力だけで達成できるのではなく、これもやはり賄賂の額数に左右される。

2000年以後、企業活動の自律性を拡大する一連の政府の措置が取られる中で、北朝鮮の市場化が迅速に拡散した。同時に住宅建設資金、セメント・鉄筋・砂・砂利などの資材、建設人力を解決できる建設市場も急速に形成されて、住宅の再建築と新築供給が急増した。

平壌の再建築ブーム

ソウルと同様に平壌も、市内中心部はアパートを新築するのに充分な新規の敷地が余っていない。これゆえに平壌の不動産ブームは、まず再建築から起こった。平壌市内の中心部のアパートは、大多数が1950年代の6・25戦争直後に建てた建物である。戦争時に爆弾40万発以上が平壌に落ち、市内に形体が残った建物は、たった1つだけであった。

このような廃墟の上に、北朝鮮はソ連の支援を受けて主要道路沿いに4〜5層のアパートを大量に建設した。ソウルのようであれば、すでに再建築が2回はなされたであろう、60年がとっくに過ぎた古い建物であるが、当時は建築技術が発展したソ連の建設図面どおり建てたので、現在までも構造には特に問題が無いほど非常に頑丈である。

2000年代初めの平壌では、リモデリングや再建築などの不動産開発が本格的に始まった。マージンもかなり高額になって、カネが少しある金持ちの相当数が再建築と分譲市場に跳び込んだ。

いわゆるリモデリングは、主に外廊式低層アパートで進行した。このような改築を進行することになった根本原因は、平壌市都市美化計画に従う政府の措置にあった。いくら骨組みが頑丈だと言っても、歳月が数十年も流れる中で少しずつ見栄えが悪くなり、屋根から雨が漏りさえすることが1度や2度ではなかった。アパートは国家財産と看取されるので、このような問題が生まれる場合、入住民は該当区域に欠陥を修理してくれという申訴（民願）を行うことになる。

しかし、政府にカネがあるはずも無い。結局、当局はこのような民願に対して区域別に能力の限り対処せよという指示を下した。当局がやるべき仕事を各地域に丸投げしたのである。地方行政組織もカネがあるはずは無い。屋根工事も行い、外装材も新たにしなければならないのに資金は無くて、それで考え出した方式がリモデリングであった。

平壌のリモデリングは、階数が低いアパートを補修しながら、その上に増築する方式で新しい家を上乗せする。ずっと前に建てられた外廊式アパートは大概5階の建物なのだが、そこに3～4階ずつ更に上げて新しい家を建てた後に売り払う。アパートの骨格がとても頑丈なので、問題とならない。新たに上乗せしたアパートを売って稼いだカネで、該当区域内の1線道路アパート（メイン道路に沿って建てられたアパート）の屋根工事も行い、外装材も新たにする。ところが、このように増築された新しい家は、昇降機が無い裸の外装なので、高く売れない。結局、利益が少ないので、専門的にアパートに投資するトン主は、このリモデリング事業には入って来ない。

リモデリングは1970～80年代に建てられた小規模な煉瓦アパートでも進行した。小規模な煉瓦アパートは大概3階の建物なのだが、1つの階に15坪程度の部屋2つがある。このようなアパートは、市内中心部から少し離れた大城区域、牡丹峰区域、西城区域などに多く、現在はほとんど全て増築されて、5階アパートに変身した。

小規模アパートは階数が高くないので、5階アパートに比べて利益が少し残る。5階アパートを増築して8階となれば、7つも階段を歩いて昇らなければならないが、3階建てアパートが5階になれば4つの階だけ歩いて昇れば良いことになる。平壌のアパート居住者は、階数が高くなることにひどく敏感である。食料と石炭などを全て担いで昇って行かなければならないからである。

社会的地位があり、高位層と人脈が太い上流層は、初めから独りで小規模なアパート増築事業を行いもする。大概3階建てのアパートに2階を上乗せして、部屋を4つくらい得るが、1部屋は自分が使い、3部屋は売り払う方式を取る。

もちろん、互いによく知っていたり信頼があったりする人たち同士が共同で投資して建てた後、一緒に分かち合ったり売ったりする場合もある。本人が直接この増築に跳び込めば、設計から施工までことごとく参与できるため、自分の好み通りに暮らす家を建てることが出来る。このような増築で最も大きな躓きの石は、カネではない。増築許可を受けようとすれば、該当地域にある機関の許諾を受けなければならないのだが、その許可を受けるところにカネだけではなく権力と人脈まで動員されねばならないから、普通の人は考えつくことさえも出来ない。

不動産投機を呼ぶ再建築システム

平壌の不動産投資者は、主に政府機関や国家級企業所を背に負った個人またはそのような個人たちの集団である。再建築だと言って誰でも分けもなく建てることは出来ない。再建築は、平壌市都市設計計画に反映された、いわゆる「平壌市現代化工事設計」に基づいて進行されなければならない。もちろん、このような現代化計画が無いと言って再建築が不可能なのではない。賄賂で出来ないことが無い北朝鮮なのだから、計画が無いならば「上の単位の幹部」にカネをこっそり渡して新しく作れば良い。

平壌の再建築過程を進行の順序どおり詳細に説明すれば、次のようである。仮に平川区域のある地域に古い平屋の家が集まっていて、現代化計画に従えば、この地域に新しい団地区画を造成することになっている。ところで、新しい団地建設は、個人が実行できる領域ではない。この場合、投資者はその区域内に、該当計画に符合する建物1棟を建てると計画書を出す。この計画書が多くの賄賂を通じ、最終の承認を受ければ、真っ先に作られるのが「建設常務」である。北朝鮮で常務は、特定業務を処理するため特別に作られる機構を意味する。

建設常務のグループには資金調達、資材保障、施工、分譲に至るまで各分野の担当者が含まれる。全て社会的地位を持つ者たちである。その中に再建築を発起し、各分野の担当者を募集して常務に入れた核心人物がいるのが普通である。彼が事実上この再建築の責任者である。

建設常務が作られれば、次の手続きとして投資者を募集し始める。トン主を対象に該当の位置がどれだけ良いか、アパートが建設されればいくらで売れるのか等を説明し、説得して投資させる。投資の額数に比例してアパートが配定される。

投資者が募集されれば、次の手続きとして該当地域の撤去がなされる。強制撤去は絶対に不可能である。該当地域の居住民の同意が必要であり、大きく3種類の方式で同意を獲得する。

第1の方式は、いま住んでいる家と類似したり更に良い条件だったりする家を市内の別の場所で探し出し、紹介（斡旋）してやるのである。このような仕事は建設常務の成員が行うが、直接に居住民と論議して他の家へ行くよう説得する。もちろん、引っ越す家は、該当の建物に投資したトン主が予め買っておく。引っ越す家が気に入らない場合、居住民は当然に住んでいた家に継続して住むと粘ることになる。この時から建設常務と居住民の暗闘が繰り広げられる。引っ越す家の大きさとかインフラ（交通、上下水道、電力などの条件）を考慮して、ついに合意が達成されれば、建設常務は居住民の引っ越しに最後まで責任を持つ。

第2の方式は、撤去住宅をそのまま購入するのである。やはり購買価格も、建設常務と居住民の合意により定められる。建設常務は一円でも安く削ろうとし、居住民は一円でもより多く受け取ろうとして争うのは当然である。普通、再建築が始められる時の住宅価格は、平素より20%くらい更に高い。平壊式プレミアムである。

第3の方式は、撤去民に「撤去証」という証書を与えるのである。この各種の国家機関の認証が押されている撤去証は、アパートが完工された後、そのアパートの入住証と交換できる証書である。すなわち、居住民は自分の家を撤去する代わりに、新しく建設されるアパートの1部屋を受け取ることになる。ところで、撤去民には良い部屋が配定されない。普通、高層アパートの場合、「マンジャン」と呼ばれる最上階または保安が脆弱な1階で価格が最も安い所、このような部屋が撤去民には配定される。建設常務は、新しい家の価格が撤去前の平屋の家よりも高いので、該当する価格を考慮して配定すると語る。

撤去証を持った既存の居住民のための専用住宅を設計に反映するアパートもある。すなわち、1つの階に1号から4号まで4部屋があるとすれば、日がまともに差し込まない北東向き4号の室数と全体の坪数を他号の部屋のそれよりも小さく作り、撤去民に配定するのである。南向きであって坪数も大きい他号の部屋は、トン主や初期投資者に分譲する。

このような過程を通じ、建物を上げる場所が準備されれば、本格的に建設が始められる。建設常務のグループには、専門建設資材を手に入れて来る資材引受員格の成員もいる。彼は、該当機関と取引してセメント、砂、砂利、鉄筋、仕上げ建材に至るまでアパート建設に必要な資材を出来るだけ良い価格で、然るべき時に保障（確保）するために働く。もちろん、アパートの階数と地盤の条件に従い、具体的な素材の所要量が計算されて、それに従い資材が保障される。

この過程で利益に目が眩んだ者どもの不当行為が、アパートの崩壊事故へ繋がる場合もあった。2014年に300名を超える死亡者を出した平川区域のアパート崩壊事故は、高層アパートを建てながら強度が基準に大きく達しない低マルカのセメントを利用したことから起きた。北朝鮮はセメントの強度をマルカという単位で計算するのだが、180以上であれば高マルカ、120以下ならば低マルカと区分する。300マルカは橋脚など特殊建築物にだけ入る非常に貴重な高強度セメントである。

平川区域のアパート崩壊は、低マルカのセメントを使用したのに加え、必要な鉄筋の数量も全て充足できなかったのが主要な原因であった。可能な限り原価を少なく上げて、暴利をせしめようという一部の不動産投資者の貪欲が、人命を奪ってしまう恐ろしい結果をもたらしたのである。

人件費0円の「速度戦青年突撃隊」、そびえ立つ建物

北朝鮮の主要な建設は、主に軍人や突撃隊が動員されて進行する。アパート建設は大部分、大きな国家機関を間に入れて進行するものなので、普通に軍人が動員される。軍人は月給が無いので、食べさせてやりさえすれば万事がOKである。人件費がほとんど掛からないのに加えて、軍人だと見ると強制的に工事の日程を押し付けても事故が無い。想像するのが難しいであろうが、北朝鮮の軍人は10年の軍服務期間にいつも建設工事に動員されるので「速度戦」に慣れ親しんでいる。軍人精神まで作用すると思えて、移動物資を背中に背負い、空を飛んででも施工日時に間に合わせる。

特に「速度戦青年突撃隊」は金日成社会主義青年同盟傘下の組織で、青年資源を軍隊の代わりに入隊させて高速度に海岸防御陣地、飛行場、ダム、アパート、工場、鉄道、発電所など各種の国家工事に投入する。1975年に常設組織化されて、40年以上も運営されている。速度戦青年突撃隊は軍と全く同じく旅団、大隊、中隊、小隊の単位で構成されていて、義務服務期間も軍人と同様に10年である。

北朝鮮で「青年」という名前が付いた建物や施設は、全てこの突撃隊が建設したのである。北朝鮮住民は「突撃隊員」と言えば、背が小さく痩せこけた姿の青年を思い浮かべる。もちろん、このイメージは事実と

ほとんど符合するけれども、彼らの手腕だけは無視できない。いくら痩せこけていたとしても、彼らは建設に熟達した専門人力だからである。問題は、彼らの労働力が創造した富を突撃隊幹部が持っていくということである。以前の突撃隊は誰でも頭を下げる、誰しも一歩退いて道を空ける職業と認識されたが、今はそうでもない。

平壌市速度戦青年突撃隊所属の旅団で大隊長や大隊参謀長くらいでも務めれば、国家の大臣、中央機関の局長をうらやまないほど富を享受しながら暮らしていく。彼らが建設の請負を引き受ければ常務と取引して、いったん自分の取り分として部屋ひとつの配定を受ける。平壌をはじめとして北朝鮮の再建築は、骨組みを建てて内装工事をした後、アパート外部の処理をすれば完工する。建設社が室内インテリアまで全て引き受ける韓国とは異なり、北朝鮮の建設常務は骨組みだけ分譲し、その他の室内装飾は部屋を買った人が直接、自分の好みに合わせて進行する。すなわち、カネがあれば内部を華麗に装飾し、カネが無ければ大雑把に壁紙だけ貼って使用する方式である。

突撃隊幹部は、自分に配定された部屋が完工した後にも、隊員たちに命じて内部装飾まで完全に終える。隊員たちは多くの建設の請負に動員される過程で自分なりにこっそり盗み出して隠しておいた建設資材を利用して、指揮官の気に入るように最上の水準でインテリアを完成してやる。このようにして完成された部屋を指揮官は、高く売り払って儲ける。どうせ彼は、次の建設の請負で部屋を1つ、また受け取るだろうからである。

こんな方式でアパート建設に動員される時ごとに部屋を1つずつ売り払って儲けるのだから、突撃隊幹部が得る富を推測するのは難しい。それだから今は、金日成大をはじめとした平壌の名門大学卒業生まで突撃隊指揮官として配置されることを好んで選ぶ世の中になった。昔は「重労働」をする「土方版」と認識されたが、今は状況が大きく違ってしまった。

突撃隊の平党員が大隊長の職位まで上るのは、空の星を取るようである。大隊級の指揮官は大体、上部から落下傘式に赴任する。だから、大隊長まで上る程度の人脈であれば、突撃隊に隊員として入って行くこともない。

アパートのロイヤル階は低層と中層

完工したアパート分譲は、多様な方式で進行する。まず建物の許可を受け取り、建設が順調に進行するよう後押しをしてくれる人たちに、ロイヤル階の中から方向が最も良い部屋を配定する。この「後押しをしてくれる人たち」は大概、大変な権力者であり、中央党幹部が最も多い。

北朝鮮のアパートでロイヤル階は、韓国のように展望が良い高層ではない。アパートの総階数によって異なるが、昇降機が無い10階程度のアパートならば2〜3階、昇降機がある20階以上の高層アパートでも7〜12階が最も好まれて選ばれる。電気事情から昇降機がしょっちゅう止まり、昇降機の生産工場が無くて修理・補修も難しいので、高層に住むというのは酷く疲れて辛いことなのである。

権力者と常務、人力を提供した突撃隊幹部などを対象に1順位の配定が終われば、再構築の敷地に暮らしていた撤去民に入住権が与えられる。そうして後、残りの部屋は売買して、建設投資者の資金回収がなされる。

平壌の分譲システムも先分譲と後分譲が存在する。アパート建設の初期に投資した先分譲の投資者は、投資する時に予め定めた階、号の部屋を持つことになる。カネがたくさんあるので、彼らは主に室内の美装まで終えた部屋に入住し、自ら豪華に飾り暮らすのが普通である。

後分譲は、アパートが全て建てられた後に売ることを意味する。この時、代金を高く受け取るため、室内の装飾まで済まして売りもする。アパートの条件によって異なるけれども、先分譲と後分譲の差異は大体2倍以上である。全て建てたアパートを売買する時は、プレミアムが何と10倍に達したりもする。

一部のアパートは、ほとんど全部が先分譲で建てられる。権力機関を間に入れており、建設能力もあるものの、資金の保障をしっかり出来ない建設業者が、このような方式でカネを儲ける。北朝鮮には契約金、中途金、残金が無い。先分譲にしても後分譲にしても、無条件に契約した金額の全部を一括払いで出さなければならない。

平壌は需要に比べて良いアパートがひどく不足しているのを見ると、現在までは建てられた家が売られるのは問題にならない。アパートは位置と大きさに従い、価格が上がり下がりする。このように再建築されたアパートの価格は、最低1万ドルを超え、最高で数10万ドルに達しもする。

5,000ドルから30万ドルへ跳ね上がったアパート価格

2000年代初めに最高が5,000ドルから始められた平壌のアパート価格は、2018年に30万ドルを超えた。2013年4月、普通江区域の柳京洞に完工した30階のアパートは、8万ドル前後で上下していたアパートの最高価格を一気に16万ドルへ引き上げた。このアパートは現在、30万ドルで取引される。

このアパートは、平壌で最初に180m^2（約55坪）以上の広さに輸入物の大理石のような最高級資材を使った。中国のアパート設計をそのまま持って来て建て、地下鉄の黄金ボル駅まで100mくらい離れていて、交通や立地も非常に良い[11)]。ただし、周辺のアパートより遥かに良くはあるが、停電と断水は避けられなかった。それでも、電気供給の優先権など特別な方法で電気を引いて使うので、平壌の他のアパートに比べれば遥かに条件が良い。

このアパートは、国家が建てたものではない。ドルを弄ぶ対外経済総局（一名99号総局）が不動産開発の次元で自ら建てたのである。アパートの大半は99号総局幹部の分で、残りは工事費を引き出すために売った。99号総局幹部の間で互いに獲得しようと争いが巻き起こり、もう1つの話題になりもした。

このアパートは非常に豪華に建設されたのだが、当時の最高実権者であった張成沢・労働党行政部長が側近に分け与えるため特別に気を遣っ

て建てたからだという証言もある。この証言の事実いかんは確定されなかったが、平壌で最も高いアパートに暮らすためには権力がなければならない。権力が無ければ国家保衛省などが資金の出所を調査し、不正の嫌疑が明らかになれば捕まえられる外はない。カネだけではなく保衛省の捜査も避けて行ける権力があって初めて、良いアパートで安心して暮らせるのである。

平壌の高級アパートの大部分が、ほとんど全てこのような方式で力ある機関により建設された。

欲望の噴出で熱くなった革命の首都

未来科学者通り（2015年完工）と黎明通り（2017年完工）が建設された後、平壌の不動産熱気は、多少は沈静したようであった。この2つの通りが大型坪数の高級アパート需要を多く吸収したからである。しかし、今も中区域、普通江区域、牡丹峰区域、平川区域のような平壌中心区域には新しいアパートが足の踏み場も無いほど建ち上っている。数十年間も抑え込められた欲望であるので、その噴出が容易に静まらないのである。

アパートを建てるためには権力と共にカネが必要である。建設常務を組織して動かす核心人物である建設主は、投資を受けなければならない。けれども、北朝鮮は銀行が有名無実であり、担保貸出のようなものが無い。権力者の秘密資金とトン主のドルがなければならない。投資した権力者とトン主のレベルが、すなわち建設主の能力である。朝鮮労働党の核心権力機関である中央党組織指導部の高位幹部程度を間に挟んでいれば、最上位の建設主に属する。やはり権力層も、カネを呼び込むために建設主という下手人が絶対的に必要である。もちろん、権力層は直接でて来ず、妻や子どもを代わりに押し立てる。

建築許可を受けようとすれば、内閣国土省、人民委員会など7～9つの権力部署の承認を受けなければならない。各部署の承認を受ける時ごとに投資した権力者の力が必要である。もちろん、最小でも数万ドルの賄賂も使わなければならない。

建設人力は、前述したように速度戦青年突撃隊や軍人または国家所属の専門建設企業から、アパート数部屋を与えることにして引き連れて来れば良い。その他に必要な建築資材は、カネさえあればいくらでも買える。良いアパートを建てる時には、ほとんど全ての資材を中国から調達して来る。

このごろ建てるアパートは、180m^{2}以上の大型坪数が大勢である。普通20階以上のアパートには最高速エレベーターが2台以上は設置されており、これもやはり中国製である。入住者からカネを取り立て、配電所と発電所に配給と石炭購入費の名目で渡して電気供給の優先権を受け取れば、24時間の電気使用も可能である。電力生産のような国家の基幹産業も、個々人が下支えしているからである。

アパートが完工すれば、投資金と寄与度に比例して利益を分かち合う。寄与度が高い権力者は、建設企画段階で最終分譲価格の10分の1だけ投資しても、アパート1部屋を受け取る。平壌に存在する「強者のルール」である。

権力が無いトン主のような「メダカ」は、最高級アパート建設についての情報に予め接しても、初期の分譲に参与できない。建設の中間段階で分譲価格の大半以上を投資して、やっと入り込むことが出来る。

如才ない建設主は「無条件で掴まえるべき権力者」に約束したもの以上を補償する。仮に利益を半分ずつ分かち合うものと約束していても、全て建てた後には、その幹部の妻に6割を与えて「本当にありがたい」と頭を深々と下げる。そのようにして再投資を引き受け、次の工事の「次」をまた依頼する。

平壌の建設部門幹部の伝言に従えば、各機関が平壌に自ら建てたアパートは、最近10年間で7〜8万棟にもなる反面、国家次元で建てた家は20年が経っても4万棟にもならない。

「革命の首都平壌」

列車に乗って平壌へ入って来れば、駅の真ん前のアパート屋上に大きく掲げてあるこの看板を真っ先に見ることになる。「革命の首都」は洗脳のキーワードである。北朝鮮住民の誰でも捉まえて「平壌は？」と尋ねてみれば、数十年も慣れ親しんできたスパイの暗号を当てるように、みんなが「革命の首都」と答えるであろう。甚だしくは、寝言でも。

半世紀前の平壌で沸き返っていた社会主義革命の熱望は、3代権力世襲と苦難の行軍を経て個人の欲望へ変わってしまった。今や平壌はこれ以上、革命の首都ではない。金持ちになろうという夢が支配する「欲望の首都」であるのみだ。革命も統制も順応も、すべて金持ちになるための手段に過ぎない。

もちろん、平壌には社会主義の残滓である国家配定システムが依然として残っている。金日成大、金策(キムチェク)工大の教員と研究士は最近になって建てられた黎明通りと未来科学者通りのアパートを無料で配定された。銀河水楽団、功勲合唱団、国立交響楽団の成員も数万ドルの価値があるアパートを贈物として受け取った。金さんの世襲に寄与した功労として下賜された賞である。

北朝鮮の不動産市場に現れた市場経済と社会主義の混在、市場化の急速な拡散は、北朝鮮社会全体の姿である。

もう一歩さらに

不動産投資ブームが呼んだ悲劇、平川アパート崩壊事故

2014年5月13日、平川区域の鞍山洞に建てられた23階アパートが崩壊したのは、北朝鮮の不動産投資ブームが呼び起こした代表的な悲劇だと言える。この平川アパート崩壊は、1970年に33名の死亡者を出したソウル麻浦の臥牛アパート崩壊や1995年に502名の死亡者を出した江南の三豊百貨店の崩壊と似た点が多い。

平川アパート崩壊は、当時ひどく大変な話題となったが、閉鎖的な北朝鮮社会の特性上、詳細な内幕が表れなかった。この文章を書きながら当時の平壌に暮らしていた青年たちを通じ、崩壊事故についての仔細な話を聞くことが出来た。この文章は、平川アパート崩壊事故の全貌を外

部に伝える最初の記録となるわけである。

平川アパートは、再建築されたアパートであった。ここには元来、7階建ての小規模アパート3棟などが横並びに建っていた。投資者たちは、それらの中で真ん中のアパートを撤去し、その場所に新しいアパートを建てた。カネを素早く引き出そうという投資者たちの欲望により、着工してから僅か1年でアパートが完工した。他の再建築アパートと同様に骨組みが完成し、内部の美装が終わるや否や、入住が始められた。部屋は撤去民と工事に関与した一部の幹部に配定され、残りは販売のために出されたが、すべて売れはせずに一部は主人のいない部屋として残っていたという。

5月13日午後、突然アパートが倒壊してしまった。崩壊は午後4時頃に起こった。生涯を捧げて働き、マイホーム取得の所願を叶えた人たちが、その部屋の崩壊と共に生を終えた。出勤せずに部屋に残っていた主婦と老人が数多く死んだ。休暇を得て部屋でインテリアを施していた勤労者、新しい家を手に入れた拍子に休暇を出して部屋に来ていた飛行士、アパート周辺で跳び遊んでいた子どもたち、他のアパートから遊びに来て閑談を分かち合っていた老人が死んだ。母親が死んで娘と父親だけが残った部屋、父母が二人とも死んで幼い息子だけが残った部屋、息子を失い夫婦だけが残った部屋……。惨憺たる悲劇であった。

アパートの後続工事をしようと残っていた建設部隊の軍人、個別に家庭から依頼を受けてインテリアを行っていた建設人夫も数多く死んだ。幸か不幸か、アパートの施工責任者も一緒に死んだ。彼は当時「常務用事務室」という名目でアパートの一部屋を占めて、その中に留まっていた。万一に生きていたとしても、死よりも遥かに厳しい処罰を受けたはずであった。この崩壊事故で300名以上が死亡した。

アパート建設に入った鉄筋とセメントが定量の品質ではないということが崩壊の主要な原因としてヤリ玉に上がった。この不実な資材までも建設に動員された人夫たちが抜き出して酒や副食物と替えたというから、そのように建てられたアパートが倒壊しないことが、むしろ異常なほどであった。建設に動員された軍人や突撃隊員のような実際の建設人夫たちは、ほとんど無報酬で労働に従事した。彼らに与えられたものは、何も無かった。それだから、建設過程でセメント、鉄筋、砂のような資材を抜き取って、腹を満たし、大金を稼いだ。

崩壊現場は、どれほどお粗末に建てられたのか、骨組みのようなものは全く探し出せず、ことごとく土くれの山ばかりだったという。崩壊当時、救助された人が1名もいなかったという事実も、やはりアパートがどれほど粗末に建てられたのか推定させる。それでも幸いだったのは、アパートが垂直に崩壊して、10m離れた所にあった7階アパート2棟の被害が大きくなかった（窓の破損とベランダ損傷）という事実である。

崩壊事故の直後、人民保安省と武力部が動員された。事故現場に柵囲いを張り、一般人の接近を遮断する中、数多くの人力と機械を動員して、二日で事故現場を整理した。この後、人民保安部長（警察庁長）の崔富日（チェブイル）が直接に出て来て「この罪は何によっても補償できず、容赦されない」と言って反省し、事故の建設を担当した人民内務軍将校の鮮宇蛍徹（ソヌヒョンチョル）（音訳）は「平壌市民に頭を下げて謝罪する」と述べたと当時の朝鮮中央通信が伝えた。平壌の居住地域のど真ん中で起こった大型事故を隠すことは出来ないと思ったのか、そうでなければ本当に責任を感じている姿を見せてやりたかったのか分からないが、北朝鮮の高位幹部が住民の前に頭を下げる、北朝鮮の歴史には全く無かった事態が繰り広げられた。

崩壊事故後わずか4ヵ月ぶりに同じ場所に同じ模様の新しいアパートが建設された。金正恩が「10月10日の労働党創建記念日までに無条件で本来の姿へ、超強度の強さで再び建てろ」と指示を下し、軍人たちが張り付いて懸命に頑張ったからだという。当時、北朝鮮当局は300マルカを超える超強度セメントを工法上の標準以上に投入して万年大計となるだろうと宣伝した。再び倒壊してはいけないので、神経を細かく使って建てたのであろうと信じる。

問題は入住民である。当局は、アパート崩壊事故で家族を失った入住民に「元帥様の配慮なので該当アパートに入住せよ」と非常に配慮するかのように述べた。事故以後に遺族は、格別な賠償や補償を受けられなかった。北朝鮮には保険も無いので、保険金を受けたはずが無い。結局、被害を受けた遺族に与えられた恩恵は入住優先権のみであった。元来、入住して暮らしていたのだから、恩恵とも言えないけれども。

もう少し考えてみると、本当に当惑する事態である外はない。このアパートは、どれほど遺族に大きなトラウマとなったか。愛する家族を失ったむごたらしい記憶がある所に再び入って暮らすというのは、精神的な拷問と同様である。事故前の記憶と事故以後の凄惨な光景が継続して思い浮かぶ外はないであろう。加えて、新しいアパートは金正恩の指示で倒壊する前と全く同じ模様で建てられ、遺族が感じる苦痛は更に大きかったであろうと見られる。このような拷問を配慮だと下してやるのだから、本当に北朝鮮らしいと言う外はない。

金正恩の贈物であると言うので、遺族は拒絶するのも難しい。また、平壌でその程度の規模の新しいアパートは、最低でも数万ドルで取引されるので、受け取らなければ甚だしい金銭的な損失を被ることになる。入住民には全財産と同様なのだろうから、再び入って暮らす外ない状況なのであろう。

崩壊事故で家族が全て死んだ部屋はほとんど無く、1〜2名ずつは生き残ったことから、遺族は新しいアパートを受け取れた。しかし、大部分が部屋を売り、他の場所へ移住してしまった。元来、金正恩の配慮で入った部屋は事後に売ることが禁止されたが、当局もこのアパートだけは売って移住することを黙認してやったという。このアパートは、もう多くの人命を奪って立派に「厄除け」が出来たと言いつつ躊躇なく住む人も相当数いて、需要も悪くなかったという。

参考として、崩壊したアパートの名称は、恩正（ウンジョン）アパートである。逆に読めば「正恩」になる。金正恩の執権以後に起きた最初の大惨事が金正恩の名前を連想させるのは、奇妙な因縁でないはずはない。

世の中を見聞しながらドルを稼ぐ夢の職業

北朝鮮では外国と往来したり外国に縁故があったりすれば、周囲の羨望を買う。国内では、どれほど上手く社会的に成功してみても商売の達人が全部であり、大部分は口に糊しながら暮らしていくからである。縁故があって大金でも手に入れて使ったり、特に職業として外国と往来したりしながらドルを稼ぐ人たちは、全て北朝鮮住民の羨望の対象である。北朝鮮には「3年の間、中東に行って来れば3万ドル、ロシアに行って来れば1万ドルを稼ぐ」という言葉があった。対北制裁の前の話である。2018年から北朝鮮に対する国際社会の制裁が強力になって、外国に出ていた北朝鮮の労働者たちは大挙、荷物をまとめて帰国した。今は外国にいる人員が全盛期の10分の1にもならない。北朝鮮が核を廃棄して正常な国家に進むならば、相当数の北朝鮮住民が再び外国へ行くために列を作るであろう。

大金が掛かっても海外派遣職を好んで選択

外国に労働者として派遣され、ドルを稼ぐのは、北朝鮮住民の夢である。カタールへ行ったある北朝鮮の建設労働者は、数万里の他郷で雨が降るように汗を流しながら、一日に14時間ずつ苦しい労働をした。もちろん、カネを稼ぐためである。北朝鮮内でも幹部になれば賄賂で更に多くのカネを着服できるが、良い出身と経歴、強固な背景が無ければ幹部にはなれないので、多くの住民が初めから放棄する。特に男性が一層、海外派遣を願う。北朝鮮社会は男性に対する統制が甚だしいのに加え、チャンマダンに座って商売をするのも都合が悪いからである。

海外派遣の機会が誰にでも与えられるわけではない。これもまた出身成分が良くなければならない。それで、平壌出身が多く抜擢される。前述したカタール派遣の労働者が所属した対外建設指導局は、傘下に18の建設事業所を持っており、従業員の30%が海外に派遣されている。

海外に出て行けば「国家計画」という名目でカネを稼いで貢がなければならない。建設労働者は、1年の国家計画が6,000～7,000ドル程度である。それ以上の追加収入は自分の取り分である。

3年間にわたり中東で働けば3万ドル、ロシアならば1万ドルを稼ぐという話がある。事業所が受注した工事場でだけ働けば、絶対それほど稼げない。個別的または仲間同士で住宅修理、建設、掃除など現地人の請負作業を依頼のある度に行って初めて、まとまったカネを稼げる。ロシアに派遣されたある労働者が死体の運搬で大金を稼いだという話は、今も伝説のように語り継がれている。

集団生活から抜け出て請負作業に乗り出そうとすれば、派遣で出て来た保衛員に賄賂を上納しなければならない。高級技術者や熟練工は、他の労働者に比べて更に多く稼げる。長く過ごすほど現地の人脈が増え、請負作業を受け出すのが容易になる。保衛員もカネを多く稼いでくる技術者の長期外出は、たやすく承認する。このような専門職労働者は、3年後に召喚されて北朝鮮に戻っても、大概は賄賂を与えて再び出て来る。

10年以上も出て来ている北朝鮮の技術者は、特にロシア沿海州に多い。中東よりも稼ぎは少ないが、その代わりに統制が弱く、働き口が多いからである。天候、飲酒を含めた飲食文化、作業の強度と時間も中東より良く、時には家に戻って来られるという長所もある。

いちど外国の水を飲んだ派遣労働者が再び出て行こうと全力を使う理由は、いろいろである。家族と離れて過ごす生活が辛くはあるが、組織生活に苦しめられず、働くだけ報酬を受け取れるし、何よりも外国の先進的な生活を体験できるからである。

労働者の代わりに海外貿易機関の責任者として派遣に出れば、錦上添花である。貿易機関の代表ほどであれば、国家計画の課題が一般的に月1万ドルに及ぶ。この課題は、非常に難しい。それで普通、計画の半分だけ遂行し、代わりに召喚の権限を掌握させてくれた幹部たちに1,000ドル程度の賄賂を与える場合が多い。それでもお釣りが来る商売である。他の代表たちもお互い様で、他の人よりも大きく後れを取りさえしなければ良い。少し違う場合だが、アフリカに派遣された医師は、国家計画を遂行しても3年間に5万ドルを稼いだと知られている。

2017年下半期から対北制裁が本格化する中、海外に派遣されていた多くの労働者が北へ召喚された。金正恩が核を放棄し、対北制裁が解除されるならば、以前より遥かに多くの北朝鮮労働者が海外へ出て行くし、彼らの暮らしも以前よりもずっと良くなるであろう。

留学生になろうと努力する若者

留学生として選ばれるのもカネを稼げる良い機会である。欧州を最も好むのだが、該当国家が留学生に与える月1,000〜1,500ドル水準の生活費を惜しんで残せるからである。欧州へ留学に行けば、年平均5,000ドルを残せるという。

しかし、実際に欧州へ行く留学生は、極めて制限されている。現在は、ほとんど全て欧州留学が遮断されている。平壌科学技術大学卒業生の数名だけが、この大学の周旋により欧州で留学しているのみである。

北朝鮮で留学生は、基本的に中国へ留学に行った学生を意味する。留学期間は4〜5年くらいで、本科課程の成績が良く、中国政府と事業を立派にやれば、修士課程まで連続で踏み進み、2〜3年さらに勉強できる。中国政府から奨学金形式で月2,000元を与えるのだが、やはり一定額を残して家に送ったり将来のための元手として集めておいたりする。もちろん、奨学金の一部は各種の名目で国家に納付するものの、このように納付しても月1,000元くらいは手に入れられるという。留学生には相当に大きな額数である。追加の稼ぎを出来ない留学生は、受け取ったカネを分割して使うことだけがカネを稼ぐ唯一の方式である。

海外の北朝鮮食堂の女性、いくら稼ぐ？

このような海外派遣の熱気に乗って、女性も金儲けに乗り出した。一時は中国内の北朝鮮食堂には、美しい女性が朝鮮服を着て接待する姿を普通に見ることが出来た。毎夕7時になれば20分くらい公演も進行した。よく知られるようになった北朝鮮の歌「パンガプスムニダ（初めまして。どうぞよろしく）」で始まり、中国の歌も途中に入れて歌い、踊りまで踊る。その味わいに引かれた中国の常連客と好奇心の多い韓国の観光客が、この食堂の売上高を上げてくれる主要な顧客であった。

このような食堂は、北朝鮮単独の企業か朝中合作企業の形態で存在する。合作形態で運営される食堂は、2種類の方式のうち1つを取る。

第1の合作方式は、食堂全体を賃借して、料理人の大部分と接待員の全部を北朝鮮住民で雇用して運営するのである。食堂は、北朝鮮の業主と中国の業主が共同株主となっている。北朝鮮の業主は、契約内容に従って利益の一部を中国の業主に支払う。「平壌館」、「高麗館」などの名前を付けて運営中の多くの食堂が、この場合に該当する。最近は対北制裁により北朝鮮食堂が多く閉鎖されたが、これは北朝鮮単独の企業の場合であって、合作企業は中国の業主による庇護の下でそのまま生き残った。

第2の合作方式は、初めから中国企業に所属し、生活費ほどを受け取って手に入れるのである。このような食堂の主人は中国の業主で、北朝鮮の業主は雇用人に過ぎない。食堂の名前も中国語になっている。もちろん、北朝鮮の職員同士はこの北朝鮮の業主を「責任者同志」と呼ぶ。インターネットの食堂広告を見れば、「北朝鮮の美しく若い女性たちが踊りと歌で顧客を満足させる」と紹介されている。このように運営される食堂で北朝鮮の「アガシ（美しく若い女性）」は全部、接待員として働く。もちろん、例の公演も行う。それこそ、踊りと歌を売るのである。

北朝鮮単独の企業でも朝中合作の企業でも、接待員の女性が得る収入は月1,000～1,200元くらいで、ほとんど同じである。料理人は2,000元以上を受け取りもする。1年を通じて集めれば、1,500ドルくらいは手に入れられる。常連客に上手くたかってチップでも更にせしめれば、収入はもっと良くなるであろう。

3年間も父母、兄弟の顔を一度も見られずに、電話さえ一度も出来ない苦痛があるので、元旦や誕生日には一緒に集まって涙を流す。食堂の営業が終わった後、夜更けに近隣のカラオケに行ってストレスを晴らす中、彼らを見つけた顧客と目が合い、夜明けまで「脱線」したりもする。中国の派遣女性労働者は、このようにして3年を過ごす。

平壌の最上流層の未婚女性は、派遣の接待員や料理人を卑しいと見なす。実際に「才覚があって人物が優秀な1分類未婚女性」は、北朝鮮の最高級食堂で会える。それでも、一般的な未婚女性であれば、誰でも海外派遣を試みる。平壌で「風情なく未婚時節を送るより」外国に出て行き、世の中を見聞もし、カネも稼ぎ、言語も習うのが遥かに良いと見なすからである。中国で接待員や料理人として働くのは、平凡な北朝鮮女性には夢みたいな出来事である。

接待員は美貌と若さ、芸能が支えていなければならず、競争も甚だしい。それで、他の労働を模索する女性労働者が急速に増えた。過去には海外派遣労働者の大多数が男性であったが、今は女性も多い。中国の派遣女性労働者の最もよくある職業は被服工場の裁縫工だけれども、それ以外にも食品加工や電子製品付属製造など「貿易労力」が注文の入って来る多様な仕事を行っている。

中国に出て来た北朝鮮の女性労働者は、国家計画を全て果たして初めて、月80～100ドルを受け取れる。一般的に女性労働者の目標は、1年に1,000ドルを集めることである。これは、男性建設労働者の10～30%にしかならない。請負作業はほとんど出来ず、責任者が国家計画の金額を収めてから分け与えてくれるカネの他は受け取れないからである。それでも、海外に出て行こうとする女性は列をなしていた。

大活躍する職業紹介業者

女性労働者の海外派遣が増加するや、そこに寄生する職業も作られた。「職業居間人（周旋屋）」と呼ばれる彼らは、専門的に海外に派遣される女性を募集し、紹介してやる仕事をする。例を挙げれば、中国の業主から契約を獲得した貿易業者が急に100名ちかい女性人力を募集する場合、このような周旋屋に依存する外はない。

周旋屋は自分のチャンネルを全て動員して人力を募集するわけだが、仕事は容易で生活費は多く受け取る等、各種の甘言と口車により志願者を誘惑しつつ50～100ドルの紹介費を受け取る。もちろん、人脈が絶対的な北朝鮮であるから権力を利用して、このような「初期投資」なしに無料で海外に出て行く女性もいないことは無い。しかし、大部分はこのような紹介費を必ず支払わなければならない。周旋屋は、この紹介費を該当の貿易業者、派遣関連機関員と分ける。そうしてこそ次にも紹介の依頼を受けることが可能だからである。

食堂の接待員や料理人として派遣されるためには、無条件で100ドル以上の紹介費を支払わねばならない。特に、東南アジア国家の食堂へ派遣されるためには200ドル以上の紹介費が必要である。海外に出て行くことさえ出来るならば、この程度の賄賂は当然に甘受する雰囲気である。このようにカネを出しても、実際には契約が破棄されたり条件が許さなかったりして、カネだけやり損になる場合も多いという。

このようにして人力が募集されれば「幹部事業」が進行する。北朝鮮で幹部事業というのは「幹部になるための調査」を意味する。該当人物の経歴、家庭および周囲の環境などを把握し、外国派遣資格があるという証拠を準備する。北朝鮮では、外国派遣労働者だけでなく事務員と官僚の全体を対象として、このような幹部事業が進行する。これに従って当事者には、やや厚い「身元了解」資料綴が付けられて行き来する。もちろん、本人はこの資料綴を見ることは出来ない。このような資料を扱っていた人の証言によれば、「外祖父が解放前に牛1頭を持っていた富農」という事実から隣人の評価まで詳らかに記録されている。

幹部事業を担当する労働党幹部部の幹部も、この隙を突いて金儲けをする。もちろん、一般の外国派遣労働者よりは留学生や貿易業者など級数が高い対象を扱う時に受け取れる賄賂の額数が大きくなる。

彼らが賄賂を要求する名分は多様であるが、この中で抜け落ちないのが「貴方の身分照会をするため車に乗って長く回り、ガソリン代と食費にも多くカネが要った」という話である。住民登録体系が整然としている北朝鮮で、幹部事業はそんなに労力の要る仕事ではない。結局、自分が苦労したので、その代価を賄賂で欲しいというのである。対象者が提出した文献が探索結果と合わなかったり家族、親戚のうち身分が不明確な人物がいたりすれば、それを口実として更に多額の賄賂を受け取りもする。

もちろん、彼らも自分が暮らす穴を掘っておいて金儲けをする。危険であると判断される対象は、初めから手を出そうとしない。幹部は、カネを立派に稼ぐ職業であると同時に危険な職業でもある。対象者の身分を保証して外国に送ったのに、その人が脱北をすれば、幹部事業を誤った責任を負い、罷免を食らうことになる。このように「運の悪い」幹部が多くいるという。

身長1cmに100ドル

このような海外派遣に便乗して利益を得る、また別の部類もいる。西城区域にある平壌市第２人民病院には、海外派遣者の身体検査を専門に引き受けている検疫所がある。海外に派遣される労働者、事務員、貿易業者など全ての派遣関連者の身体検査を行う所である。

検疫所の権限は非常に大きい。ここでは総合検査を進行させるのだが、彼らの餌食となる項目は、血液検査と身長測定である。血液検査の結果が抗原陽性と出れば、海外派遣が禁止される。実際に外国では抗原陽性がそれほど重要ではないけれども、海外に派遣される北朝鮮の労働者には非常に重要な基準である。北朝鮮の労働者は、外国で保険に加入できないので、もしも病気にかかれば負担が大きいというのが禁止の名分である。

血液検査をすれば、肝炎、結核、リューマチなど多様な疾病が抗原陽性として出て来る可能性があるのだが、このうち北朝鮮住民に最も多く発見されるのがＢ型肝炎ウイルスと結核である。予防医学が消えた北朝鮮では、Ｂ型肝炎保菌者が相当に多い。韓国に入国した脱北者を対象に調査した結果、12％がＢ型肝炎ウイルスを持っていた。韓国より３〜４

倍も高い数値である。北朝鮮の結核患者も0.4%で、やはり0.1%の韓国より4倍も高い。

血液検査の結果による問題を解決しようとすれば、300ドル以上が必要である。それも人脈を押し出して、検疫所々長を兼ねる病院々長や病院党秘書と直接に通じなければならない。いったん取引が成立すれば、所長は部下に委任して身体検査票を操作させる。けれども、このような操作も誰にでも行ってやるのではない。途中で操作が露見し、調査に引っ掛かれば無条件で罷免なので、検疫所長も信じるに足る人脈でなくては世話してやらない。それで、血液の抗原陽性が出た一般の志望生たちは、直ちに放棄してしまう場合が大半である。

次の指標は身長である。北朝鮮も、海外に出て行った勤労者たちが北朝鮮の生活の実相をそのまま示してくれることをよく分かっている。それで外国に派遣の時、合格の体重と身長を定めておいて、それを通過できなければ、派遣を禁止する。

身長の指標は女性勤労者153cm以上、男性勤労者160cm以上である。しかし、実際に中国の被服工場や食品工場に就業しようとする女性の相当数は、この基準に到達できない。身長が150cm程度であれば誰でも試みるのだが、この時に身長1cmを操作して高くするのに100ドルが要る。この測定は、検疫所の責任看護長が直接おこなう。靴下も履けないようにし、頭髪の中に何かを隠さなかったのか検査しながら、それは厳格に進行する。

非常に真っ暗な所に加え、実際の身長よりも小さく出る場合が多く、海外派遣労働者の間では「検疫所では身長の測定に使う尺は、明らかに正しい規格ではない」という話まで出回るほどである。どうなったにしろ、このような過程を経て測定された身長が基準に到達できなければ、やむなくカネをばら撒かなければならない。

このように、海外に派遣されることは本当に容易ではない。少なくとも数百ドルを賄賂で与える元手があって初めて、試みることが出来る。実際に中国に出て行って働いている接待員や女性労働者に会って尋ねてみれば、少なからぬ人が借金をして賄賂を与え、海外に出て来たと答える。今や彼らは、見知らぬ土地で自らの労力を売り、その借金を返さねばならず、北朝鮮に戻って暮らすカネまで稼がなければならない。彼らが、どのような劣悪な条件でも黙々と熱誠の限りに働く理由である。

幸いにも当局は、海外派遣労働者が稼いで来たカネを奪い取らない。帰国する労働者が身に帯びた外貨の札束を見れば、税関であれこれと言い掛かりをつけて煩わせはするが、賄賂を少しやれば通過できる。熱砂の土地で、シベリアの凍土で、彼らが血と汗を流して稼いできた外貨は今日、北朝鮮住民の暮らしを下支えする支柱であると同時に、チャンマダンとして表現される北朝鮮式市場経済の潤滑油となっている。

平壌の新都市、黎明通りと未来科学者通り

平壌を訪問して案内員に「ここで見物するに足る所はどこですか？」と尋ねるならば、十中八九は大城区域の黎明通りとか中区域の未来科学者通りとかへ連れて行くであろう。この2つの通りは、平壌が全力を傾けて建てた新都市である。北朝鮮は、この2つの通りを現代建築の象徴だと誇っている。

しかし、この通りを立ち寄って眺めれば、資本と権力の投機場となった平壌の不動産の現実と出会うことになる。1970年代、ソウル江南開発の複製版を見るようである。投資場所を探し出せない莫大なカネが不動産に流れ入って、バブルを引き起こしたのも南北が似通っている。

黎明通りと未来科学者通りで大金をせしめた平壌の権力者とトン主は、どうか金正恩が次の開発地域を指定してくれることだけを指折り待っている。金正恩には悪くない取引である。このような開発は対北制裁にも関わらず、立派に暮らしているという対外宣伝の根拠になるだけでなく権力者、トン主と共生関係も確認できるからである。

実際のところ北朝鮮にどのような制裁が加えられるとしても、新都市開発という投機場は継続するであろう。貪欲に浮き立った目がキラキラと光り輝いている。

最新のアパートが続々と建つ黎明通り

2017年4月に完工式を催した黎明通りは、未来科学者通り（平壌市民は「未来通り」と呼ぶ）より遥かに大きい。ここに行けば、70階建てのアパートをはじめとして最新アパートを見ることが出来る。

黎明通りは竣工式から大騒ぎであった。2017年4月、北朝鮮は外信記者200余名を「尋ねるな招請」として呼んだ。4月は15日に太陽節（金日成誕生日）と25日に朝鮮人民軍創建85周年記念日が立て込んでおり、6次核実験と大陸間弾道ミサイル（ICBM）試験発射の可能性が高

く予想された時期なので当然、全世界が次第に緊張する中で北朝鮮を注視していた。

4月13日、北朝鮮は記者たちの明け方の眠りを急に覚ました。訝しがる記者たちに北朝鮮は「ビッグ・イベントを見る準備をしなさい」とだけ明かした。そのようにして記者たちを乗せたバスは、黎明通りへ向かった。

当日そこでは金正恩が参観する中、黎明通り竣工式が開かれた。やはり著者も、この竣工式を関心のうちに見守った。事実、黎明通りは私が暮らした所である。ここで工事が始められて後、6年間の喜怒哀楽が詰まった金日成総合大学の寄宿舎棟が消えていく様子を衛星写真で見守りもした。

芸術家にはアパートを無償で

私が暮らした寄宿舎棟と、毎朝5時に起きて掃き掃除をしていたその前庭は、あの円筒形アパートの庭になった。そこの入住民は20余年前、その庭で青年たちがひもじい腹を抱えていたのを記憶しているだろうか。

黎明通りは2013年10月、4・25文化会館の向かいに出来た金日成大の教育者住居300世帯から始まり、2017年4月に総4,700世帯規模で完工した。未来科学者通りは2015年11月、大同江沿いの金策工業総合大学の教育者住居350世帯をはじめとして総2,400世帯規模で完工した。

それでも幸いなのは黎明通りが出来る中、人気が地に落ちた金日成大教員の位相が大きく高まったことである。2000年代に平壌市民は、国家が芸術家に建ててやった国立演劇団アパートや銀河水アパートを見ながら「芸術をやれば、アパート1棟がタダで生まれるんだなぁ」と考えた。金正日執権の時から芸術家を優待する政策が施行され、その時すでに「芸術をするのが科学をやるのよりも遥かに良い」という認識があった。ところが、黎明通りと未来科学者通りに金日成大と金策工大の教育者をはじめ数多くの教員と研究士の住居が無償で供給される中、彼らの「身の値段」も相当に跳ね上がった。

大学教授より更に待遇の良い幼稚園教師

韓国人は、金日成大教員の安い身の値段を理解し難いであろう。韓国で大学教授は、最上位圏に属する職業である。しかし、北朝鮮は一般教員と研究士の生活水準が中産層の水準かその下である。金日成大と言っても異ならない。甚だしくは、金日成大の教員と研究士は、小学校や中学校の教員より生活水準が遥かに良くない場合が多い。

理由を知るのは難しくない。北朝鮮は国家から与える月給と配給で暮らせない所だからである。国家から受け取る月給ではコメ1kgも買えず、配給は余りに少ないのはもちろん、甚だしくは出て来ない時もある。結局、全ての職業の従事者は、賄賂を受け取ったり副業したりして初めて暮らせる。

一般学校の教員、託児所や幼稚園の教養員は、学級担任を引き受けることになる。担任を任されると、食べて暮らすのが容易である。40〜50名の学生を専任で引き受けて見ると、勉強を教えながら保護者から財政的支援を受ける共生関係が作られる。反面、大学の教員や研究士は、学級を担当する場合が非常に少ないばかりか、学生の進路問題に関与できるのでもない。大学で学生の配置は大学学生幹部部が、成績管理は大学教務部が行い、日常生活を管理する生活指導教員が別にいる。そういうわけで、意外の幸運により大学で担任教師になったとしても、生活総和会議でも指導するのみで他の役割を引き受けられない。このような担任に賄賂を捧げる学生がいるはずもないと言うべきか。

大学の教員や研究士は大部分、現場に出て行き、該当単位で提起される技術的な諸問題を解決してやる代価として生活上の補助を得る。これにより中産層以上の生活を営むのは不可能である。それでさえも本当に実力があってこそ該当単位で何かを受け取れるのであって、教員や研究士の大部分は単に付き従いながら学ぶ境遇であるばかりだ。もちろん、彼らもいつか実力を認定される時が来れば、それまで熟練した技術を活用して懐を膨らますことが出来るであろう。

北朝鮮で立派に暮らすためには、権力があるとかドルを弄べる職業を持ったりしなければならない。大学の教員や研究士は、この2つに該当しない。それで、金日成大の卒業時、大学教員に配定されれば誰でもため息をつく。洞内の保安員（警察）や外貨稼ぎ会社の指導員より出来の悪い職責に行くのだと考えるのである。

彼らが暮らしていく方式は、ほとんど定められている。研究事業をして稼いで食べれば幸いだが、そこまで行くには長い時間が必要であり、機会も多くない。大学教員でも幹部部や教務部へ移籍すれば、学生から賄賂を受け取って食べることが出来る。しかし、これもあれもダメならば、目先が利いて商売を上手にやったりカネをよく稼いだりする妻を迎え、その恩恵を受けながら暮らす外ない。

北朝鮮の大学教員は名誉ばかり華々しく、自分が直接チャンマダンに出て行って商売をすることが出来ず、規律のために思い通り動くのも容易ではない。このようなわけで、金日成大の教員は機会がありさえすれば、大学を離れて別の職業へ移ろうと全力で努める。

もう一歩さらに

なぜ初級中学校の教師を第一に好んで選ぶのか

最近、北朝鮮の教育体系が変わり、最も小躍りしてうれしがる集団が正に初級中学校の教員である。

北朝鮮の学制は小学校4年、中・高等学校を合わせて6年であった。ところが、2013年に学制が改編されて小学校5年、初級中学校3年、高級中学校3年で総計11年になった。このようになるや否や、初級中学校に属する教員の位相が上がって行った。初級中学校から高級中学校（高中）へ移って行く中、上級学校の推薦が始められたからである。1高中、外国語学院、芸術学院のように教育環境が良い学校へ推薦を受けて初めて、以後の名門大学に（やはり推薦で）進学する確率が高くなるからである。一般の高級中学校へ進学した学生は大部分、軍服務をしたり専門大学、単科大学の進学に止まったりすることになる。初級中学校から高級中学校へ移って行く瞬間、もう予め中央級の大学進学いかんやその級数が定められるのである。

一般の高級中学校へ進学するのか、1高中に進学するのかは、初級中学校の教員にかかっている。保護者は子どもを良い学校に送るため、教員に数百、数千ドルの賄賂を喜んで捧げる。1高中や外国語学院に入学するためには数千ドルの賄賂が基本である。このように初級中学校の教員は、短期間（3年）に弟子を卒業させる中にあっても、第一に多くの賄賂を受け取れる職業である。

金日成大の教授には最新式アパート無償供給

ところで、2017年に黎明通りが作られる中、金日成大の教員という身の値段が突然に高くなり始めた。黎明通り4,700余世帯のうち1,200世帯に近い住居が金日成大の教員に配定されたのである。金日成や金正日から家を受け取った教員を除外した全ての金日成大の教員が、そこのアパートへ引っ越した。

平壌で最も値の張る通りに位置した最新式アパートを1部屋ずつ与えるというのだから、これは未婚男性教員の身の値段を天井知らずに高める「ロト」である外なかった。

年頃になった娘を持つ数多くの幹部が金日成大の未婚教員を婿とするため駆け寄った。黎明通りの建設と共に始まった「嫁入りブーム」は、この通りが完工した2017年4月に最高潮に達した。1～2ヵ月の間に金日成大の未婚男性教員の数十名が結婚を果たした。金日成大では今やこれ以上、未婚男性教員を探すのが難しいという。

卑しい「中人」身分であった金日成大の教員は[12]、黎明通りアパートの無償供給のお陰で仲人屋が駆け寄る「両班」身分になった。けれども、他の中央級の大学教員は、ただ羨ましがって指を舐めて我慢するだけである。

金日成大の教員が黎明通りへ引っ越した後、面白い現象が現れた。日光がよく入る部屋の大部分が、奇妙にも社会科学部の教員に配定されたのである。

金日成大は大きく社会科学部と自然科学部に分けられるのだが、社会科学部には経済、歴史、哲学、法学、語文、外文の系列があり、自然科学部には数学、物理、化学、地理、地質、原子力、コンピューター科学の系列がある。北朝鮮で幹部を務めようと思えば、社会科学部を卒業するのが数倍も有利である。これゆえに力のある家の子どもは当然に社会科学部へ進学し、社会科学部の教員はその「力のある家」の人脈によって良い部屋を配定されたのである。実際に黎明通りを代表する70階アパートと55階アパートの陽の当たるラインを訪問すれば、100%社会科学部の教員に会うことになる。

誰もが羨ましがる黎明通りアパートの配定を受けても入住せずに抵抗して、制裁を受けた場合も数十件を超える。平壌市民であれば誰でも「家の問題は生死の決断」と述べる。家の問題であれば、命も掛ける。

黎明通りアパート無償供給の当時、金日成大教員の一部は平壌中心部に良い家を整え、インテリアまで趣向よく行っておいて暮らしていた。「党の配慮」を拒絶することも出来ず、真心を込めて飾っておいた家を放り出すのも容易ではない状況に直面したのである。この場合、普通は自分が暮らしていた家を子どもに与え、妻と2人で黎明通りへ引っ越した。ところが、これが大きな問題となった。集体会議で「党の配慮の前に利己心ばかり前に押し出した人間」として罵倒されて結局、新しく受け取った黎明通りの部屋を放り出し、職場から解雇されるまでした。

このような例は少なくない。兄弟や親戚に暮らしていた家を与え、新しい家に引っ越して来た場合、他人を親戚と騙してカネを受け取って家を売って来た場合、家を放り出すと言ってから実際に新居を受け取った後に放り出さず抵抗した場合……。みみっちい小細工を弄して家を失い、解雇まで食らう、家財も何も全て虻蜂取らずに失う身の上となってしまった。黎明通り建設は、彼らに災難となった。

金日成大でも党委員会と教務部、後方部などで働く職員は教員として見ることは出来ず、新しい家が配定されなかった。代わりに、最も良い「後釜」が配定された。後釜は、新居を無償で供給されて引っ越す人が放り出した、それまで生活していた既存の住宅を指す。

平壌の住宅は国家に登録されていて売り買い出来ないが、非公式的には全て売買する。ところで、このように新しい通りへ引っ越して行く場合には、既存の家を売買する名分が無い。新居を得れば、既存の持っていた家は放り出すのが常識であり、この常識に外れれば大変に悪い人間と刻印される。

国家機関と結託した建設資本家

どうなったとしても、黎明通りと未来科学者通りに暮らすことになったのは幸運である。少なくとも、この地域の居住民は水の心配、電気の心配が他の地域の居住民に比べて遥かに少ない。中区域と平川区域を除外したほぼ全ての地域が電気の供給に問題がある。反面、この地域は、ほとんど24時間にわたり電気を使えるし、水も時間制で必ず供給される。長い期間にわたり苦難を経験してきた北朝鮮住民には、楽園である外はない。

4,700世帯が居住する黎明通りアパートは、金日成大の教員と既存の撤去民に配定した後も多くの住居が残った。残りのアパートは国防委員会、護衛局、飛行士などに特別供給された。金日成大の前にある三興駅から始まり、錦繍山記念宮殿の方へ向かうアパートは、ほとんど全て護衛局のアパートである。護衛局は、金さん一家を最も近くで警護する部隊を指している。

戦勝駅の前方には、飛行士に配定された「飛行士アパート」がある。飛行士は北朝鮮で非常に良い待遇を受けるエリートである。この他に国防委員会のような「力のある」機関も配定を受けた。そのようにしても、アパートが少し残った。このようなアパートは、黎明通り建設に投資した「トン主」が場所を占めた。黎明通りを建設する時、当局はカネが無かった。建設に参与した諸機関は、黎明通り完工後に一部のアパートを与えることにしてトン主からカネを借りた。もちろん、担保覚書も全て書いた。

トン主のうち一部は、利益を得られない場合もある。黎明通り建設の場合、初期に4,000ドル程度を投資すれば位置が割と良い部屋を配定してくれることで約束していた。ところが、完工後に金正恩がこの部屋あの部屋を金日成大の教員に配定せよと指示し、その中には元来トン主に配定されていた部屋もあった。家を建設した機関も「将軍様の方針だから、我々もどうしようもない。我々も損害が大きい」と泣き顔をした。

それでも覚書があれば、投資を受けた機関がそれなりに力を使って他の位置にある部屋でも配定してくれるので、その分だけ元手を取り戻すことが出来る。それでも平壌なので、この程度の信用は守られる。面の皮を厚くして知らないふりをしたら再び投資を受けられないのが明らかなので、信用を守るのが機関にも有利である。

2015年11月に完工した未来科学者通りの事情も、前で説明した黎明通りと似ている。ただし、この通りは2,400世帯規模で黎明通りの半分に該当し、住居がほとんど無かった所に建てられたので、撤去世帯が多くない。それで、住居の大多数が教員と研究士に配定された。金策工大の教員に700世帯程度が配定され、金日成大を除外した平壌市内にある大学の教員と研究士に大学別で数十世帯ずつ配定された。一般の大学では、学部長や党秘書のような幹部が優先的に良い部屋を配定された。

未来科学者通りが導く商業化ブーム

黎明通りと未来科学者通りは位置が良く、インフラも立派に整えられた地域なので、平壌市民ならば誰でも羨ましがる所である。教員と研究士の世帯には、飯を炊いて食べるのに使うLPGガスが毎日1基ずつ補給される。LPGガス1基は、2018年6月基準で20〜30ドルで取引される。中国から送った状態そのままに入って来た「正品」ガス筒は80ドル程度で、2度にわたり充填して売るガスは価格がほぼ4分の1に下落する。

空のガス筒は15ドルあれば購入できるので、一般的に中古ガス筒を購入し、人民班別に集めて一度にガスを入れて使用する。昨年には対北制裁により供給が滞ったり外されたりすることもあったが、値の張るガスをどうやらこうやらタダで供給されるのだから、他の地域に比べられない「配慮」なのは明らかである。

平壌市内のガス価格は、対北制裁にも特別な動きが無い。平壌市には依然としてガス燃料より着火炭を使用する家がもっと多い。また、公式的なガス供給が減っても住民にだけ影響が出るばかりで、「裏門」へ抜けて市場で販売される量は、ほとんど同様に維持される。ガス価格が多く上がらない理由である。

この2つの通りを繋ぐアパートの下の階には、便宜奉仕網が発達している。商店、食堂、理髪所、美容室、浴場はもちろん小公園と散歩道（散策道）まで、ほぼ全ての施設が揃えられている。ここで売る物品の価格は売渡価格の水準であり、新鮮な野菜は適切な時期に供給される。この通りに投資し、建設した力のある機関が物品を安く安定的に供給できる「モノ主」まで競争的に導き入れたからである。南方（熱帯）の果実とか旬を過ぎた野菜まで、購入するのは容易でないけれども、どうであれカネさえあれば、家に近い所で必要なものをほとんど全て購入し、解決できる。平壌の他の地域に比べれば、非常に魅力的な環境なのである。

この下の階には、豪華食堂も準備されている。居住者である教員と研究士の購買力が高くないにも関わらず、未来科学者通りには人気を博して成功する食堂が増えている。位置が良く、施設が最新式という点ゆえに、平壌全体の需要を吸収しているからである。

未来科学者通りで第一に利益が出ている食堂は、キポク・アパートの下層にある「専門宴会食堂」である。専門宴会食堂は、韓国のウエディングホールのようなものである。この食堂では結婚式だけでなく還暦宴会、初誕生日祝い等、各種の礼式を全て挙げられる。キポク・アパート下層の専門宴会食堂は、遅くとも1ヵ月前に予約して初めて、やっと場所を取れるし、良い部屋と時間帯を捉えようとすれば、この食堂と関連した上位機関に手づるを付けてこそ確実である。

ここで礼式を挙げた顧客の満足度は、非常に高い。平壌言葉で「奉仕水準」が、他の似通った食堂に比べて甚だしく高いからである。建物が綺麗で、料理も水準級だが、第一に目を引くのは食堂で準備した「芸術公演」である。礼式によって公演内容が少しずつ異なるが、接待員はもちろん厨房の料理人まで公演に参加するので有名である。特に、料理人の歌と舞踊が「専門俳優を蒸かして食べる水準」だという。料理も立派に作り、歌も上手に歌い、舞踊も素敵に舞う料理人だというので、ソウルでも探し出すのが難しい希少価値のある所ではある。後日いつか平壌に観光に行くことになれば、キポク・アパートの宴会食堂に行って来ることを推薦する。その時も料理人が出て来て歌を歌い、踊りを踊るかは分からないけれども……。

この食堂の飲食価格は、コースにより異なるけれども、普通は賀客1人当たり12ドル程度である。その他に大膳（新郎・新婦の前に据え置く膳）の価格と追加奉仕の価格を別に支払うのだが、賀客が100名以上くれば2,000〜3,000ドルは使わねばならない。負担を感じる価格であるが、結婚式や還暦宴会を挙げる家門の社会的地位が一定の程度になる場合、決して損害ではない。使ったカネ以上に祝い金が入って来るからである。平壌で権力者が挙げる大きな行事は、収益を得る方法のうちの1つである。もちろん、その収益は権力の大きさに比例する。

後発走者の黎明通りの広告戦略

未来科学者通りより1年半おそく完工した黎明通りにも、豪華食堂が多い。建設されてから1年余しかならず、未だ正常の軌道にも乗れないけれども、戦略を立派に立てた一部の食堂は、すでに大きな成功を収めている。

黎明通りにある食堂の成功の秘訣は、何であろうか？　ずばり、効率的な広告である。商品の広告を資本主義の象徴と見なす北朝鮮で広告の営業を行うということが信じられないであろうが、すでに国営放送である朝鮮中央TVでも「商業広告」が公々然と放映されている。ところで、この広告方式は韓国と異なる。平壌式の広告方式が別にある。例を挙げれば、次のような方式である。

有名な食堂に朝鮮中央TV記者が訪ねて行き、代表料理と酒類についてインタビューを行った後、「お客様はこのような立派な奉仕網を作って下さった党の恩徳に真心から感謝している」という称揚で締め括る。TV広告料は要らない。代わりに、該当食堂は撮影が終わった後、撮影記者とアナウンサーに一席よく接待し、若干の金額（100～200ドル程度）をこっそり与える。この賄賂が正に広告料というわけである。

過去に北朝鮮で記者という職業は、選好度が高くなかった。党が伝えてくれる通りにだけ書かねばならなかったからである。しかし、前に例を挙げた通りに「恩徳感謝型」広告を通じて賄賂を受け取れるので、記者になることも今はどうにかこうにか結構よい選択になった。

もちろん、全ての食堂が「広告」を通じて運営実績が直ちに良くなるのではない。けれども、継続して広告に接して見ると、「どうせ食堂に行くのだから、テレビで紹介されたあの食堂に一度は行って見よう」という心理が生まれるのが人情の常である。広告を見て来たお客に「奉仕水準」まで認定を受けることになれば、その食堂が成功するのは時間の問題である。

黎明通りや未来科学者通りで立派に暮らすために必要なことは、ひとつである。カネである。今や平壌は、カネさえあれば鬼神も弄ぶ都市になった。北朝鮮が開放され、旅行が可能となれば、カネを少し持って黎明通りへ行って見よう。平壌で最も高い黎明通り70階アパート高層を賃借りすれば更に良い。このアパートに居住しつつ「大同江生ビール」と朝鮮ソバを配達させた後、遠く足元に広がる大同江と牡丹峰を眺めながら涼しくビールの盃を傾けるならば、それ以上の豪奢は無いであろう。

この70階アパートには、私の同窓生が多く居住しているであろう。居住者の相当数が金日成大の教員で、同大の教員は全て同大の卒業生だからである。私はこのアパートに行って見ることが出来るであろうか。容易ではないであろう。韓国の観光客が誰でも行ける世の中が来ても、私は行けないであろう。北朝鮮当局は、脱北者である私を受け入れないのは明らかである。けれども、生前いつかは行って見ることが出来るという信念は、いつも心中に秘めている。

富益富、貧益貧が極まる平壌資本主義

黎明通りと未来科学者通りについての話だけ聞けば、平壌の住宅事情が相当に良いと錯覚するかも知れない。しかし事実は、平壌の住宅難は非常に深刻である。住宅供給が人口増加に追い付いていけないからである。1950～60年代に建てられた平壌のアパート前には、世帯別の倉庫がある。石炭やキムチのようなものを貯蔵する用途である。ところが、ひどく長い間にわたり住宅が不足してみると、このような倉庫が全て住居へ改造されて取引される。アパート地下の倉庫も、やはり半地下の月貫部屋へ変わってから長く経つ。

地下倉庫の改造も、トン主が主導する。倉庫を暮らすに足る部屋へ改造して、月貫の家賃を受け取るのである。半地下の部屋は、専門の「家テコ（仲介人）」を通じて紹介を受けるのだが、価格は日の光がどれだけ入って来るかにより大きな差異が出る。日光がある程度は射し込む月貫部屋は大きさに従って月50～100ドル、日の光がほとんど射し込まない地下の月貫部屋は大きさによって月20～30ドルで入れる。

相当数の平壌住民は、このような劣悪な住宅環境を甘受してまでも、この都市に留まりたいと思っている。地方の場合、敢えて半地下まで入って暮らす事態はほとんど無い。

この頃は地方にも不動産投機が広がる中、相当に高い家も生まれ出ている。中国と貿易が活発な新義州のような都市のアパート価格が特に高い。最近になって建てられた現代式アパートの価格は、100m^{2}基準で7万ドル水準である。内部工事をしなかったアパートは、5万ドルで取引され、インテリアに1～2万ドルが要る。

　このようなアパートは、エレベーター運行がよく出来ていて、水道の事情も良い。各棟に軽油発電機を設置し、エレベーターを稼働して、ポンプを作動して生活用水をアパート屋上の水タンクへ引き揚げるからである。軽油価格は入住民が負担する。

　最近、北朝鮮当局はアパート取引の時、多住宅所有者の買入を問題視しない雰囲気である。結果的に「追い銭を上乗せして転売する」資本主義的な取引が許容されているのである。平壌の不動産投機は、極限に近づいている。

人の運命も変える賄賂

北朝鮮の刑法は、賄賂罪を次のように規定している。

> 自己の地位または職務上できる仕事をしたりしなかったりする代価として、カネや物品を非法的に受け取る犯罪。賄賂罪は、客観的に一定の職務上の行為を遂行したり遂行しなかったりする「代価」、その「謝礼」としてカネまたは物品を受け取ったり債務を免除されたり系統的に飲酒接待を受けたりするような一定の物理的利得を得たであろう場合に成立する。

北朝鮮で賄賂を授受するのは「搾取社会が残した古い遺習」であり、「党と国家に対する人民の信頼を弱化させ、個人に対する阿諛追従を生ませる行為」である。誰もが行為の根絶を持続的に叫んでいる。
しかし、賄賂を与え受けるのは、日ごとに甚だしくなっていて、今や「礼物行為」へ発展して、北朝鮮社会を維持するのに無くてはならない一種の「動力」になった。本章では平壌に蔓延した賄賂風俗について調べる。

生きていること自体が非社会主義

北朝鮮で賄賂と関連したブラック・ユーモアは、本当に多い。最も代表的なユーモアは次の通りである。

「100ウォン借りて踏み倒した奴は自己批判を行い、1,000ウォン踏み倒した奴は相互批判を行い、10,000ウォン踏み倒した奴は主席団に座って会議を行う。」

生活総和のような会議では「批判」がなされる。大衆の前で自分の間違いを告白し、反省するのが自己批判であり、批判の対象を咎めるのが相互批判である。主席団に座った幹部は、批判の対象を定めて、処罰の種類と軽重を決定する。

不法行為を問い質そうとすれば、処罰の1順位は当然に幹部である。北朝鮮の幹部が各種の制度と規定を悪用し、住民を搾取して不正を犯して蓄財するのは、なにも目新しいことでもない事実である。配給と月給で生活するのが不可能になってから数十年は過ぎ、市場経済であるチャンマダンが無ければ暮らせない世の中になったが、幹部が掌握している制度と規定の基準は過去の社会主義の遺物である。振り回せば、全員が引っ掛かる。北朝鮮住民は「我が国では生きていること自体が非社会主義であり、非法である」と言って不平を吐露する。法律の通り暮らしたならば、すでにずっと前に飢えて死んでいなければならない。

北朝鮮の幹部にはレベルがある。賄賂が押し寄せる「水の良い所」が存在する。ソウル大の統一平和研究院が2010年から2014年まで、直近の脱北した人100余名ずつを対象に調査して公開した報告書に従えば、北朝鮮住民は平均的に家計所得の20％くらいを賄賂として捧げている。韓国の労働者が税金を出すのと大略ちかい数字である。

北朝鮮の賄賂も、所得によって額数が違ってくる。農民のように別にカネを取られることが無い低所得層は、賄賂をほとんど使わなくても暮らせるけれども、商売を大きくすればするほど賄賂の額数が大きくなり、所得の50％が渡りもする。これも、やはり所得によって税金の額数が大きく増える韓国と別段ことならない。

北朝鮮で「最も立派に暮らす人」を尋ねる質問には、4年の調査期間内ずっと「中央党幹部と法関連従事者」という答えが圧倒的に1～2位を占めていた。そのうち90％以上が「北朝鮮で最も立派に暮らして威勢のある職業」として中央党幹部を挙げた。法関連従事者には検察、保衛部、保安署（警察）などが属する。北朝鮮住民は、取締という口実で賄賂を受け取る地位が「最高の金持ち」と認識していた。金持ち1位に挙げられた中央党幹部は、出身成分がずば抜けて良くなければならないから事実上、先天的な地位である。数は多くない。反面、2位に挙げられた法関連従事者は、まあまあの出身成分でも狙って見ることが出来る地位である。韓国で例えれば、過去の司法試験合格のようなものである。

北朝鮮には司法試験が無く、法律大学（法大）は金日成大にだけある。したがって、法大の入学そのものが、すなわち司法試験の合格で、司法研修院の入学である。全国の判事や検事は皆、金日成大の先輩や後輩であり、彼らの結束力と軍紀は本当に強い。韓国に金日成大の卒業生が少なからず脱北して来たけれども、法大の出身は1名もいない。それほど北朝鮮でたらふく食べて立派に暮らしているわけで、来るはずもないのである。

北朝鮮では、判事よりも検事を遥かに好んで選ぶ。法に引っ掛からない機関や企業が無いので、座ってさえいても賄賂が溢れ出るように入ってくる。検事生活が数年になれば、豪華住宅の工面は基本で、子どもたちに新しい家を買ってやることも出来る。企業を相手にする検事に比べ、一般住民を脅迫したり取り締まったりする保衛部や保安署は少し可哀想で、卑劣に仕事をする。保安員の中には「これは人がやることではない」と言って、自嘲する人が少なくない。

他人を捕まえて獄に入れられる刀を手に持てなかったならば、印鑑をしっかり握っていれば問題ない。大金を扱う貿易機関で製品を輸出したり輸入したりしようとすれば、労働党、貿易省、外務省、人民委員会など10余ヵ所で印鑑を受けなければならない。もちろん、印鑑ひとつ1つごとに賄賂が要る。

印鑑でカネを最も多く儲ける地位のうち、1つは各地域の労働党幹部部海外派遣課である。北朝鮮住民が外国に労働者として出て行くためには、担当者に数百ドルの賄賂を与えなければならない。平壌の場合、海外派遣課に1年だけ勤務しても数万ドルは基本として掠め取れる。韓国で例えれば、毎年10億ウォン以上の賄賂を受け取る地位に当たることになる。

労働党組織指導部傘下の幹部は、昇進と労働党入党を売ってカネを稼ぐ。普通500ドルあれば入党が可能である。過去には10年も軍勤務をすれば入党が可能だったが、今は軍人も賄賂として200～300ドルは使わなければならない。大学生は遥かに難しくて、建設場へ出て行って入党しようとすれば、工事の支援費と党秘書の賄賂で各々3,000～4,000ドルは使わなければならない。労働党員になれなければ幹部になれないのだから、他にどうしようもない。

労働党民防衛部は、これまで誰も関心を持っていなかったが、最近チャンマダンが活性化する中で、人気が急上昇した。北朝鮮住民であれば誰でも1年に15日以上、労農赤衛隊の訓練を受けなければならない。この時には職場の仕事を止めて一日中、軍事訓練を受ける。やはり商人も例外ではない。商売を中断できない商人は、訓練を抜け出るために民防衛部に賄賂を使う。平壌中心区域の場合、18ドル相当の15kgガソリン票を2枚以上、周辺区域の場合、1枚を賄賂として使って初めて、この訓練を免れることが出来る。1万名の訓練不参加に目を閉じてやれば、20万ドルが生まれる計算である。こういうわけで区域党の民防衛部長は、ほどほどの貿易会社々長の役職の次を行くという地位となった。

しかし、何といっても最高の金持ちは当然、中央党幹部である。彼らは、住民を食い物にして暮らす幹部の生殺与奪権を持っているからである。上へ昇進すればするほど賄賂の額数は次第に大きくなる。孫くらいの金正恩に頭を下げながら全力で辛抱する時は、みんな理由があるわけである。

幹部だけ賄賂を受け取ると考えれば、それは誤算である。北朝鮮で賄賂は、中央党と地方党で始まって司法・検察・保衛・保安・文化芸術・教育機関に至るまで、外貨稼ぎの単位とか工場・企業所・保衛隊から始まって中央党幹部に至るまで、幼稚園児から始まって退職した老人に至るまで、誰でも受け与えつつ、どこにおいても往き交っている。

長官と教授の公式月給は1ドル

北朝鮮で内閣の相（長官級）が受け取る生活費は月8,000ウォン、教授・博士の生活費は月9,000ウォン程度である。この生活費では、コメ2kgをどうにか買える。それでも彼らは、家族まで扶養して立派に暮らしている。

北朝鮮の外貨稼ぎ商人は、外国派遣と前後して中央党、内閣、外務省、貿易省、保衛部など関係機関の幹部と担当者に必ず挨拶をしなければならない。北朝鮮で「挨拶をする」という言葉は、つまり「賄賂を持って訪ねて行く」という意味である。賄賂が挨拶となり、さらに進んで礼物になる。

海外公館の駐在員も、任期が終わって帰国すれば、商社に挨拶をする。少なくは数百ドルから多くは数万ドルに至るまで、賄賂の額数は多様である。明らかなのは、これが既に定例化しているということである。挨拶をしなければ、再び海外に出て行く確率が希薄になる。

賄賂行為は、軍でも盛んに行われる。軍で10余年を過ごして除隊した北朝鮮の青年がそれなりに望むのは、労働党入党である。入党でもして初めて、出世する機会を得られるからである。賄賂を使わないと言って入党できないのではないが、賄賂を使えば全てが遥かに容易になる。

賄賂は、入党だけでなく軍官学校とか大学推薦、階級進級に至るまで全ての分野で通じる。このような賄賂が無いならば、政治委員のような軍の政治担当者は暮らしていく方法が無い。賄賂に陶酔した幹部は、今やタバコや酒のような賄賂の授受や飲酒の接待くらいは日常的な行事と見なす。軍さえも賄賂で維持される北朝鮮は、資本主義よりもっと資本主義的な社会である。

医師にタバコ1箱は「基本礼儀」

病院でも賄賂は当然視されている。病院に行けば、医師にタバコ1箱を渡すのは基本礼儀である。大きな手術を受けたり長い入院治療を受けたりした場合、退院に先立ち担当の医師と看護師を全て招待して一席もうけるのも日常化した。

どんな病に罹っているのか、どんな治療が必要なのかにより、タバコ数箱から数百ドルに至るまで賄賂の大きさが異なってくる。無償治療システムを標榜する北朝鮮だが、患者は薬代と手術に必要な材料費を充当しなければならない。国家的な関心対象とか有名人とかは完全な無償治療が可能であるが、一般住民が病院に行けば、医師は薬が無いだの注射剤が無いだのと、あらゆる口実をつけて「チャンマダンに行き、買って飲める薬」を処方する。

病院で賄賂は、治療費と認識されている。

金日成大の入学、5,000ドルから数万ドル

賄賂は、教育機関でも当然に1つの場所を占めている。学齢前の教育、初等学校、高等教育に至るまで各段階に該当する額数の賄賂があり、賄賂行為を避けて行こうとすれば、本当の実力が必要である。大学の入学から卒業に至るまで、科目総和試験から大学卒業試験に至るまで、賄賂が及ばない所は無い。金日成大を例に挙げれば、次のようである。

金日成大に入学しようとすれば、5,000ドルから数万ドルに及ぶ賄賂が必要である。額数が異なるのは、学生の実力という変数があるからである。本当に勉強を立派にやる学生は賄賂なしでも入学が可能であり、本当に勉強を出来ない学生は数万ドルを使っても入学が不可能である。入学後に勉強についていけないからである。

賄賂の額数を左右する2番目の変数は「ライン」である。正確なラインに乗って賄賂を使えば、少ない額数でも確実な効果を出せるが、ラインに上手く乗れずに付随的な人に噛みついて入って行けば、カネが倍も要る。この「正確なライン」は、実際に動いて問題を解決する。ラインに間違えて乗れば、カネを額面どおり使っても願うことを得られないことがあり得る。もちろん、これは教育だけでなく社会の全分野に通用する常識である。

正確なラインは、該当大学の入学処（入学課）にだけあるのではない。入学処を左右できる権力機関も正確なラインである。2007年に金日成大の保衛部で保衛部長以下、保衛部のほとんど全体が出党、撤職（職位解除）、除隊、追放などの制裁を受けたことがある。保衛部全体が

賄賂を受け取って大学入学に介入し、中央党の検閲によって散り散りバラバラになった事例と言える。

金日成大を指して、このような言葉がある。「カネが最も多い学生も金大におり、カネが最も無い学生も金大にいる。」カネが無くても実力さえ充実していれば、金日成大に入学できるという意味である。北朝鮮は、依然として社会主義の無償教育制度を標榜する。金日成大は、国家教育予算が最も多く使われる所である。それで、成績が非常に優れた学生は、現在（2018年9月）までは、カネが無くても大学入学が可能である。全てが腐れ果てた北朝鮮だけれども、教育系はそのくらい、より少なく腐れている。賄賂を受け取らなくても学生に不利益を与えない良心くらいは持っている教育者が、それなりに半数にはなるであろうと信じる。

賄賂はどのように北朝鮮を動かすのか

北朝鮮で賄賂は、どのように行き来するのか？　どうしても職業を変更する時、最も多く賄賂が行き来する。北朝鮮は100％雇用制の社会であり、職業は国家が定めてくれる。国家が定めてくれた職業が個人の気に入る可能性は高くない。社会にどうにか進出した高等中学校卒業生から除隊軍人、大学卒業生の全てが自分の願う職業を得るためには、賄賂が必須である。賄賂が無ければ、国家が定めてくれた職業を持つ外はない。このような職業は、大概すべての人が忌避する。結局カネがあるか無いかにより、職業の貴賤が分かれるのである。一般的に職業の変更に必要な賄賂は、最小50ドルから数千ドルまで多様である。幹部になる過程にも賄賂は必須である。軍服務、入党、大学卒業を全て終え、良い土台に正確なラインまで持っていても、党幹部になるためには数千ドルの賄賂が必須である。資格証を手に入れた後、食堂や奉仕部門に入って食べて暮らすほどの稼ぎをしようと思っても、最小50ドル以上の賄賂を準備しなければならない。

平壌の市民権も賄賂を与えれば、いくらでも買える。平壌市民になる資格を付与する所は保安省、保衛省など保安機関である。北朝鮮で平壌に暮らすというのは、相当な特権である。平壌市民は、平壌市民同士でだけ暮らす。平壌市民が地方住民と結婚すれば、地方へ移住しなければならない。地方住民は、正確なラインさえ掴まえれば、3,000〜5,000ドルの賄賂で平壌居住が可能である。もちろん、単に賄賂だけ包めば良いわけではない。平壌に暮らす家が無ければならず、夫婦のうち1人は平壌に居住する名分も無ければならない。例えば、夫が平壌にある部隊に組動（組織的移動：派遣）された軍官だとか、長男が平壌に暮らしているだとかいう前提条件が充足されなければならないのである。もちろん、これもカネでいくらでも作業が可能である。このようなことを全て質して見れば、地方住民が平壌に暮らすためには数十万ドルが無ければならない。

北朝鮮で事実上、政府の役割を果たす人民委員会も、やはり他の所と別段ことならない。特に、住宅配定指導員の地位は、不動産の許可と取引に直接関与するので、入って来る賄賂が多い。例を挙げれば、万景台区域の住民が牡丹峰区域へ引っ越そうと思えば、新たに入住権の発給を受けなればならないのだが、この時に該当区域の住宅配定指導員を必ず通さなければならない。一般的に印鑑ひとつ受けるのに50ドルの賄賂を使う。住宅配定指導員は誰でも狙う地位なので、その分だけ危険に晒されている。実際この地位に座れば、1年を越えられずに退く場合が多い。

命が行き来する司法、検察機関で起こる賄賂行為も、想像を超越する。韓国に来て「北朝鮮では検事が良いのか判事が良いのか？」という質問を多く聞いた。前述した通り、答えは検事である。実際に罪を作り、剥がすのが検事だからである。機関、工場は言うに及ばず、検事が入って叩けば、ホコリの出ない所が無い。そういうわけで、検事という肩書を持ってさえいれば、3年もあれば家を構えられる。刀を振るう前に相手は予め心得ているので、賄賂が続々と入って来るからである。

北朝鮮では「カネさえあれば、死刑囚も生き返る」という言葉がある。数万ドルを使えば、死刑囚も監獄から引き出せる。ところが、政治犯はいくら賄賂を使っても救えない。北朝鮮では、殺人犯より政治犯がもっと重罪人である。

何でも出来る権力を振り回しつつ賄賂を受け取る判事や検事でもブルブル震える存在があるわけで、それが正に中央党幹部である。検事も党幹部に誤って見られると、職責を維持するのは難しい。中央党幹部がどれほど大変な威勢を持っているか推測できるであろう。金正恩のたった一言で処刑されるというのに、敢えて中央党幹部をやってみようというところには、皆それ相応の理由があるのであろう。

タバコ１箱の賄賂の力

北朝鮮で平常時、最も多く行き来する賄賂が正にタバコである。カネを渡すのは何か不自然なので、挨拶ならばタバコ1箱を渡すのである。タバコで受け取れば、あとで引っ掛かった時に処罰を免れるのも容易である。

タバコは価格が多様である。タバコの包装だけチラっと見ても、0.5ドルを渡すのか2～3ドルを渡すのか分かる。タバコを受け取れば、自分が吸うこともあるが、家に置いておいて必要な時に賄賂として使いもする。

タバコの用途は、本当に多様である。仮に大学入学試験を受ける息子を応援するために来たが、正門で通過させてくれない場合、タバコ1箱を取り出して正門の保衛隊員に渡せば、それで万事解決である。もちろん、他人の目に絶対つかないように注意しなければならない。「あのう、私がちょっと、お話があります」と言いつつ静かに手招きをすれば、たいがい分かって静かな所へ案内する。なぜ呼ぶのか空気を読むからである。蒼光院（北朝鮮最高の浴場）で行きつけの理髪師を訪ねる時も、警備員にタバコ1箱をやれば無事通過である。

賄賂行為の根絶へ先頭に立たねばならない保安機関でも、タバコは大きく力を発揮する。もちろん、このような所では1箱で通じず、1カートンや箱単位で行き来する。タバコの量が負担になる時は高級酒が行き来する。場合によってはオートバイとか家電製品もしばしば行き来する。

官公署に行き、臨時証明書や居住確認書の発給を受ける時も、タバコを渡さなければ進行が容易でない。当然に処理すべき民願であるが、公務員は「今日は忙しいので明日いらっしゃい」と言い、翌日また行けば「今日は動員の日だから、明後日いらっしゃい」と言いつつ、あれこれ口実をつけてズルズル引きずるのがお決まりである。このような時、タバコ数箱が入れば、処理速度が飛行機に乗る。本当に忙しい仕事があっても万事を抑えて、その場でテキパキと印鑑を押して、書類を作ってくれるのである。

もちろん、タバコがどこでも、誰にでも通ずるのではない。例えば、中央機関庁舎の保衛隊に行ってタバコを渡し、入れてくれと言っても絶対に通じない。タバコに自分の職責を掛ける保衛隊員はいないからである。

賄賂の種類と伝達方式

タバコ以外に他の類型の賄賂も多様に受け渡しされる。酒、時計、眼鏡のような嗜好品からコンピューター、TV、冷蔵庫のような家電製品、さらに進んでソファや寝台のような家具に至るまで、賄賂の形態は本当に多様である。けれども、タバコと同じくらい多く行き交う賄賂は、当然に現金である。

現金は、賄賂を与える側が好んで選ぶ。のちに事態が処理されなかった場合、返してもらうのが容易だからである。また、カネは分量が小さくて渡すのに容易である。タバコ箱にカネを満たして渡すのは、北朝鮮で最も多く使用する方法の中の1つである。反面、賄賂を受ける側は、一般的に物品を好む。直接カネを要求するよりは、あれこれの事情をそれとなく仄めかしながら物品を要求するのが、体面上の差し障りが無くて安全も担保されるからである。

幹部は賄賂を受け取る時、普通は知らないふりをする。北朝鮮で賄賂を渡す時に使う表現は、次のようである。
「部長同志、このごろ夫人が患ったという話を聞きましたが、未だお訪ねしてお目にかかれず申し訳ありません。これで薬でもちょっと買って差し上げて下さい。」
「秘書同志、お嬢さんの結婚式の時に行けず、申し訳ありません。遅れた感はありますが、わたくしの誠意です。」
こんな風に述べながら渡すのは、無難な方式である。反対にひとしきり用務を述べた後、単刀直入に「わたくしの誠意と思って使って下さい」という言葉と共に封筒を差し上げて場を去る方式も、しばしば使う。大概の場合、受け取る側は黙っていて、事態は上手に処理される。
賄賂を受け取らなかったり返したりする場合もある。普通「人を何と思って、このようなことを」と言いつつ舌打ちをする。賄賂を拒否する理由は、きっちり2種類である。1つは、自分の能力で解決できない請託だからである。北朝鮮では自分が遂行できなかったり摘発の危険が高かったりする賄賂は、絶対に受け取らない。もう1つは、賄賂が少ないからである。大部分この理由により賄賂を受けなかったり返したりする。一般的に賄賂を同伴する請託が拒絶されれば「キレイな人だな」ではなく「私が余りに少なく上げたな」と考える。
北朝鮮では「賄賂を与える」という表現をほとんど使わない。前述した通り、普通「人事（お膳立て）する」と言い、「薬を使う、支える」とも言う。賄賂は「黒いカネ」とか「裏金」とか表現される。賄賂を要求する時は「おい、人事のお膳立て、ちょいとやらなくちゃな」、「薬ちょっと使え」、「何かちょっと支えないとね」と言い、賄賂について否定的に話す時には「この野郎、黒いカネをたくさん食らうから最後は可哀想に……」、「お前のように裏金をたくさん食えば、そのようになるのさ」と言う。
北朝鮮は、このように中央から地方まで、上から下まで、賄賂という巨大な環で連結されている。北朝鮮では、賄賂なしに一歩も動けないし、一瞬も生きられないようであるが、事実はそうでもない。
北朝鮮には賄賂を使わない2つの部類の階層がある。1つの部類は、正に最高位の権力層である。使う必要も無く、使う所も無い。権力者の言葉ひとつ、行動ひとつが賄賂よりもっと大きな力を発揮するからである。病院に行く時も、子どもを大学や軍隊に送る時も、一言あれば全てが上手く行く。いや、言葉さえ必要ない時がもっと多い。彼の職位が知られさえすれば、何がしかの賄賂が行き来するよりも遥かに良く処理される。

もう1つの部類は、最下位層である。彼らは全てのことを無視し、ただ生きて行くのみである。農村で土地を掘り起こし、農事を行いつつ生きていく本当の「人民」は、このような賄賂行為と相当な距離を置いている。やはり彼らも、最高位の権力層と同様に、賄賂を使う必要も無く、使う所も無い。ただ食べて生きながら命を続けていけば、それだけである。もちろん、子どもの問題が引っ掛かれば、状況が異なってくるかも知れないけれども、という話である。

第2章
ソウルなのか、平壌なのか！
「平ハッタン」のありふれた風景

平壌の酒と接待文化

韓国で酒の無い都市の夜を想像できないように、平壌の酒文化もソウルに後れを取らない。我々は元来、酒を好む民族であるから、古典を見ても我々は飲酒歌舞と風流を楽しむ民族だと記されている。楽しく遊ぶ場所に酒が抜け落ちてはいけない。北朝鮮では、団体で遊びに行く時であれば、酒が準備されたかどうかからチェックする。酒をまず買い、その残金で肴を買うのであり、カネが無いと言って酒よりも肴をより多く買うことは、ほとんど無い。苦難の行軍の時節には、肴を買うカネが無くて、盃を飲み干した後に塩を付けて舐めたりネギを噛んで食べたりする時もあった。しかし、今は北朝鮮の事情がそれほどまで劣悪ではない。「ノンテギ」と呼ばれる、個人の家でこっそりと作って売る密造酒も、ほとんど消えた。北朝鮮で流通する酒の大部分は、工場で作った酒である。2018年現在、平壌の酒文化を底辺まで詳細に調べてみよう。

平壌も酒を注文する時は「チョギヨ～」「ヨギヨ～」

ソウルの食堂に行けば「チョギヨ、ここに焼酎1本ください」という声が聞こえる。平壌でもこのように注文すれば、すべて聞き分ける。

ただし、平壌市民は接待員を呼ぶ時、公式的に「奉仕員同務」と言う。元来は「接待員同務」という呼称を使ったが、この表現は2018年の夏から完全に消えた。接待員という呼称にまとわり付く否定的なイメージゆえに、変えることになったものと見られる。接待員の胸に付けた名札にも「奉仕員」と書かれている。彼らを指す呼称も「奉仕員同務」、「奉仕員同志」、「奉仕員」に限定された。

実際に食堂では、青年や中壮年は大概「同務」という呼称を好んで選び、老人は相手の年に従って「処女同務」[13]、「君」、「おばさん」などで呼ぶ。意識のある大学生は「奉仕員同志」という名称を道徳的だと考える。地方では依然として接待員と呼んでいるけれども、遠からず平壌のように奉仕員と呼ぶようになるであろう。

北朝鮮へ韓流が流れ込む中、平壌でも「チョギヨ」「ヨギヨ」という言葉を使うようになった[14)]。「チョギヨ、酒1本ください」と言っても、全くおかしくなくなったのである。「チョギヨ」「ヨギヨ」という言葉は、独り者が初対面の未婚女性を呼ぶ時にも多く使う。通りで服装を取り締まる糾察隊員は「処女同務」、「女性同務」、「同志」と呼ぶが、彼らも腕章を外して食堂に座れば「チョギヨ」と言うのが現実である。

25～30度の平壌焼酎

平壌で最も有名な酒は「平壌焼酎」である。平壌大同江酒工場で作るブランド焼酎である。まず、北朝鮮が平壌焼酎についてどのように考えているのか調べてみよう。

平壌には平壌酒と高麗酒のように有名な酒以外にも、韓国の覆盆子酒や山査春のように多様な種類の酒が存在する。むしろソウルよりも種類がもっと多い。最近になって食品産業が活性化する中で松茸酒、杏子酒、霊芝茸酒、松葉酒、熊胆酒、鹿骨酒のように自然の動植物の名前を付けた酒とか該当工場の名前を付けた酒など、数十種の酒が生まれた。ただし、純粋の穀酒は珍しく、中国産アルコールを利用して作った酒が多い。

本年（2018年）初めに友達から平壌焼酎の贈物を受け取ったことがある。北朝鮮のカネで8,500ウォンだと言った。1ドル程度するものである。その時、黒い栓を付けた松岳焼酎も受け取ったのだが、1万2,000ウォンだと述べた。

本来、北朝鮮の焼酎1本の容量は500mlだが、最近は350mlも多くなった。韓国の影響からである。このような変化は、北朝鮮が韓国の資本主義的商売法を学んでいる兆候としても見ることが出来る。韓国と北朝鮮で使う焼酎の盃は、50mlで大きさが同じである。普通350mlの酒であれば、7杯が出て来る。2人が飲めば、3杯ずつ飲んで1杯が残り、3人が飲んでも2杯ずつ飲んで1杯が残る。4人が飲めば1杯ずつ飲んで、1杯が足りない。このように残った酒が曖昧になれば、我々は「チョギヨ、ここに焼酎もう1本ください」と言う。酒瓶の大きさにも、このような商売法が隠れている。

平壌で酒を飲む時、「アッ、瓶の大きさが韓国と別に変らないな」と警戒心なく騒げば、大事になる。焼酎のアルコール含量が普通25～30度である。韓国に比べて遥かに高い。そういうわけで、放心していると「こりゃ、ソウルの同務、酒がそんなに弱くてどうするか？」という言葉を聞くかも知れない。もちろん、平壌市民がソウルに来て酒を飲んでも同様であろう。真水みたいだと考えなしに一気飲みしていては「酔っぱらうこともある」ということを平壌市民は未だ知らないからである。

北朝鮮住民の乾杯の挨拶

韓国には乾杯の挨拶が本当に多い。「ケナバル（個国発）」（個人と国家の発展のために）とか「サウナ（愛友分）」（愛と友情を分かち合おう）とか言う略字形態の乾杯の挨拶が乱舞するが、どれほど韓国に長く暮らしても、これを全て覚えるのは容易ではない。

北朝鮮住民も当然に乾杯の挨拶をする。未だこの乾杯の挨拶には韓国風が入って来ていない。平壌に広まった韓国ドラマに乾杯の挨拶の場面が余り無いからなのかも知れない。

北朝鮮では改まった顔つきをして乾杯の挨拶を行う場合が多い。酒席で「祖国の自由と人民の解放のために（北朝鮮軍の軍紀にある言葉を模倣したもの。軍紀には『祖国の統一・独立と人民の自由と解放のために』と書かれている）」という乾杯の挨拶を聴いたとしても驚く必要はない。これ以外にも一般的に使う乾杯の挨拶としては「誰それの健康のために」、「家庭の幸福のために」、「誰々の夫人の健康のために」などがある。

年上の人と一緒に飲む時は乾杯の挨拶を余り行わない。もちろん、秘密の話を交わす時も同様である。反面、性格が豪放でひょうきん気質がある参席者が酒席の雰囲気に合わせ、自分の思うように「お好みの乾杯の挨拶」を作って出す場合も日常的である。例えば「私の健康のために乾杯」または「誰それが早く老いることを願いつつ」といった風である。

平壌の高級酒店

平壌住民も名節や誕生日を祝ったり、知人に会って折り入って論議する案件が出来たりすれば、食堂を訪ねる。もちろん、消費水準に従って訪ねて行ける多様な食堂が存在する。

各種の外国酒と多様な料理を提供すれば、高級食堂の範疇に属する。北朝鮮のカネは受け付けず、外貨のみ受け取る。このような高級食堂は、施設やサービスがソウルのほどほどの食堂に比べても後れを取らない。

北朝鮮で最も金持ちである幹部やトン主が最高級食堂ばかり訪ね回るのは、当然のことである。もちろん、大部分の幹部は自分のカネを出さない。カネの無い男性も気に入る女性の前で虚勢を張ろうと、1～2回はこのような食堂を訪ねもする。

最高級食堂の代名詞は、大同江の岸に位置する「海棠花館」である。2013年に処刑された張成沢（チャンソンテク）、当時の労働党行政部長が平壌にある外貨を掻き集めるために大きく投資して建てた食堂である。今は「柳京館」と名称が変わったのだが、金正恩（キムジョンウン）が以前の名称を気に入らなかったという噂がある。それでも平壌市民は、依然として海棠花館と呼ぶ。

このような最高級食堂は、最高級の資材で内と外を装飾した商店、浴場、理髪店と美容室、室内運動室、水泳場のような便宜施設も備えている。食堂というよりは1つの「総合奉仕施設」なのである。

もしか後日、平壌に行くことになれば、ソウル市民らしく品を持ちつつ「第一に良い所へ行こう」と言って虚勢を張るのは控えることにしよう。「値の張る食堂だと言ってみたとしても、平壌はそこそこで済むだろうよ」と思ったら、血の涙を流すかも知れない。このような食堂に行けば普通、1名に100ドルくらいは使う。4名を接待しようとすれば、本人を含めて500ドル要る。洋酒でも何本か注文すれば、1,000ドルは優に超える。何よりも謳い文句が「1人当たり100ドル」であって、「接待員同務の奉仕」を払いのけて、ちょうどそれだけのカネを使って出て来るのも、容易なことではない。

もち、このような最高級食堂は予約が必須である。

もう一歩さらに

朝鮮の国酒—平壌焼酎

北朝鮮のインターネット・サイト「柳京」に上った酒に関連する文章を原文のままに載せる。2017年6月27日付のコラムである。

こんにち世界の少なからぬ諸民族が自国を代表する酒を持っている。例を挙げれば、ウォッカはロシアを、コニャックはフランスを、ウイスキーは英国を、マオタイ酒は中国を代表する酒である。

そうだとすれば、世の中の人たちの中に「鮮やかな朝の国」として知られた朝鮮を代表する酒は、果たしてどんなものであろうか。それを論ずるのに「酒博士」と呼ばれる大同江食料工場技師長の崔賢実（チェヒョンシル）（音訳）博士が、いつだったか外国の洋酒業者たちの前で述べた言葉を想起してみよう。

「我が国で名酒の基準は人民が好むか、誰でも皆が享有できるかというものである。」

この基準を通過したのが、正に我が人民が誰しも好む平壌焼酎である。朝鮮人の体質にちょうど合うアルコール度が25%であるこの酒は、清らかで純粋な特性とまろやかな味わい、清新さにより人民の好評を博している。

平壌焼酎は、平壌市郊外の風光明媚な所に場所を占めている大同江食料工場で生産されている。8年前に操業したこの工場は、全ての生産工程が現代化された。

開発当時、生産者たちは酒の基礎原料であるエチルアルコールの質を最上の水準へ引き上げるのに基本を置いた。結果、彼らが生産しているエチルアルコールの分析指標は、世界的に最も良いという“Lux”級アルコール分析指標を超え出ることになった。また、生産者たちは朝鮮民族の多情多感な性格を酒において、まろやかさと清新さを活かすことにより解決することにした。

苦心が続いた研究の末に、彼らはこの問題を立派に解決し、酒の各特性が互いに上手く調和するように組み合わせる技術を完成して、製品の精製、濾過工程を高い水準で完備した。

朝鮮民族が好む朝鮮の国酒についての噂は、隣の諸国と諸地域にも広がり、それに対する注文が継続して増えている。

大同江食料工場では平壌焼酎の他にアルコール度数が30％、40％の平壌酒とアルコール度数が30％、40％ある高麗酒も生産している。これらの酒は、大体アルコール度数が高いものを好む人の中で人気が高い。

平壌食堂が１順位、外国食堂は２順位

平壌の高級食堂は、ソウルと異なり「食事部屋」と呼ばれるルームにカラオケ施設を備えている。カラオケ部屋は別個に持っておらず、食事の席で酒も飲み、歌も歌うのである。各部屋は、密閉が立派に出来ていて、部屋の中で大声を出しても周辺でうるさいと思わない。

食堂に行って男性ばかりで歌を歌って遊ぶのは、ちょっと変である。この時に要請すれば、食堂の接待員同務が登場する。高級食堂の接待員は、みんな可愛くて若い。採用の時に美貌を第一に重視するからである。

接待員が入場すれば、客の横に座り、酒を注いで気分も合わせてくれる。定められた接待費は無いが、接待員が登場したら「ケチると体面が立たないので」、結局は酒と料理を新たに注文することになる。５名が行けば、10人分を計算するのが一般的である。

接待員同務の「奉仕性」を疑問に思ってはいけない。韓国式に表現し

ようとすればサービス精神なのだが、このような最高級食堂に来る客は、幹部ではなくても社会的な地位が高かったりカネが多かったりする場合が大部分なので、自然に奉仕性も高い。

このような食堂で働く接待員は、給与が高いので志願者が多い。月給水準は大体50ドルから始まり、人気が高く訪ねる客が多ければ100ドルまで受け取る。この程度でも北朝鮮では非常に高い給与水準だが、月給だけ見て接待員をやるのではない。彼らが本当に願うのは、チップである。チップをいくら受け取るのかは、接待員の能力にかかっている。大体で5ドル、多く受け取れば10ドルだが、これはそれこそ基本であるばかりだ。ニコニコ笑いながら酒を注いでやり、男性の身体をあちこち、こそこそと続けて突いてやりながら歌を歌う接待員に会えば、男性の肝っ玉が更に大きくなる。

奉仕が素晴らしいと言って「この接待員同務がオレを本当に好きなのだな」と錯覚したり、一杯やって肝が大きくなって抱いたりキスしたりすれば、翌朝に保安署の留置場で手錠をはめて目を覚ますことになるであろう。このような高級食堂では、性売買はもちろんスキンシップも禁止されている。どうかすると、手も握らない。接待員の奉仕は、酒を注いでやり、言葉遊びに合わせて話すことである。歌を歌い、踊りを踊りもするが、これは「一緒に飲んでみると興に乗った」というのであって「基本サービス」に含まれるのではない。

接待員志願者の選好度を見れば、平壌の高級食堂が1順位で、外国が2順位である。平壌の高級食堂の接待員は、外国よりも報酬が遥かに良く、規律も厳しくないので、多くの女性が羨望する。このためなのか、接待員の自尊心が相当に強い。家庭内の背景も他の食堂従業員に比べて遥かに良く、人物や芸術的器量も遥かに優れている。一時は中国の北朝鮮式高級食堂で「北朝鮮最高の接待員を雇用した」ことを前面に押し出しもしたが、全て昔の話である。海棠花館の接待員の場合、その位相が韓国の有名タレント級である。美貌がちょっと落ちると言って、首をかしげることもない。その父母が誰か知ることになれば、開いた口が塞がらないだろうからね。

平壌のルームサロン

闇の文化が定着しなかった都市が世の中どこにあったか。もちろん、平壌にも性売買する食堂がある。2017年の初夏、性売買の事実が発覚し、処罰を受けた平壌平川地区の「青春館」の事例を調べてみよう。

ひっそりとした裏通りに位置していた、この小さな食堂は、初期に耳目を引けなかった。この食堂は、中央青年同盟の所属であった。参考として述べると、平壌の食堂は中央や市級・区域級の単位に所属しているが、内幕を入って見れば、個人が運営する場合も少なくない。

個人は、収入を分かち合う条件で特定機関の名義を借りる。もちろん、名義を貸してくれた機関の力が大きければ大きいほど、ケチをつけられる所が少ない。力が無ければ、保衛員や保安員、甚だしくは配電所の職員まで訪ねて来て、カネをむしり取って行く。代わりに、それに相応して機関に出すカネが少なくなる。

人民奉仕総局傘下の「玉流館」、「慶興館」、「清流館」をはじめとして有名高級食堂と市級食堂、各区域総合食堂傘下の食堂を除外すれば、名目上で各級機関傘下の食堂は全部、個人の食堂だと言っても過言ではない。北朝鮮では、食堂の社長を「責任者」と言う。そうだと言って、その食堂の責任者が必ずしも投資者なのではない。責任者の一部は「トン主」にカネを借りて経営しもする。食堂を開いたものの、商売が上手く行かなければ、他の個人に売りもする。平壌には人民奉仕総局傘下の食堂が最も多い。しかし、最高級食堂は大体、力のある貿易会社や省中央機関の傘下である。

再び青春館の話へ立ち戻ってみよう。この食堂も商売が上手く行かないとなるや、責任者が食堂を売り物として出し、他の個人がこの食堂を買い入れた。新しい責任者は、営業方式を変えた。無条件で美貌が優れた女性を接待員として選び、商店も一緒に開いた。このような営業戦略は成功し、多くのカネを稼いだ。

この食堂の周辺には「栄光食堂」という外貨食堂（高級食堂）をはじめ、商売の上手く行っている食堂がいくつかあった。ところが、栄光食堂を訪ねた客の相当数がある日、青春館へ踵を返し始めた。反面、アパート1階と地下層を使用していた青春館は、夜を明かすように不夜城をなした。うるさくて夜に眠れないでいたアパート居住民が何度も申告をしたけれども、甲斐がなかった。食堂の全ての部屋は、密閉が上手にされていて、その中でどんな事態が繰り広げられているのか誰も分からなかった。

そんなある日、ある幹部が腹を決めて食堂を急襲した。窓を通じて性売買の現場を摘発した。結局、青春館は営業停止を食らい、責任者は監獄に行った。この食堂がその間に住民の申告にも無事に営業できたのは、食堂の位置した区域を担当する保衛員と保安員、検察署の幹部が、みんな常連客だったからである。

美貌の接待員は客を引き入れ、わけも無く高い価格の「料理を注文するよう」にして、食堂の収入を上げてくれた。その代わりに、夜を明かして客と遊んでやり、受け取ったカネは100%我が物にした。接待員は、具体的な性売買の価格表まで作っておいて働いた。

大概このような食堂は、証拠が掴まえられる前に周辺で噂が立つ。この食堂も、やはり摘発される前から周辺アパートの主婦たちが先行きを見越して夫を取り調べた。夫がそこに出入りしているか、甚だしくはその前を通ったかまで目をいからせて監視したという。

青春館の営業停止は、ひとつの事例であるだけで、平壌市内にはこのような食堂が所々に隠れている。

北朝鮮のウォン貨より良い待遇を受ける中国元貨と米国ドル貨

最高級食堂を除外した残りの食堂のメニューと環境は、だいたい似通っている。このような食堂の共通点は、ドル貨や元貨を自由に使用できるということである。平壌でドル決済が出来ない食堂は無い。北朝鮮のカネで価格を書き入れた食堂でもドルを出せば、出納員や接待員がその場でチャンマダンのレートにより交換して計算してくれる。

あぁ、もちろん手数料は要るけれども、多いわけでもない。チャンマダンのドル交換率が1ドルに北朝鮮のカネ8,400ウォンであれば、食堂では8,300ウォンで換算してくれる。韓国の銀行より外貨両替の手数料が遥かに少ない計算になる。

平壌市民は手数料を出しても、北朝鮮のカネよりもドルや元貨の使用を好む。最も大きな理由は、北朝鮮のカネの分量が余りに大きいという点である。100ドルであれば、北朝鮮のカネで80万ウォンを超える。最高の高額券である5,000ウォン紙幣でも何と160枚である。北朝鮮のカネを持って行き来しようとすれば、財布では到底およばず、リュックサックを背負って往来しなければならない。外貨を持って往来する外ない環境である。

最近には料理を上手にやると噂が立てば、客が多く押し寄せる。特化した料理で競争する食堂が次第に増えている。一般的に男性がこのような食堂に行けば、焼酎1本くらいは軽く飲む。暑い真夏には直ぐに焼酎へ入らず、爽快なビールを先に飲んだ後、焼酎を飲む。平壌では、これを「酒の道を開いて酒を飲む」と言う。

わずか10余年前を述べても、平壌の食堂で男性と一緒に酒を飲む女性は、ほとんど見られなかった。封建的で家父長的な文化が残っていたからである。しかし、今は夫ではない他の男性と向かい合い、盃を傾ける女性を見かけるも難しくない。以前に「大同江ビール店」が初めて生まれた時は男性ばかりがうじゃうじゃいたが、今は脱皮して、ビールを飲む中年夫人や未婚女性も普通に見られる。

一般食堂には歌謡奉仕設備（カラオケ施設）が無い。代わりに新しい飲食、新しい味を訪ねる客や台所仕事を一日でも避けようとする女性（とその家族）により、好況を博している。

一般食堂より若干レベルが落ちる裏通り食堂もある。洞事務所や幼稚園など小さな機関で「ちょい稼ぎ（副業）」により運営する小さな食堂である。このような裏通り食堂は、一般的に「売場」または「カネ班」と呼ぶ。主に平壌中心部を抜け出た地域で、アパート部屋1つを店として出して運営する。

小さい機関で自ら稼ぎを行い、財政を充当するという名目で承認を受けて運営する。元来は制限された種類の飲食だけ作って売るように許可が出るけれども、実際に訪ねて行ってみれば、あるだろうものは全てある。料理と奉仕性を競争するというのも、一般食堂と異ならない。価格も3分の1程度と穏やかで（安くて）、飲食の量や質も問題なく、本当の「人民」が喜んで訪ねる所である。

このような裏通り食堂も名前が売れれば、稼ぎが結構よい。カネが少しあると自負する金持ちも、このような食堂を常連客として定めて通う場合が多い。このような食堂に行けば普通、部屋の床に座り、食膳に供えてくれる食事を食べる。

大学とか大きな工場、企業所、チャンマダンとかの周辺には、個人が運営する裏通り食堂が大変に多い。

平壌のありふれた家庭接待文化

平壌の男性は大部分、夕食を取る時、焼酎1杯以上を飲む。夫婦が毎夕に「同伴酒」をする家も多い。北朝鮮で絶対に滅びない企業があるとすれば、それは酒の生産企業であろう。甚だしくは、苦難の行軍の時期に食料節約のために下した禁酒令を放棄してしまった。

平壌では友達や親戚を招請した場に酒が無ければ、ひどく異様であり、きまりが悪い不自然な状況が演出される。これも、やはり朝鮮民族に固有な文化ではなかろうか。中国にいた時を思い返してみれば、中国人は酒が無くても知人と飯を食べ、話を交わすのに何らの支障も無かった。もちろん、漢族の中にもビールを箱ごと間に置いて座り、酔う時まで飲む酒党がいるであろうが、男性の大部分は平日に酒をほとんど飲まないようであった。

北朝鮮では、家に知人を招待すれば、どんな酒の肴を主に出すであろうか？　数年前までを述べてもプルゴギが流行であったが、今は盛りが過ぎた。家でプルゴギをやれば、臭いがつき、苦労して整えた内部の装飾が使えなくなるという理由からである。この頃はサラダとイカ刺身（薬味で合えたイカの刺身料理）が外せない。主婦はこの時、自分の料理の腕前を力いっぱい発揮する。

韓国で知人を家に招待するのは、大変な親密感の表現であるが、北朝鮮ではカネが多くなくて食堂で買い食いするのが負担に思える時、家へ招待する。もちろん、カネの多い幹部が知人を家に招待するのは「秘密の話」を交わすためである。

家で繰り広げた「飲酒場」は大体、汁飯を食べることで終わる。「先酒後麺」は、平壌市民がソウル市民よりも更に良く守る。料理の腕前が優れた主婦は直接つくりもするが、普通は食堂や汁飯を専門として売る店から配達させて食べる。

親しい友達や夫の上級（上司）が来れば、主婦が酒を注ぎながら雰囲気を盛り上げるのも一般的である。韓国では女主人が客を接待するのが当然だが、平壌にこのような文化が定着したのは最近になってからである。以前には夫の知人が訪ねて来れば、主婦は酒と肴を据えた膳だけ整えて台所に入り、酒席が終わる時まで待っていた。客を見送って後に初めて子どもと一緒に夕食を食べるのが、いわゆる美徳であった。しかし、今は妻と夫が酒肴の膳に一緒に座り、同伴酒をするからと言って何だと言う人もいない。苦難の行軍の時期を経る中で、北朝鮮の男性も分別がついたのである。この時期を経て女性の地位が変わった。女性みずから男女平等を達成したのである。この時、女性がいなかったならば、男性の半分は飢えて死んだのではないかと思う。

国営工場の競争力に押された密造酒製造業者

必ずしも食堂や家でだけ酒を飲むのではない。今この瞬間にも多くの平壌市民がアパート団地周辺の公園や裏通り、チャンマダン周辺などの野外空間で仲間同士が集まって座り、酒を飲んでいることであろう。大同江ビール店が生まれて数は減ったけれども、このような野外の酒場は、依然ありふれていて広く見られる風景である。真夏に「三伏節」の猛暑がまだ通り過ぎない8月はもちろん、冬将軍が猛威を振るう1月にも野外の酒場は継続する。

このような酒場は、特に大きな工場、企業所の周辺にある裏通りに多い。肉体労働者は一日の仕事を終え、このように集まって座り、酒を飲むのを大きな幸福と見なす。彼らは、北朝鮮で最も安い酒を飲む。いま密造酒は飲まない。工場の酒がもっと安いからである。彼らが飲む酒は、正式な瓶に入っていない。けれども、厳然として工場で生産された「パラ酒」である。北朝鮮にはパラセメント、パラビール、パラ酒など「パラ」という修飾が付いた製品が多い。「パラ」は「正式に包装されていない」という意味である。

平壌中心区域には今、密造酒が無い。過去に国営工場が原料不足で稼働できなかった時、密造酒が潜り込んだ時があるけれども、今は「酒工場」の価格競争力が個人を圧倒した。いま酒工場は、独立採算制を施行して製品を市場に売れるので、大量生産が可能になった。酒代は一般的に1瓶当たり1,000ウォンである。1ドルが8,000ウォン内外なので、大変に安い価格である。韓国のカネ1,000ウォンであれば、北朝鮮に行って500ml入りの酒8本を買える。過去に密造酒を作って売っていた個人の相当数は今、酒工場と取引する小売店を運営している。

急激に増加する平壌のビール消費量

最近の平壌のビール市場は、爆発的に成長している。過去に北朝鮮の飲酒は、焼酎と中国酒を中心に成り立っていたが、最近になってビールが大勢である。

ビールの中で第一に有名なブランドは「大同江ビール」である。北朝鮮は2000年に金正日（キムジョンイル）の指示で、180年の伝統がある英国のアッシャーズ醸造所（Ushers of Trowbridge）を350万ドルで買って来た。英国ウィルトシャー（Wiltshire）郡のトロウブリッジにあったこの醸造所の設備は北朝鮮へ移されて、2002年に大同江ビール工場になった。以後2002年と2005年にドイツから追加で設備を入れて、システムを補強した。1,000名が働くこの工場は現在、平壌の寺洞区域の松新1洞に位置している。

大同江ビールは、外国の専門家も認定するほど風味が深い。ビールの麦含有量は、味の豊富さを左右する。一般的な韓国のビールの麦含有量は4%に過ぎないが、北朝鮮のビールは3倍の12%である。大同江ビールは黄海道の麦、両江道のホップ、大同江の地下水を原料として使用する。

北朝鮮では缶ビールを「引き離し式筒ビール」と呼ぶ。大同江の引き離し式筒ビールは2017年になって初めて生産が始まった。大同江ビールのアルコール度数は5%から始まる。1番から7番まで多様な種類があるのだが、番号ごとに度数と味、付加物の構成が異なる。ビールに番号を付けるのは、ロシアのビールであるバルティカ（Baltika）の影響である。

大同江1番ビールは原エキス（モルト原液）10%、アルコール4.5%に100%の麦芽で作る。北朝鮮は、このビールについて「麦芽の香りが濃く、酸味が適切であり、真の味を好む消費者の嗜好に合うビール」と紹介する。

2番ビールはモルト原液11%、アルコール5.5%に70%の麦芽と30%の白米で作る。「味が柔らかく清涼で、泡立ちが良い基本品種のビールとして消費者の評判が良い」と紹介する。実際に平壌のビール店では、2番ビールが最も多く売られる。

3番ビールはモルト原液11%、アルコール5.5%に麦芽と白米を半分ずつ混ぜて作る。「白米の綺麗で爽快な味と麦芽の柔らかい味、酸味が調和よく兼備されて、ヨーロッパとアジアのビールの風景を全て一緒に取り揃えたビール」だと紹介する。

4番ビールはモルト原液10%、アルコール4.5%に30%の麦芽と70%の白米で作る。「ビール固有の味を持ちつつも白米の香味、清涼な味が良く合わさって、酒精（アルコール）と酸味が低いことを要求する消費者の嗜好に合うビール」と紹介する。

5番ビールはモルト原液10%、アルコール4.5%に100%の白米で作り、「色が非常に柔らかく、泡立ちが良い中にも白米に固有の香味とホップの味が調和よく合わさった特異な味を持ったものとして、女性たちの嗜好と特別に合うビール」だと紹介している。

6番ビールはモルト原液15%、アルコール6%にコーヒーの香りを添加した黒ビールで「味が濃く豊富で、強いコーヒーの香りと高いアルコール度数、酸味を持った典型的な黒ビール」と紹介する。

7番ビールはモルト原液10%、アルコール4.5%にチョコレートの香りを添加した黒ビールで「基本の味が柔らかく爽快でありながらも、はっきりしたチョコレートの香りと柔らかな酸味の黒ビールとして、新しい世代の消費者の嗜好に合う黒ビール」だと紹介する。

大同江ビール工場が生まれた後、平壌の所々に大同江ビール店200余ヵ所が生まれた。このようなビール店は、過去に洞内の公園に集まって座り、酒を飲んでいた愛酒家を吸収している。

本当に美味しい大同江ビールを飲もうとすれば、専門のビール店に行くよりは「専門販売工（配達員）」を通じて家へ配達させて飲むのが、遥かに良い。平壌には大同江ビール専門店が100ヵ所を超えるが、冷凍保管設備とガス注入設備、ビール・コック（ビールを注ぎ出すサーバー）などを揃え切れていない所が多いからである。これゆえに専門ビール店の大同江ビールは、店ごとに味が少しずつ異なる。最近に建設された黎明通りと未来科学者通りのビール店は、設備が新しいものだから当然、相対的に味が良い方である。

平壌ではカネさえ出せば、ソウルに劣らず多様な食事が家へ配達される。職場生活を行う女性は、遅く退勤したり夕食を作って食べるのが困難であったりする場合、「専門店」に夕飯を注文する。専門店は、特定の飲食に特化した食堂である。配達時刻を定めてやれば、ほとんど正確に合わせて来る。

「チキール」（チキンとビールの合成語）も当然に配達される。平壌にはビール店に張り付いて稼ぎ、家族を食べさせて暮らす専門販売工が多い。彼らのお陰で電話一本すれば、家に座って「チキール」をはじめとして各種の飲食物を配達させて食べることが出来る。

ビールを専門に扱う専門販売工は、評判が良くて初めて、引き続いて注文を受けられるので、プロ意識を持っている。彼らは「慶興館」のようにビールで有名な専門店や黎明通り、未来科学者通りにある美味いビール店のビールを配達する。

専門販売工は、有名ビール店に裏金を与え、ビールを抜き出す。普通はビニール筒に盛り込むが、抜き出したビールを直ちに密封し、冷凍保管して配達する。大同江ビールは1リットル配達に北朝鮮のカネで5,000〜6,000ウォンを受け取る。カネの多い金持ちも、瓶ビールより配達ビールをもっと好む。

「パラビール」価格は2018年6月基準で、1リットルに北朝鮮のカネで1,700〜2,500ウォンである。チャンマダンのレートが1ドルに8,000ウォン前後ということを考慮すれば、1リットルに韓国のカネで200〜350ウォン程度になる計算である。韓国人には本当に物凄く安い価格である。もちろん、大同江ビールはパラビールに比べて相当に高い。パラビールで最も有名なのは、慶興館のビールである。

瓶ビールは、更に少し値が張る。北朝鮮で多く飲む瓶ビールは大同江ビール、龍星ビール、平壌ビール、チェビ（燕）などがある。個人がプラスチック筒に盛り込んで売っていた密造酒に刺激を受けたからなのか、2017年からは平壌の善興食料工場をはじめとして大型食料工場でも、1.2〜2リットル単位のプラスチック筒にビールを入れ込んで「チンダルレ（つつじ）ビール」という名前で大挙して流通した。

瓶ビールの価格は大同江ビール5,000ウォン、龍星ビール3,000ウォン、平壌ビール2,500ウォン程度で、つつじビールは1.2リットル1筒に6,500ウォンくらいである。もちろん、価格が固定されているのではない。専門の卸売り商店では、これよりも100〜200ウォン安く、小売り商店とか売店とかでは、これより100〜200ウォン、甚だしくは500ウォン以上も高い。

大同江ビールが生産される前の1990年代に北朝鮮を代表するビールは龍星ビールで、その他に鳳鶴ビール、金剛ビールなどがあった。これらのビールは、今も命脈を維持している。

もう一歩さらに

ソウルにはスンデとトッポギ、平壌には人造肉とフライ

通りの愛酒家が最も好む酒の肴は「人造肉」と「毛豆腐」である。代表的な庶民の食べ物である。人造肉は油を絞り出した大豆を帯の形態に加工して煮たもので、三杯酢や薬味醤油につけて酒の肴として食べる。ソウルでも脱北者が運営する食堂に行けば、人造肉の料理と人造肉ご飯を味わえる。人造肉は苦難の行軍の時期に「発明」された。北朝鮮住民の間では「先軍脱皮」と呼ばれ、「運命」を共にしてきた親近感のある同志のような食品である。先軍脱皮という言葉は、苦難の行軍の時期に北朝鮮当局が前面に打ち出した「先軍政治」と、皮をむいた干し明太を意味する「脱皮」とが組み合わされたものである。世界のどこにも大豆料理はあるが、北朝鮮の人造肉ほど大衆的な人気を得た場合が他にあるのだろうかと思う。

寄宿舎生活をする貧しい大学生も、通りで酒を飲む時には人造肉と毛豆腐を肴と見なす。「朝鮮で大学を卒業しようと思えば、『人造肉』2,000mを食べ、毛豆腐3m^3（立方メートル）を食べなければならない」という言葉もあった。人造肉が通りでだけ愛用されるのではない。特別な味は無くても価格が安く、食感が良くて、どこででも人気である。大同江ビール店でもよく売れる。

多様なフライも多く食べる。北朝鮮ではフライやチップを「トゥイキ」と言う。韓国と同様にジャガイモ・トゥイキ、エビ・トゥイキなどがある。善興食料工場、大同江食料工場で第一に多く生産されるが、その他にも平壌のほとんど全ての区域の食料工場でトゥイキを生産する。最近はビールの肴として多く消費されるけれども、依然として人造肉の人気を超え出ることは出来ない。

北朝鮮の女性は、チャンマダンにショッピングに行って「人造肉ご飯」を見れば、当然だというように1つ以上は買って食べる。韓国人が外出すれば、コーヒー1杯は飲むような話である。人造肉ご飯は少女とお婆さん、中産層と富裕層を分かたず、全ての女性に人気が高い。やはり子どもも、お母さんに従って外へ出ると人造肉ご飯に舌鼓を打つ。

人造肉ご飯は、帯状に加工された人造肉を適当な長さに切り、真ん中を開けて、その中にご飯を入れたもので、ここに各種の調味料を入れた朝鮮味噌を塗ってやる。価格は大きさと質により異なるが、北朝鮮のカネで5,000ウォンくらいあれば、腹を満たせる。人造肉ご飯はその朝鮮味噌の味に引かれて食べるが、衛生を確かめ始めた金持ちも、こればかりは退けられない。北朝鮮で人造肉は、韓国のスンデやトッポギのような存在である。

北朝鮮では、愛酒家かどうかを区別する「審判方法」として「酒を飲むために肉を食べるのか、そうでなければ肉を食べるために酒を飲むのか」を確かめもする。前者は目的そのものが酒を飲むことなので、酒の肴が何であれ気にかけない「本当の愛酒家」であり、後者は食道楽そのものを楽しむ「ニセの愛酒家」というのである。このように審判して受け取る愛酒家の称号を、そもそもどんな相棒に使うのかは分からない。

もちろん、今も平壌には肴を買うカネが無くて、全くの塩で酒を飲む労働者もいる。彼らは、本当に酒を飲むために肴を食べる。苦しい労働を終え、家に帰った低所得層の労働者には、疲れた身体を休めてくれ、そのまま眠りに入らせる塩肴の飲酒が唯一の選択であろう。このように貧しい労働者は「愛酒家」を強要されている。どうか北朝鮮の経済が発展して、労働者も財布の心配なしに酒を飲み、肴を食べる日が来ることを願うばかりである。

平壌最高のデートコースと賑わう観光地

平壌観光の必須コースは金日成(キムイルソン)広場、万寿台噴水公園、万寿台大記念碑、凱旋門、主体思想塔くらいである。インターネット検索をしてみれば、写真も多い。時間が充分ならば、人民大学習堂、万景台故郷の家、平壌学生少年宮殿、朝鮮芸術映画撮影所、平壌地下鉄などを追加したりもする。観光客の身分に従って高麗医学科学院とか平壌産院、乳腺腫瘍研究所のような医療施設を見学も出来る。

このような観光地は、体制を扇動するのに「適切だ」と見なす所である。外国人だけでなく地方住民も平壌参観に来れば、主にこのコースに従う。地方住民には、付いて回りながら解説をしてくれる案内員が張り付いておらず、朝鮮芸術映画撮影所や学生少年宮殿のような所は訪問が許容されない。

地方住民が平壌に来れば、必ず見物するのが万寿台噴水公園である。万寿台芸術劇場とその前の噴水を背景にした写真1枚は、必ず残す。

ところが、本当に平壌で青春を送る男女は、このコースでデートをせず、やはり平壌市民もこのような所を旅行地と見なさない。平壌の有名デートコースと賑わっている観光地を訪ねて見る。

最も人気があるデートコース、牡丹峰

平壌で最も人気があるデートコースは牡丹峰だと言える。ソウルの南山のような所である。高さは95mで高くないが、面積が相当に広く、風景が秀麗である。ここはデートコースであるだけでなく、平壌市民が最も好む夜遊会の場所でもある。

牡丹峰の頂上には「最勝台」という楼閣がある。単なる楼閣ではなく、北朝鮮の国宝文化遺物第21号である。最勝台に上れば、大同江の最北端にある綾羅島と一緒に、川の向こうの東平壌と西平壌が一緒に目に入ってくる。最勝台は「平壌城の全体の景色を眺めて見るのに第一に

良い所」という意味を持っている。

牡丹峰は、大同江の川岸に沿って長く延びた錦繍山で最も高い頂でもある。最勝台を中心に北側、南側、西側へ延びたなだらかな稜線に沿い、前後に続けてそびえ立っている山頂の模様が今まさに咲き誇った牡丹の花に似ていて、牡丹峰という名前が付けられた。

牡丹峰には景上窟、興富窟など深くない洞窟がある。北側には龍南山（47m)、南側には万寿台など低い丘陵があり、東側の斜面に沿って流れる大同江の上へ、削られたような絶壁である清流壁が長く立っている。

奇妙で調和の取れた土地の成り立ち、濃い緑陰、季節により咲くいろいろな花がひとつに調和よく合わさった牡丹峰の景色は、本当に美しい。特に、春の乙蜜台と明るい月が上る頃の浮碧樓は、牡丹峰の景色の中でも最も優れている。昔から乙蜜台の迎春と浮碧樓の月見は、平壌八景の1つに数えられた。

平壌に春が来れば、牡丹峰は野外遊びに出て来た人派で白く覆われる。北朝鮮で最高の名節である4月15日の太陽節と5月1日の労働節はもちろん、日曜日とか甚だしくは平日にも、牡丹峰は大賑わいである。家族、恋人、友達の単位で食べるものを準備し、牡丹峰に上がる。事実、景色の観賞よりは美味しく食べて休みながらストレスを発散するために上る。特に、春に遊びに来る北朝鮮住民の大部分は、必ず悩まされなければならない将来について、一種の補償心理からここを訪ねる。5月には農村動員や各種の社会行事の動員などにより、遊びに通う余裕が無いからである。

飢えから次第に抜け出る中、平壌市民の意識も大きく変わった。いくら忙しくても、いくら状況が困難でも「楽しむべきだ」と考えるのである。デートを楽しんだりプルゴギ鉄板を設けて置いて談笑を交わしたりする平壌市民が、だんだん増えている。

真昼の太陽が消えて、涼しい大同江の風が牡丹峰を撫でる夕方となれば、デートを楽しむカップルが急に増える。閑静で心休まる所を訪ねるデートカップルの足取りがいつ、どこで止まることになるのか誰も知らない。

ところが、彼らの後ろに従う影がある。

黒い影に注意しろ

牡丹峰には恋人たちに劣らず、起動打撃隊員たちも多い。平壌市保安局の傘下である。苦難の行軍の時期を経る中、不法行為と犯罪が蔓延するや否や、当局は各道、市級の保安局に起動打撃大隊を組織して「非社会主義現象」を統制しようとした。社会主義というのが事実、鼻に掛かれば鼻輪、耳に掛かれば耳輪であるのか、どうかすると「浮華（男女関係が道徳的に堕落して不健全だという意味）行為」という理由で取締を受けることもあり得る。

起動打撃隊が初めて組織された時は権限が相当に大きく、取締の時に賄賂もかなり良く受け取れて、誰でもやってみたがったけれども、今はその熱気も相当に冷めてしまった。勤務は昼と夜が別々でなく、賄賂を受け取って着服できる公々然たる違法行為も、それに応じて減ったのである。また、平壌で何らかの行事が組織されれば、1次に動員されて現場の捜索を行い、行事場の最も外側で潜伏勤務に立ちつつ、誰も分かってくれない徹夜をするのも、彼ら起動打撃隊員であった。

軍服務を終えた党員であれば、若干（300～1,000ドル）の「事業費（賄賂）」とか「顔面（人脈）」とかで起動打撃隊員になれる。肩書が保安局傘下の起動打撃隊員であるけれども、実際に彼らの級数は、特定地域担当の保安員や一般保安所で勤務する保安員よりもひどく下である。起動打撃隊にいてから保安省の政治大学くらいは行って来て初めて、保安員として食べて暮らすに足る「発展（昇進）」が出来る。

起動打撃隊員の中には、洞保安所長や区域保安署長を望む人もいるが、大部分が教育を多く受けられなかったのに加えて「チャンマダン経済」の中で成長した。違法行為を根絶して、人民の生命と財産を守るべき彼らが、実際には自分の財布を満たすのに忙しいというのは、今や秘密でもない。これゆえに彼らを眺める平壌市民の視線は、穏やかではない。

餌食を探す起動打撃隊員が注目する所は、平壌市内の寂しい裏通りやデート場所である。奥深く潜伏していて「決定的瞬間」、「逃げられない正にその瞬間」に不意を突いて襲う。狩人の気質が必要なのである。平壌では野外で「浮華」行為をやれば、職場に通報されて大きな赤恥をかく。そうであるから捕まれば、もう直ぐにその場で賄賂を与えて揉み消すのが最善である。

浮華行為の取締にも対象を選定する要領がある。重い荷物を背負い、みすぼらしい姿勢で通って回る商売人は、いったん取り締まらない。生計が肩に掛かった彼らは、金切り声の外に残ったものが無く、ちょっと間違えれば元も子も無く赤恥だけをかく確率が高い。

深夜に裏通りの食堂の前に止められている幹部の乗用車1台を捕まえれば、それこそ大変な幸運である。幹部が深夜に家に帰らず、車の中で「こと」をしでかす場合は、ほとんど無い。年を取った運転手も、やはり同様である。対象は正に軍高位将官の運転手である。彼らは、現職軍人として血気が旺盛である。また、高級乗用車を運転して行き来しながら虚勢を張るので、女性と容易に仲良くなる。彼らは、幹部が退勤した後、車を運転して出て来て、自分のもののように使用する。

このような軍人の運転手は、浮華行為に伴う処罰が重いので、賄賂もそれ相応に金額が大きい。普通は車の中で密会を交わして摘発されれば、15kg ガソリン票1枚（18ドル）とか現金20ドル程度を賄賂として与える。状況によっては50ドルを要求しても後腐れが無い。

最近になって脱北した平壌出身の青年は、起動打撃隊員の間で広く拡散した逸話ひとつを聞かせてくれた。裵（ぺ）の姓を持った経歴3年の起動打撃隊員の話である。

起動打撃隊員となった裵くんは、自分なりの矜持を抱いて勤務したが、先輩の様子を見るうちに、そのような必要が無いと悟るようになった。ある日の深夜、潜伏勤務を終えて帰宅していた裵くんは、疲れた身体を引き摺って牡丹峰を貫通する「金陵2洞窟」を過ぎ、清流橋に入り立った。犯罪者でもひとつ捕まえて見るかと思ったけれども、零時を過ぎた道路はガランと人影も無く静かであった。その時、後ろから自転車が転がって来る音が聞こえた。「よし、今日は思い通り行かなかったので、尻（自転車のサドル）でも手に入れて乗り、早く家に帰ろう」と考えて、横を通り過ぎようとする自転車を呼び止めた。

「くそ！」

速く走っていた自転車が数メートル先で止まった。ところが、自転車から降りた人が荷物と自転車を放り出して突然、走り出してしまった。近づいて見ると、日本産の中古自転車にずっしりと重いボックスひとつが載せてあった。自転車を留め立てする「制服」を見た泥棒が、荷物も何も打ち捨てて逃亡を決め込んだのであった。ボックスの中には新鮮で値の張る水産物が数十kgも入っていた。裵くんは貴重な水産物を親友と分けて食べ、自転車は自分が充分に乗ってから売り払った。

この逸話は、起動打撃隊員の間で「いくら辛くても放棄せず、熱心に働く（？）ならば、好機が訪れる」という事例になった。

起動打撃隊員は今も牡丹峰・凱旋青年公園・北塞公園の周辺、船橋映画館とか大劇場、平壌駅の前など密会がありそうな場所を訪ねて、毎日のようにうろついている。本意はどうであれ、そのお陰で一部の浮華行為が防止されているにはいる。

新たに賑わう第一の観光地、龍岳山

最近になって平壌の外れの万景台区域にある龍岳山が、平壌市民の真夏の避暑地として注目されている。私も平壌に暮らしながら、たった1回だけ龍岳山に登って見た。

海抜高度が292mである龍岳山は、奇妙な岩の頂が立ち上がり、全種類の花と緑陰ふかい林が神秘な調和をなして、景色が非常に美しい。やはり秋の紅葉も、外すことは出来ない。龍岳山という名前は、龍が空へ飛んで昇ろうとするような形をなした山頂に起因したものである。

四方へ深い谷間が広がっており、険しい山勢は岩を多く現わしていて、北東側の斜面には削り取ったような崖がある。特に、山の中腹にあ

る岩の間からは清らかで冷たい水が四季を通じて流れ出していて、これが正に有名な「龍岳山の泉水」である。

龍岳山が有名になったのは、2010年に入ってからである。これも、やはり平壌市民の生活水準が高まる中、文化と情緒が変わった証拠だと見ることが出来る。以前には都心から遠く離れた所なので、当然ながら遊びに行くのが容易ではなかったけれども、今は機関別、単位別にバスをチャーターで借りて、ここを訪ねて登山をし、昼食を食べて、歌舞を楽しんで帰宅する。まだ今は特別な奉仕施設が建てられていない。

専用の登山路を開設し、各種の文化・娯楽施設を揃えるならば、平壌市民が日帰りでストレスを晴らせる最も良い休憩地となるであろうと考える。

もう一歩さらに

平壌の美味い食堂通り

牡丹峰の周辺には食堂が多い。散策コースが近くにあるかどうかに従い、営業が上手く行きもするし、行かなくもなる。

牡丹峰で営業が上手く行く所は、万寿台銅像の道の向かい下側である。「ロシア解放塔」と青年野外劇場があるここには中小の食堂が多いのだが、牡丹峰の麓にある食堂としては稼ぎが良いという。

実際に人波でごった返す凱旋駅（地下鉄駅）周辺には、満足するに足る奉仕所が無い。金日成競技場や凱旋青年公園がある凱旋駅周辺の牡丹峰の麓に総合奉仕所を建てれば、商売が本当に上手く行くであろう。少し更に坂を上って「友誼塔（中国人民志願軍支援記念碑）」の方へ行くと「月香閣」と「平南麺屋」のような食堂があり、道路を渡って北塞通りの方へ行けば数多くの奉仕施設があるが、立地として凱旋駅にかなわないようである。2010年代の芝生造成ブームと一緒に、平壌市内のほとんど全ての区域に少なければ2～3ヵ所、多ければ5ヵ所以上の中小規模の公園が造成された。これらの公園も休息日になれば、人波でごった返す。住民密集地区の中心に位置した公園に各種の奉仕施設を揃え、事業を行えば、これまた成功する可能性が高い。

2018年に入って平壌で最も人気を得ているメニューは、海産物の汁飯である。元来、平壌では見られなかったメニューである。赤貝、アサリ、生アワビ、カキ、タコ、明太、カニなど高級水産物10余種類を一度に食べられる、この海産物汁飯の価格は普通30～40ドル程度である。

海産物の汁飯で有名な食堂は、中区域の尹伊桑(ユンイサン)音楽堂の真下にある慶北食堂である。電気を利用して処理する「水産物煮込み」という海鮮鍋をサービスしている。一膳（4人基準）価格は35ドルであり、義務的に高い酒1瓶以上を飲まなければならない。この食堂の設備は、中国から入った。開業の数ヵ月だけでコストを全額回収したと噂になるほどに営業が上手く行った。この食堂を運営する女性の夫は、中区域の保安署長である。この食堂が上手く行くや否や、平壌の大部分の食堂で水産物の汁飯という料理を新たに作って売り、似たような価格で奉仕している。

平壌資本主義の素顔、大衆交通

「平壌の大衆交通」と言えば、真っ先に思い浮かぶのが地下鉄である。北朝鮮は地下鉄駅いくつかを豪壮に作っておいて、外国人が来れば必ず参観させる。「平壌地下鉄」をキーワードとしてインターネット検索をすれば、荘厳な栄光駅と復興駅が最も多く出て来る。けれども、電動車（電車）の水準は、依然として落後している。
韓国の地下鉄の風景を代表するのは、頭をスマートフォンに向けた乗客である。北朝鮮の地下鉄にも、このような乗客が増えている。
北朝鮮で地下鉄が走る都市は、平壌だけである。平壌は、地下鉄の他にも多様な大衆交通が発達した都市である。無軌道電車と軌道電車、路線バス、タクシーなどの大衆交通手段が平壌市民の出退勤と移動を保障している。タクシーは外貨だけ受け付ける。
平壌の大衆交通手段について調べてみよう。

ソウルより先に生まれた平壌の地下鉄

脱北者が韓国に来て難しく思うことの中の1つが、地下鉄の利用である。単純な平壌の地下鉄に比べ、余りにキメが細かく複雑で、乗り換える時に精神をピンと張らなければならない。

ソウルの人口が平壌の4倍なので、ちょっと計算すれば、平壌の地下鉄駅数もソウルの4分の1くらいではないかと考えられるけれども、全くそうではない。平壌の地下鉄駅は17ヵ所で、そのうち光明駅は使用しないので、実際には16ヵ所である。ソウルと首都圏の地下鉄駅は、500ヵ所を超える。4分の1ではなく、30分の1である。地下鉄の総延長距離は34kmである。ソウルは2号線の内線（内回り）の延長距離だけで48.8kmである。

実は、地下鉄は韓国よりも北朝鮮が先に作った。南北が体制間競争をしていた時期、地下鉄をどちらが先に作るか競争が繰り広げられ、北朝鮮が勝った。1973年、韓国より1年先に開通した。地下鉄の設計はソ連が行い、運営システムと機械の支援は中国が行った。客車も最初は中国の長春客車工場で作ったものを持って来て使った。

平壌の地下鉄は、戦時に防空壕として使用するように地中へ100m以上も深く入って行ったのが特徴である。私も平壌に暮らしている時に「反航空訓練」を行う中、地下鉄駅へ何度も退避した。参考として北朝鮮は、有事に爆撃により地下鉄駅が水に埋まることを憂慮して、大同江の下を通過する路線は作らなかった。平壌の地下鉄路線は、数十年このかた変動が無い。

2010年に中国の新華社通信が世界で最も驚くべき地下鉄10ヵ所を発表したのだが、ここに平壌の地下鉄も数えられた。選定理由を説明してくれず、その理由は分からない。平壌地下鉄の駅舎には金(キム)さん父子の業績を称揚する壁画と銅像が非常に多いが、外国人には独特な芸術作品として受け取られる余地もある。これが選定理由であろうと推測する。

写真を撮れば捕まえられる地下鉄

平壌の地下鉄は、2つの路線を持っている。平壌火力発電所の近隣から3大革命展示館の方向へ向かう革新線（復興～赤い星）は8つの駅で、各駅の名称は復興、栄光、烽火、勝利、統一、凱旋、戦友、赤い星である。万景台区域から大城区域の中央動物園を結ぶ千里馬線（光復～楽園駅）は9つの駅で、各駅の名称は光復、建国、黄金ボル、建設、革新、戦勝、三興、光明、楽園である。光明駅は錦繍山記念宮殿の地下へ連結されている。一般人は利用できず、平常時には停車もしない。2つの路線は戦友駅と戦勝駅でX字に交差する。この2つの駅は乗換駅である。

平壌の地下鉄は、4段階で開通した。1段階は1973年9月に開通した線で、赤い星駅から烽火駅までである。2段階は1975年10月に開通した線で、楽園駅から革新駅までである。3段階は1978年9月に開通した線で、革新駅から光復駅までである。4段階は1987年4月に開通した線で、烽火駅から復興駅までである。

平壌の地下鉄は、韓国と異なって全て地下を走り、深さも80m以上である。地上駅の入口から始まり、エスカレーターに乗って地下へ下りて来て、電動車（電車）の乗降場へ行くのだが、中間中間に厚い遮断門がたくさん設置してある。

平壌の地下鉄駅名は、前述したように光復、勝利、統一などで、社会主義体制を連想させる。地方から来た住民は、この駅名ゆえにしばしば酷い目に遭う。平壌市民であれば、彼らが正確な目的地へ移動できず、あちこちさまよう姿を何度か見たであろう。何駅にもならないのだが、この平壌の地下鉄駅を迷わずにウロチョロする地方住民は、非常に知識のある人として取り扱われもする。

外国人も同様だろうが、彼らが地下鉄駅名のために不便なことは無い。外国人が利用したり見物できたりする駅は、華麗に飾られた勝利駅、栄光駅、凱旋駅に制限されているからである。それも、彼らには特恵がある。写真や映像の撮影が出来るという点である。平壌市民は、地下鉄内部で撮影が出来ない。写真を撮って見つかれば、カメラを押収されるのはもちろん、職場に通報されて社会安全機関（保安機関）に呼ばれて行く等、各種の煩わしい事態を被ることになる。この問題については、平壌市民の不平が大きい。

平壌の地下鉄には、ニュースと広告を示してくれるモニターのようなものも無い。地下鉄の乗降場で地下鉄を待つ人は、一般的に『労働新聞』を読む。この紙の新聞は、依然として北朝鮮住民が依存するほとんど唯一のニュース情報手段である。

最近になって地下鉄でスマートフォンを入れて見る乗客が多くなった。もちろん、インターネットを使用するのではなく、スマートフォンに受け入れた本を読んだりゲームをしたりする。北朝鮮の地下鉄では、携帯電話の信号が接受されず、通話は出来ない。

地下鉄車両の外部は草緑色と赤い色、内部は濃い緑色で塗られている。老弱者とか妊産婦の座席は無く、代わりに老兵と栄誉軍人の座席がある。そして、車両同士が連結されていないので、車両間の移動が不可能である。カギを持った関係者だけが移動できる。もちろん、車両内部にも金さん一家の肖像画が掛けてある。

平壌の地下鉄は、軍人が運営する。この地下鉄道運営局と呼ばれる軍部隊は旅団規模ながら、隷下に電動車、エスカレーター、案内などを専門に担当する隊（大隊規模）が数個ある。

この地下鉄道運営局も「バック（back)」が無ければ、行けない所である。北朝鮮の表現どおりに言えば「ヘックル（最も好まれる）部隊」中の1つで、部隊員70％以上が力ある父母を持つ人たちである。部隊の特性上、女性軍が多く服務するのだが、これにより軍人間の恋愛問題が多く提起される。軍服務中に妊娠が最も頻繁な部隊でもある。

地下鉄が人気のまた別の理由

地下鉄は、平壌市民が最も好む大衆交通手段である。誰でも手軽に利用できるだけでなく、冷暖房装置が無くても冬に温かく夏に涼しい。地下の深い所に位置しているからである。寒い冬の日に外で震えていた人が身体を溶かす所も地下鉄であり、真夏の猛暑で熱くなった身体を冷まして行く所も地下鉄である。

何よりも地下鉄は、平壌で最も安定的な交通手段である。それほど停電が少なく、混雑もせず、比較的に正常運営が出来るからである。反面、地上の無軌道や軌道の電車を信じて乗ったところ、出勤時間に遅れるのが日常茶飯事である。機関の大部分が停電や事故で延着して遅刻するのは理解してくれる。

地下鉄は出退勤時間に5分間隔、それ以外の時間に10分間隔で運行する。毎月第一週の日曜日は、小保守（小さい規模の簡単な修理作業）をする日なので運行しない。運行時間は午前5時30分から午後9時30分までである。元来は午後9時が終了時間だったが、2年前に30分延長された。9時30分の終了時間になれば、女性軍人が出入口を遮断する。職場で時間の過ぎるのを忘れて働いたり、あるいは友達と退勤帰りにビールでも一杯飲んで遅くなったりすれば、地下鉄に乗れない。高いタクシーに乗ったり、ひどく苦労して歩いて帰ったりする外ない。

“No one left underground”

平壌の地下鉄の終電車は「誰も後に残しておかない（No one left behind)」という米軍の信条を思い出させるに足る独特な運行慣習がある。この終電車は9時45分に各路線の終点から出発する。9時30分に最後の乗客が地上の地下鉄駅に入って列車の位置に来る時までの時間を計算したのである。そして、交差路線である戦友駅と戦勝駅では、20分以上も停車する。他の路線から降りた乗客が全て来るまで待つのである。たった1人も地下に残しておかないという意志が確実に表れている。

これゆえに終電車に乗れば、家まで行くのに掛かる時間が限りなく長くなる。終電車が終点から交差駅まで来るのに掛かる時間が30分くらいである。ここで再び20分を待って出れば、わずか8つの駅を行くのに1時間以上かかる。それでも歩いて帰るよりも遥かに良い。

賄賂があれば、全てが通じる北朝鮮である。地下鉄でも異なるところが無い。賄賂を与えれば、9時30分を過ぎて入って行っても地下鉄に乗れる。地下鉄の電車が終点から離れる時間が9時45分だと考えれば、次の駅からは9時45分を過ぎて到着することになる。終点から遠い駅であればあるほど、到着時間が更に遅くなる。交差駅であるのに加えて電車が20分ずつ待機する戦友駅と戦勝駅は、午後10時に入っても、どれだけでも地下鉄に乗れるのである。けれども、地下鉄の入口は「通過軍人」が妨げている。この時、正にタバコ1箱が必要である。この程度であれば、無事通過である。

くっついて来る人が多い時は、賄賂なしに入れてくれる「心根の優しい」軍人も多い。問題が提起されれば勤務に誤って立ったものとして処罰を受けるかも知れず、下士官くらいの権限があって初めて、善良な心遣いが可能である。参考として終電車に乗れば、車内がほとんど空いていて、楽に座って目的地まで行ける。

平壌にも老人と妊産婦に席を譲歩する気風が残っている。最近になって老兵、栄誉軍人の座席が老弱者のための座席に変わっている。特に、新たに生産された地下鉄や無軌道電車には老兵席、栄誉軍人席の代わりに「老人席」と「赤ちゃん・お母さん席」が設けられている。老弱者がいない時は、誰が座っても大きな問題が無い。もちろん、実際に「老人」や「赤ちゃん・お母さん」が立っているならば、事情が異なってくる。この頃には老弱者席が空いていても、初めから座らないのが水準あることと見なす「優越文化」も広がっている。人が暮らす世の中だから当然、老人を前に立たせておいて図々しく座っている青年もいる。もちろん、このような青年を面責し、席から起こして立たせる老人も多い。

依然として平壌は、社会的道徳についての教育が引き続いてなされている。苦難の行軍の時期を経て、北朝鮮住民の価値観は後戻り出来ないほど異なってしまったが、これが社会制度に対する完全な否定へ結び付きはしなかった。北朝鮮住民に絶えることなく洗脳が施されている「道徳教育」のゆえではないかと思いもする。人間的な道徳教養は、資本主義に対する批判と上手く噛み合うからである。資本主義はあらゆる点で非道徳的であり、腐敗・堕落した行為の源泉地であると同時に温床だと絶え間なく説教するので、北朝鮮住民の相当数は資本主義を「カネが多くて立派に暮らしはするが、道徳的で人間らしい行為というのは探し出せない廃倫社会」と認識している。

「中国製は余りに高いので直接つくれ」

2015年10月、北朝鮮の媒体は金正恩が「労働党創建70周年に合わせて地下電動車（地下鉄電車）を見回った」と伝えた。

北朝鮮媒体の報道によれば、その年の7月、金正恩は金鍾泰（キムジョンテ）電気機関車連合企業所を訪ね、先端技術を導入した電気機関車と地下鉄電車を新たに開発せよと指示した。この企業所は、北朝鮮に唯一ある機関車、客車、電動車（電車）の生産工場である。3ヵ月後に彼は、完成した地下鉄電車を見て「空には我々が製作した飛行機が飛び、地下には我々が作った電動車が走るようになった」と自画自賛した。彼は続けて「私が地下電動車の開発生産を大変に重視したのは、全てを我々の力と技術で我々式に作ってこそ初めて、それが一層さらに貴重であり、光輝くという哲理（非常に奥深い理知）を、輸入病に掛かった一部の人々に千百もの言葉でなく実践で示してやるためであった」と強調した。

金正恩が地下鉄電車の開発指示を下したのには、隠れた事情があった。北朝鮮が地下鉄を開通した後、初めて利用した電車は中国産であった。平壌地下鉄のエスカレーターも全て中国製である。歳月と共に設備の老朽化から新たに輸入しなければならないが、価格が余りに高かった。修理しながら何とか使用したけれども、故障が余りに多く、1990年代には東ドイツで使った後、廃品として放り出した電車を数10台いれて来たりもした。騒音が余りに甚だしくはあったが、平壌市民が見るには以前の中国のよりは遥かに良かった。

1970年代の中国産電車は、時間が経過する中、徐々に姿を消していった。北朝鮮では、1950～60年代に作った自動車にも乗って行き来する。付属品を取り替えながら修理するから可能なことである。ところが、中古の電車の付属品は、国内で生産できないので全て輸入しなければならない。

平壌地下鉄道運営局も他の軍部隊と同様、傘下に外貨稼ぎの会社を持っている。カネを儲けて平壌地下鉄の正常運営を保障するという名目で存在するのが、正に「全盛貿易会社」である。この会社は、地下鉄と平壌で運営する各種の奉仕施設で儲けたカネで中国から各種の資材を購入して、電車とエスカレーターの修理を保障する。

2015年に老朽化が限界に至るや否や、結局は新しい電車を大量に買い入れることにした。この時、中国が値段を高く吹っ掛けた模様である。電車は元来、値が張りもする。韓国で最近に導入した電車は、車両1台に100万ドル前後だという。全盛貿易会社にそれほどのカネがあるはずはない。この会社は結局、国家に損害を出してしまい、金正恩にも報告された。

報告を受けた金正恩が「機関車も作ったのに、電車ひとつ作れないのか？」と言いながら直接、科学者を訪ねて乗り出した。金鍾泰電気機関車工場の技術集団を中心に、金策（キムチェク）工大をはじめとした技術集団が総動員された。彼らは、金正恩が与えた200万ドルを以て新型電車を作った。北朝鮮製だからどれほど長く持つか分からないが、どうであれ自らの技術で電車を作ったというのは、北朝鮮の水準において大変な出来事である。宣伝を好む北朝鮮は、この時期に新聞と放送を通じ、話の終わりごとに金正恩が語ったという言葉を引用して「空では我々の衛星が飛び、地下では我々の地下電動車が走る奇跡的な現実」だと称揚した。

北朝鮮製の電車は、2016年1月に走り始めた。事実この電車は、中国の資材を入れて北朝鮮が組み立てて作ったものである。隅々を調べてみれば粗雑ではあるが、全体的に割と上手く作ったと評価する余地はある。電車の内部には液晶表示ディスプレイ（LCD）モニターが設置され、路線案内と天気予報、車両内の温度・湿度なども見せてくれる。ニュースや滑稽話のプログラムを放映するLCDもある。平壌市民は、これを稀有な機会だと考えた。この電車が初めて走り始めた時、わざわざこの電車を待って乗った乗客も多かったという。

問題は、この北朝鮮の作った電車がたった一編成だけ走るということである。あらゆる種類の自慢を全て尽くしたけれども、やはりこれもカネが無くて、現在までやっと車両を数台だけ生産するのに止まってしまった。もちろん、カネが生まれれば将来、更に作ることは出来るであろう。

地下鉄の運営は、電車だけにあるというものではない。地下100mまで下りて行くエスカレーターも、その長さゆえに大補修（大きな規模の複雑な修理作業）をしばしば行う。平壌の地下鉄駅は、循環しながら駅舎を全面閉鎖し、1～3ヵ月にわたり大補修を行う。それだから、いつ行ってもどこの駅かは必ず「昇降機の大補修と関連して運営しません」という立札が掛かっている。運用する地下鉄駅が16駅だから、2～3年に1回ずつは大補修をする。大補修で最も重要なのはエスカレーター補修であるが、部品の輸入にだけ毎年、数百万ドル以上が支出される。

平壌もカードかざして乗ります

平壌の地下鉄は、2012年から乗車カードを導入した。1つ2つの駅から試験的に始めたのが現在は全ての地下鉄駅に導入されて、平壌市民であれば誰でもこのカードを利用して地下鉄に乗る。韓国と同様に、このカードを改札口にある通過機械にかざせば、残った使用回数が表示されて通過信号が点く。カード価格は1枚に北朝鮮のカネで5,000ウォンであり、充電金額は制限が無い。もちろん、以前に利用していた紙の車票を続けて使う人もいる。地方から来たり地下鉄の利用頻度が少なかったりする人は、地下鉄の入口にある切符売場で紙の切符を購入し、案内員に渡して改札口を通過する。

地下鉄の利用料は、北朝鮮のカネで5ウォンに過ぎない。1,000ウォンを入金すれば、200回を利用できる計算である。国家から与える公式の労働者の月給が数千ウォンのレベルであるのを考えれば、5ウォンが安いとは言えないが、2018年7月現在1ドルが8,400ウォンに交換されているので事実上、北朝鮮の地下鉄はタダだと言っても過言ではない。もう国家の月給と配給など全て供給体系が破壊された平壌で、地下鉄はそれなりに北朝鮮式社会主義の施策がそのまま維持されている所だと見ることが出来る。北朝鮮首脳部の生死や戦争準備と密接な連関があるからかも知れない。もしも平壌の地下鉄が民間により運営されるならば、価格が瞬く間に暴騰するのはもちろん、他の大衆交通手段のように各種の非理が表沙汰になることもあり得るであろう。

運賃は乗客が判断して出す平壌の無軌道電車

平壌で地下鉄の次に多く利用される地上の交通手段は、無軌道電車である。路線も平壌駅〜リョンモ（蓮池）洞、西平壌〜平壌駅、文繍〜2百、寺洞〜1百、火力（平壌火力発電所）〜西平壌、凱旋門〜黄金ボルなどと多様である。ここで1百と2百は各々、平壌第1百貨店と平壌第2百貨店を言う。路線を走る無軌道電車は、燃料難から出退勤時間にだけ運行する。

無軌道電車の運賃は、他の大衆交通手段と同様に5ウォンである。紙の切符や現金をカネ箱に入れる方式で、カネの価値がそれなりにあった時は車掌が見守って立っていたけれども、今は席を空ける時がずっと多い。それでも5ウォンくらいは自発的に出す。やむを得ず車票が無かったりお釣りが無かったりする場合は、少し場に相応しくないままカネを入れる瞬間を避けてしまう。10ウォンや50ウォン硬貨を入れてカネ箱の前に立ち、後に続いて乗る乗客から釣銭を受け取る様子も、しばしば見られる。

最近になって平壌当局は、新型無軌道電車を大量に生産したと宣伝している。既存の劣悪な無軌道電車より大きく改善されたものである。過去の無軌道電車は、側面の土色が全て剝げ落ちて、座席を覆うカバーも全て取れてしまった状態で往来していた。それに相応して、よく走らなかった。たまさか来るせいで、乗客が一時にどっと押し入って、ドアとか電車の後ろとかにぶら下がって行く姿も普通であった。最近は無軌道電車が往来する中で、このような姿は大きく減ったという。

無軌道電車と別に、平壌の名物は軌道電車である。軌道電車は文繍～土城、万景台～船橋、楽園～西平壌の3つの路線を持っている。

平壌の無軌道タクシーをご存知ですか

平壌市民は無軌道電車を「無軌道タクシー」、軌道電車を「軌道タクシー」と呼ぶ。いつでも、どこでも車を止め、前ドアから上って乗れるからである。代わりに、この時に出す乗車料は、国定価格の5ウォンではない。乗客ごとに異なるが、現在1人当たり北朝鮮のカネで1,000ウォンと相場が決まったという。もちろん、ずっと大きく2,000ウォンほど出す人もいて、反面で苦しげな様子を見せながら500ウォン硬貨を懐から出す人もいる。ある運転手は、このように少なく出す人は初めから降ろしたりもするという。したがって、この「無軌道タクシー」を利用しようと思えば、1,000ウォンくらいは出す覚悟をしなければならない。

タクシーに比べれば、本当に安い方である。タクシーは、いったん乗りさえすれば、基本料2ドルを出さなければならない。北朝鮮のカネで1万7,000ウォンくらいになる計算である。反面、無軌道タクシーは1,000ウォンだけ出せば、目的とする駅まで豪奢ではなくても徐々には行けるのである。

もちろん、運転手は無軌道電車をどこででも止めはしない。交通保安員や取締隊がいない所でだけ止まる。すでに運転手と住民の間に無言の約束がなされていて、路線別に止める位置が定められている。けれども、大衆交通手段の運行終了時刻である夜11時以後に運行する「終電」の場合には、ほとんどどこででも車を止める。道路に往来する車も減って、取締の成員も少ないからである。

このような不法停車も、やはり北朝鮮の経済難に起因する。苦難の行軍の時期を経る中、それなりに社会主義施策が残っている生産単位で働く住民は、国家から配給と月給を規定どおりにくれないので、食べて暮らしていけなくなったのである。代表的な職業が正に無軌道電車、軌道電車の運転手であった。彼らは生活苦に苦しめられた。元来、北朝鮮には全ての機関に「国家計画」というのがあるが、公共運輸事業所に限っては計画を云々できないという。乗車料金は1,000名分を集めて、やっとコメ1kgを買えるかどうかであり、運転手が仕事を辞めれば、平壌市民の足が奪われる状況であった。結局、運転手が食べて生きる方法は「無軌道・軌道タクシー運転手」となることだけであった。

2010年に平壌は、無軌道・軌道の路線用電力供給体系を別途に構築した。そうしなくては無軌道・軌道電車を運営できないからである。電気供給が比較的に上手く行く中で、無軌道・軌道電車の運転手の人気が急に高くなった。西平壌～平壌駅、リョンモ（蓮池）洞～平壌駅、火力～西平壌など長い路線の無軌道電車の運転手は、一日を平均して北朝鮮のカネで数万ウォンの収入を得るほどだという。

ある無軌道電車の運転手は、車を初めから貨物運搬車のように利用しもする。平壌駅～リョンモ洞の路線のように市内中心部から郊外へ向かう無軌道電車は、各種の商売用荷物を運搬してやり、報酬を受け取る。電気を使用する無軌道・軌道電車と異なり、ガソリンやディーゼルを使う路線バスがあるにはあるが、燃料難ゆえに出退勤時間にだけ往来して、その他の時間には自らの外貨稼ぎに乗り出す。そうしてこそ、燃料を買えるからである。

反面、無軌道・軌道電車は燃料を買って初めて運行できるという口実が無いので、電気が入って来る限り走らなければならない。別途に時間を作ってカネ儲けをすることは出来ないから、こうして走る時間は合間合間に「資本主義」を実行するのである。このような不法行為は、平壌市民が皆しっていて、当局でも分かっているけれども、どうすることも出来ない。彼らが仕事を辞めれば、平壌が麻痺するからである。もちろん、無軌道・軌道電車の運転手にもカネ儲けの口実がある。このように儲けてこそ、必要な部品を購入し、車の内部を装飾できるというのである。

いま無軌道・軌道電車の運転手になろうと思えば、莫大な賄賂が必要である。利用しようという人が日ごとに増えるので、将来も燦然と輝いている。無軌道・軌道電車の運転手は、生活苦に苦しめられていた労働者がどのようにして人生を逆転することになるのか、生々しく見せてくれる事例と言える。

2018年に入り、無軌道タクシーと軌道タクシーに対する統制が強化されている。また前面プレート番号「92」を付けた各種のバスが1,000ウォンの料金を受け取り、平壌市内で列をなして回り巡っている。このバスは39号室傘下の機関で運営するのだが、多様な路線を揃えていて、北朝鮮の交通渋滞の解消に大きな助けを与えている。そうだと言って、この「92バス」が平壌の主要な交通手段である「5ウォンバス（無軌道タクシー・軌道タクシー）」を代替しているのではない。平壌市民にとり、この92バスは後述する「金儲け車と料金が似通った交通手段」の1つであるだけだ。

バスに寄生する職業、秩序維持隊

平壌にはバスを運転しなくても、バスにくっ付いて食べている特異な職業がある。平壌の公共バス停留所に行けば、腕に腕章を付けた「秩序維持隊」を見ることが出来る。文字どおり秩序維持、すなわち平壌市民が「列を作ってバスに乗ること」を助けるために生まれた職業である。公共機関とか大学とかが密集して、出退勤や登下校の人員が多い停留所に配置するのだが、路線バスの場合ほとんど全ての停留所にこの秩序維持隊がいる。

平壌の大衆交通体系は1970～80年代に作られたが、人口増加にも関わらず今までほとんど変化が無い。ここに電力難と路線不足が重なって、交通難が深刻な水準に達した。出退勤時間帯に停留所は乱闘場である。押したり引っ張ったりする混雑した状況を平壌では「わーやー場」という。人々が「わー」、「やー」という声を出すと言って出来た言葉である。バス停留所がわーやー場になる中、人命被害まで憂慮される状況に至るや、この事態を収拾するために作り出したのが秩序維持隊である。

秩序維持隊は元来、平壌市内の工場や企業所で模範労働者を推薦して組織された。初期の秩序維持隊は交代で勤務したが、今は固定的に勤務する。もちろん、この固定人員も、やはり顔面（人脈）で選抜される。彼らは維持隊活動を行う期間、臨時に該当の旅客運輸事業所に所属する。この職業が人気のあるのは大体、出退勤時間にだけ勤務し、残りの時間には私的な用務を行えるからである。しかし、業務それ自体は意外に苦労が多い。厳しい寒風が吹きすさぶ真冬とか蒸し暑い夏の日に数時間ずつ人々と揉み合い圧し合いすれば、へとへとになってしまう。

長い期間にわたり1つの停留所を担当すれば、馴染み客が生まれるのが常である。秩序維持隊は、馴染み客に特恵を与えつつ自ら稼ぎを行う。この特恵とは、正に割り込みである。馴染み客は、数日に1度くらいタバコや現金を与える。割り込みの価格は、特に何も定められていない。本人の都合やら秩序維持隊成員との関係やらに従って、賄賂の額が決定される。

平壌のバスは、後ろドアから乗車する。前言したように、すぐに前ドアへ行き、運転手と目を合わせた後に1,000ウォンを渡す方法もあるが、出勤時間帯には見る目が多いので容易ではない。また、出勤時間帯であるだけに時間を合わせるのが重要なので、運転手もデタラメに前ドアを開かない。

この時に秩序維持隊を通じれば、非常に素早く乗れる。ある秩序維持隊は、1,000ウォンの乗客を連れて、前ドアへ行きもする。このように稼いだカネは、秩序維持隊と運転手が適当に分かち合う。

最も多く使う割り込みの方法は、停留所周辺の街路樹の後に隠れていて、バスが現れるとコッソリ間に入るものである。秩序維持隊は、奔走して分からないふりをし、目をつぶる。まともに列を作って待っていた人たちが白い眼を向けるけれども、それで終わりである。

秩序維持隊を通じずに割り込みを行う方法もある。停留所からやや遠くに離れた所に座って待ち、バスに乗るのである。もちろん、運転手に手を挙げて、1,000ウォンを出して乗るということを知らせなければならない。

大衆交通が行けなければ金儲けバスが行く

平壌には大衆交通手段に包含できる特殊な運送手段が1つ更にある。他でもない「金儲け車」である。平壌と地方、地方と地方など北朝鮮全域を往来する金儲け車は、韓国に「サービ車（サービス+自動車)」という名前で知られている。金儲け車は、韓国の個人用達車と似ているが[15)]、特定国家機関に所属している。一定のカネを出し、国家機関の名前を借りるのである。北朝鮮ではカネを受け取って走るバスと用達車を全て金儲け車と呼ぶ。

この金儲け車は、大衆交通が往来する路線に従って走る。金儲け車の主要な車種は、乗合車の形態のミニバスである。北朝鮮では、これを「ロングバン」と呼ぶ。金儲け車の運転手は、大衆交通手段が麻痺する時間を狙い、稼ぎに乗り出す。停電したり他の事情から無軌道電車や軌道電車が往来したりしない時、この金儲け車を多く見かけることが出来る。特に、市内の外れへ向かう路線に金儲け車が多い。代表的なのは、復興駅から始まって忠誠の橋を渡って統一通りへ越えて行く西平壌〜楽園の軌道路線と、渋滞することで悪名が高い船橋〜万景台の軌道電車路線（駅前百貨店）が、金儲け車の主要停留所である。

金儲け車の乗車料は距離によって差異が出るのだが、駅前百貨店から光復通りまで行くのに北朝鮮のカネで5,000ウォンかかる。無軌道タクシーや軌道タクシーより遥かに高いけれども、タクシー料金に比べれば半分にもならない価格である。参考として述べると、北朝鮮のタクシーは基本料金が2ドルで、1kmに0.5ドルずつ追加される。

金儲け車で5,000ウォンあれば行ける所をタクシーで行けば2ドル、すなわち1万7,000ウォンくらい出さねばならない。ところで、カネを出した分ほどの違いはある。タクシーは止めれば直ちに乗って行けるが、金儲け車は座席が全て埋まるまで待たねばならないからである。もちろん、大衆交通が麻痺する時は、間もなく座席が一杯になる。

西城区域のリョンモ（蓮池）洞にある「3大革命展示館」前に行けば、平城、順川、安州、文徳など近隣地方へ行く金儲け車が列をなしている。金儲け車は運転手とカネを受け取る車掌が組を作っていて、車が多い時は客引き行為も行っている。客引き行為を職業と見なして暮らしていく勢子も少なくない。車掌は勢子を押し立てて、乗客を引いて来させる。こうして座席を全て埋めて、真ん中の通路にも自ら作った椅子を置いて座らせた後に初めて出発する。

このように乗客を全て埋めるのに普通は2時間以上かかる。それで、次のような北朝鮮式のユーモアがある。

最も早く金儲け車に乗ったお客さんが待っていて、しきりに苦情を繰り返した。

「このクソ車、なんで行かないのか？」

そう言うや否や、ひょうきん者である金儲け車の運転手がこのように答えた。

「クソが一杯になって初めて行くのです！」

最近になって平壌では、集中取締がなされる中、勢子がたくさん消えた。当局が平壌から出発する車くらいは秩序を守らせたのである。けれども、地方に行けば、金儲け車の停車駅ごとに勢子が真っ盛りである。

北朝鮮の金儲け車の停車駅は、韓国の高速バスターミナルだと見ても差し支えない。金儲け車が列をなして順番を待つ渦中に、もう一方ではその列を作るのが嫌だと、少し遠く離れて乗客をこっそり呼んで乗せる場合もある。

この他にも、統一通りに行けば「トゥントゥンギ（デブ）」と呼ばれる中国式3輪電動車も多く見られる。中国では三輪車、タイでは「トゥクトゥク」と呼ばれる車で、近距離では比較できない価格の競争力で乗客を集めている。

世界どこでも大衆交通手段は、住民の生活と最も密接に連関があるので、維持と補修、現代化に少なくない予算が使われる。平壌の大衆交通手段は最近になって大きく良くなったとは言うものの、依然として劣悪な水準である。これを意識したのか、地下鉄と異なって無軌道電車と軌道電車、路線バスは外国人の搭乗が許容されていない。平壌の素顔が世の中に知られることを願わないからであろう。

韓国の大衆歌謡にどっぷり浸かった平壌市民

2018年4月、南側の芸術団（団長・尹相（ユンサン））の公演「春が来る」が平壌で進行した。この公演に趙容弼（チョヨンピル）、李仙姫（イソニ）、崔辰熙（チェジニ）、尹度玹（ユンドヒョン）、白智娟（ペクチヨン）、レッドベルベット、徐玄（ソヒョン）、アリー（Ali）、チョン・イン、カン・サネ、金（キム）グァンイン等、韓国の有名歌手が大挙して参加した。

金正恩は、李雪主（リソルジュ）と共に初回の公演を見て「我が人民が南側の大衆芸術についての理解を深くし、真心から歓呼する姿を見ながら胸が詰まって、感動を禁じ得なかった」と述べた。金正恩は、1980年代に暫く流行して消えた韓国の歌「遅すぎる後悔」を崔辰熙に要請したりもした。

そこから2ヵ月後の6月、外国に派遣された北朝鮮の外交官、貿易商人に下のような中央の指示が下達された。

「このたび平壌で行った南朝鮮の芸術団公演を絶対に見たり聞かせたりしないこと。違反の時は厳重に処罰するであろうこと。」

北朝鮮は過去と異なり、この公演を北朝鮮住民に放映してやりもしなかった。金正恩は芸術団の前で行った外交用の修辞と異なり、後になっては韓国の大衆歌謡の威力に非常に怯えているものと見える。南側の歌手が歌う時、口の中で連れて歌う北朝鮮住民が時々いることを後日に録画放映された映像を通じて確認できた。彼らはどのように韓国の大衆歌謡を知ることが出来たのであろうか？　そして、胸の中でどれほど繰り返して歌っていたのであろうか？　彼らの韓国大衆歌謡への愛情は、どの程度であろうか？

金日成大で習った南朝鮮の歌

北朝鮮住民に韓国の芸術は見慣れないものではない。私は、金日成大に通った1990年代にもう「ニムのための行進曲」を習った。学校を訪問する全大協（全国大学生代表者協議会）の学生を沿道で歓迎する時に歌わせた。学内のスピーカーを通じ、出て来る誰かの先唱を1回、2回と合唱で続けて歌いつつ、我々はいつの間にか、この歌が帯びた悲壮さに染まっていた。金日成大で韓国の歌を教えてくれたのは、その時が初めてであると同時に最後であろう。

「朝露」もその時期に平壌高射砲兵部隊で習った。北朝鮮の大学生は6ヵ月間、義務的に対空砲部隊で勤務しなければならない。ある日の夜、中央党幹部の息子である明哲（ミョンチョル）（音訳）が対空砲上板の上に登り、ギターを弾きながらこの歌を声の限りに歌った。歌は、長い夜の当直勤務に苦しめられた我々に一息で伝染した。どの国の歌なのか、誰も尋ねなかった。

いつだったかは中隊の隊列合唱で「朝露」を歌いもした。金正日護衛兵出身も、長官の息子も、保衛部高位幹部の息子も、みんな一緒に歌った。そして2～3年の後、この歌は北朝鮮全域に広がった。北朝鮮は1998年、この歌を禁止曲に定めた。けれども、今も酒席でこの歌を歌う北朝鮮住民が少なくない。やはり私も、夜空の暗さを友と見なして「ニムのための行進曲」と「朝露」を静かに繰り返して歌った。喊声も、明誓も、生き残った者も存在できないその土地の長い夜を独りで悲しみ嘆きながら……。そうして最後に、その悲嘆を全て捨てて、脱北という「命を掛けた広大な荒野」に出て行った[16)]。

韓国に来た後、北朝鮮に伝えてやりたい歌が1つ生まれた。修習記者の時節に10日以上もデモ現場を行き来しながら習った「火の蝶」という歌である。

著者が働く東亜日報社の前は、デモの常連場所である。退勤の道でデモ隊が合唱する歌声に引かれて暫く立ちつくし、口の中で後について歌う時がある。その時ごとに北朝鮮で友になってくれた、あの夜空を見上げながら涙をこぼす。胸にハン（恨み）がわだかまっているからである。余りに若かったのに、血がそれほど熱かったのに、本当に何も出来ずにあの土地を離れる外なかったのが悔しくて、胸が塞がるからである。

ここが平壌で、青瓦台が労働党中央党庁舎で、デモ隊が平壌市民であれば……。いま直ちに北朝鮮に行ければ「民主主義」、「人民」、「共和国」のようなうわべだけの軛に繋がれ、奴隷として暮らす北朝鮮住民に「ニムのための行進曲」と「火の蝶」を教えてやりたい。東ドイツで叫んだ「我々が人民である」というスローガンと一緒に。

今日この歌が最も必要な所は、他でもない北朝鮮である。鎮圧軍と対峙した平壌のデモ隊の最前列で他の人たちと肩を組んで「生き残った者よ、従え」と声の限りに歌う想像を逞しくすれば、おぉ！私の心は爆発するようだ。

今のように北朝鮮の4重、5重の監視網が存在する限り、そのどんなデモも組織され得ないであろう。仮にどうにかこうにかして北朝鮮住民がデモ隊へ変わり、通りに出て来るとしても、瞬く間に死体の山へ変わるであろう。しかし、人間は夢を見る存在である。そして、私はまだ若い。

「ニムのための行進曲」でも「朝露」でも、私が最初に習った韓国の歌謡ではない。北朝鮮では既に1980年代に「愛の迷路」、「愛のために」が広まった。歌詞は原曲と異なっていた。北朝鮮の対南工作部署が所属楽団である七宝山電子楽団を通じ、対南放送として送った曲であった。

当時、北朝鮮で歌った「愛の迷路」の歌詞は、次のようである。

あれほど念を押したけれども、愛は分からない
民主のために命を捧げた貴方を私は忘れられない
私の小さな胸に植え付けてくれた愛の星、いつも変わらず永遠に
貴方の怨恨を晴らそうと闘争に乗り出すでしょう

北朝鮮住民は、歌詞よりもメロディーにのめり込み、この歌を愛した。1980年代末に習った歌の中には「崔（チェ）進士宅の三女」もあった。その時は延辺の歌だと言っていたが、のちに韓国に来てから初めて、それが韓国の歌謡（原曲はポップ・ソング）であることを知った。当時、韓国の歌は延辺を通じて流れ入って来た。

私が初めて韓国の芸術に接したのは、1980年代の中盤へ遡る。

今晩TVで南朝鮮の公演を放映するとか

噂は風のように速かった。青少年だった私も、大人たちに従って早々とTVの前に座った。その時が1985年9月であった。分断以後、最初の「離散家族故郷訪問団および芸術公演団」交換訪問行事が進行し、北朝鮮はこれを生中継した。私が初めて見た南側の芸術であった。

膨れ上がった期待は、すぐに針で刺した風船のように萎んでしまった。芸術家のようには見えない老人の数人が、ノロノロした伽耶琴に合わせて異様な発声で大声を張り上げた。母は伝統の伽耶琴とパンソリだと話してくれた。参考までに言うと、北朝鮮は1960年代に伽耶琴を既存の12弦から21弦に改良し、パンソリは音楽界から退出した。当時、私は公演を見ていて眠ってしまった。それほど眠気を誘う音楽は、初めてであった。それから後、「芸術は北側が遥かに先んじる」という当局の宣伝を確実に信じた。

1997年の冬、平壌行き列車で「ひとりアリラン」に遭った。当時は電力難で汽車が数百kmを行くのに1週間ずつ掛かった。乗客は夜になれば漆黒のような闇の中で、歌を歌いながら寒さと無聊を和らげた。

ある日の夜、客車の前方で青年の歌声が聞こえた。生まれて初めて聴く歌であり、唱法であった。人々は続けてアンコールを叫び、私も戦慄を感じるほど気に入った。脱北して初めて、当日の夜に青年が歌った歌が韓国歌謡で、「ひとりアリラン」もその中の1つであることを知った。闇に顔を隠したその青年は、歌を本当に上手く歌った。彼がどこで習ったのかは分からない。初期に脱北して中国に行って来た青年ではなかったろうか。

それから20余年が流れ、今は北朝鮮住民もそれなりの韓国の歌謡はみんな知っている。南北間の芸術交流も少なくない。最も華麗だった公演は2005年8月、趙容弼の平壌公演ではないかと思う。公演は大変に素晴らしかった。趙容弼は最後の曲に「ひとりアリラン」を歌いながら「一緒に歌いましょう。皆さん、ご存知でしょう？」と呼応を誘導した。けれども、反応は無かった。客席にいた7,000余の平壌市民の中、この歌を知らない人はほとんどいなかったであろうが、誰が人々の中で大きく呼応するというのか。

カメラに映った顔と顔は、冷え冷えとした雰囲気とは完全に異なっていた。涙に充ち満ちた目は、感動でウルウルと震え、唇は連れて歌いたい欲望を我慢するのに口をモグモグさせていた。とうとう最後には数名が静かに連れて歌った。カメラに捉えられた人たちが保衛隊に引っ張られて行かなかったか心配になった。

以前には平壌に行く歌手に「貴方が聞かせてやりたい曲ではなく、脱北芸術家と相談して、平壌市民が聴きたがる曲を選定すれば良いでしょう」と言ってやりたかった。けれども、のちにはこのような考えも変わった。仮に2002年9月、尹度玹バンドが平壌に行った時、あのロック（Rock）バージョンのアリランを北で消化できるか憂慮した。しかし、杞憂であった。ある脱北した青年は「凄涼としているとばかり思っていたアリランが、あのようにワクワクする歌にもなれるのだなあと思い、戦慄を感じた」と述べもした。「君を手放して」は、北朝鮮の国民歌謡となってしまった。いくらか前にはマイケル・ジャクソンの公演映像を人知れず見て、狂うように恍惚としたという脱北芸術家とも会った。平壌市民はマイケル・ジャクソンも消化できる。

平壌市民も知り合い同士が集まれば、韓国人と比較できないほどに良く遊ぶ。朝鮮民族に特有な飲酒歌舞DNAがどこに行くというのか。平壌で公演する芸術家は、客席の無反応に当惑しもする。しかしながら、ワナワナと震える瞳とキッと閉ざした唇こそが、客席の聴衆が送ることの出来る最大の賛辞だったであろう。

キムチ・チャーハンを上手に作る女性

北朝鮮で1990年代と2000年代を青年として送った人は、私のように「朝露」と「君を手放して」のような歌を歌詞まで生き生きと記憶している。当時は青年が酒席に集まれば、このような歌の1つくらいは歌ってこそ、学があると見なされる時であった。その歌の出所がどこなのかは誰でも知っていたが、誰も口に出さなかった。ただ歌い、感じていた。

2000年代の北朝鮮に人民軍演奏団出身のギター4併唱組というバンドが登場した。このバンドは、金正日政権の時に抜擢され、イタリア留学まで行ったという。この4併唱組が非公開で進めた公演を盛り込んだCDが、平壌に出回った。北朝鮮の歌謡はもちろんイタリアの名曲まで、ギター4併唱と重唱により趣味よく脚色したこの公演は、平壌の若者を誘惑するのに充分なものであった。

非常に特別な歌、何度きいても嫌気が差さない歌が1つあったが、その歌の題目が何なのか誰も知らなかった。どこで、いつ作られたのか誰も知らなかった。ただ歌がひどく良いので、誰彼ともなく連れて歌うばかりであった。卞眞燮（ピョンジンソプ）の「希望事項」であった。北でこのような歌を歌うというのは、大変な権力者の承認があってこそ可能な出来事である。この歌は「君を手放して」に続き、瞬く間にヒット歌謡となった。この歌がひどく広く拡散するや、以後は4併唱組の公演を盛り込んだCDなどを全部回収、廃棄せよという当局の指示が下った。いくらも経たないで、この4併唱組が解散されたという噂も聞こえた。以後、彼らがどうなったのかは正確に知られていない。

いま考えてみれば、4併唱組はギターにすっかり惚れ込んでいる金正哲（キムジョンチョル）の作品ではないかと思う。それが事実であれば、彼らは金正哲の横で一緒にギターを弾きながら、喜び組の役割を果たしている可能性が高い。

CDを回収したとしても、いちど広まった歌謡は消し去って閉じ込めておけない。「キムチ・チャーハンを上手に作る女（中略）太っても脚がきれいで、短いスカートが似合う女」という歌詞は、平壌市民の心の片隅に依然として残っている。中年男性が「君の奥さん、どうだい？」という式に冗談を交わす時、「キムチ・チャーハンが上手な女」という答えが入るようになったのも、この時からである。

北朝鮮でよく知られた韓国の歌謡に「岩島」もある。この歌謡を北朝鮮の歌だと思っている北朝鮮住民も多い。私は、この歌を1990年代の後半、当時は高等中学校の生徒だった洞内の同級生に習った。彼は後日、事故で死亡した。余りに早く去って行った彼を哀悼の心で回想する。彼を思い出せば、真摯にこの歌を歌った表情からして思い出す。

この他に「あの時あの人」という歌は、北朝鮮が大作として数える長編芸術映画「民族と運命」に出て来るし、「二等兵の手紙」は中学校を卒業して軍隊に入隊する北朝鮮の青年を見送る（送り出す）送別会場で固定曲として指定されてから久しい。

金さん一家の韓国の歌謡愛

北朝鮮で韓国の歌が広く歌われるようになったのは、新しいものを憧憬する若者の性向ゆえでもあったが、何よりも金さん一家の功績が第一に大きいと言える。金正日は生前に韓国の歌を喜んで歌った。

1978年に北朝鮮へ拉致された後、8年ぶりに劇的に脱出した俳優の崔銀姫（チェウニ）と監督の申相玉（シンサンオク）は、手記『我々の脱出は終わっていない』に次のような話を残している。

彼らは金正日が主催する宴会にしばしば参席できたのだが、当時かれの要請でパティ・金（キム）の「離別」を歌ったことがあるという。この曲は、金正日が好む韓国歌謡の中の1つとして知られている。彼の息子である金正恩は、今回の南側芸術団による平壌公演で張徳（チャンドク）の「遅すぎる後悔」を要請しもした。北朝鮮住民には聞きなれない曲である。

金正日は「離別」以外にも「下宿生」と「冬栢アガシ（娘さん）」を好んだ。当時、韓国で流行していた歌は全て知っていたという話もある。金正日の料理人として働いていた日本人の藤本健二は手記『金正日の料理師』で、金正日と側近が宴会場でしばしば韓国と日本の歌謡をはじめとした「資本主義の国」の歌謡を聴いたり歌ったりしたと回想しもした。ある日は金正恩の生母である高容姫（コヨンヒ）（2004年死亡）が金正日と恋愛していた時節の話を聞かせてくれ、金正日とベンツの中で夜が更けるまで韓国の歌を聴いたこともあったという。高容姫は、この時に聴いた歌の1つを藤本健二の前で直接に歌ったのだが、沈守峰（シムスボン）の「あの時あの人」だったという。

2009年8月、金剛山観光再開問題で訪朝した玄貞恩(ヒョンジョンウン)・現代グループ会長も、金正日の韓国歌謡愛と直に接した。当時、妙香山特閣（別荘）で金正日と一緒に午餐が進行し、ワインを飲んで興が乗るや、金正日は「バンド、入って来いよ〜」と指示を下した。入って来たバンドは全部で11曲を演奏したが、そのうち3曲が韓国歌謡であった。そこには趙容弼の「その冬の喫茶店」も含まれていた。

金正日が生前に韓国歌謡をどれほど好んだかは、既に秘密ではない。そうだとすれば、彼の息子である金正恩はどうであろうか。

金正恩がスイスで留学していた時節、最も好んだ歌はドイツの男性デュオであるモダーン・トーキング（Modern Talking）の「ブラザー・ルイ（Brother Louie）」であったと、英国の日刊テレグラフが報道したことがある。金正恩の同窓生による証言だったという。この「ブラザー・ルイ」という歌は、1980年代末〜1990年代初めに北朝鮮で大人気を引き出した普天堡電子楽団のレコードにも「ドイチュランド歌謡ーブラザー・ルイ」として収録されている。

普天堡電子楽団は1983年に作られ、金正日のパーティに動員されていたバンドである。パーティの時ごとに金正日と北朝鮮権力層は、自らが取り締まっていた「資本主義の退廃文化」を楽しみながら夜を過ごした。世の中に秘密は無いわけである。こんな宴会場、パーティ場から1つ2つずつ流れ出て来た歌が北朝鮮社会の全般に広がって、韓国歌謡の熱風を引き起こすことになったのである。当然ながら、北朝鮮住民の大部分は、このような秘密のパーティがあるということはもちろん、そこで韓国の歌が公々然と歌われるということを想像も出来なかった。普天堡電子楽団の歌を8年間も聴いてみると嫌気が差したのか、1991年に金正日はこの楽団を日本へ送る中、一般住民に公開した。

普天堡電子楽団がパーティに動員されていた期間は、金正恩の幼い時節と重なる。幼い時に平壌で「ブラザー・ルイ」に接した金正恩は、スイスに行ってもこの歌を好んだものと見られる。金正恩が韓国の歌を好むというのは、彼の専用音楽バンドである牡丹峰楽団が今年初めに韓国に来て行なった公演を見ても知ることが出来る。北朝鮮の最高尊厳の韓国歌謡愛は、代を継いでいる。

「美しい河山」の歌詞に衝撃

2018年4月に進行した南側の芸術団による平壌公演には、韓国歌謡の数十曲が上った。公演場の平壌市民は、金正恩の前で歌に合わせて手も振り、声も張り上げた。

金正恩が直接「我が人民が南側の大衆芸術についての理解を深くし、真心から歓呼する姿を見ながら、胸が震えて感動を禁じ得なかった」と述べたのは、修辞に過ぎなかったとしても大変に破格的である。

「愛の迷路」と「Jへ」などは、すでに北朝鮮住民に慣れ親しんだ曲である。のちに平壌の青年に聞いて見ると、今回の公演で平壌市民の「心の琴線に最も触れた」歌謡は、李仙姫の「美しい河山」と尹度玹の「1178」だという。李仙姫の歌唱力も卓越していたが、何よりも歌詞が衝撃と感動を与えたのである。この青年は「『美しい河山』を聴きながら、南朝鮮の人が自らの土地に対する自負があれほどなのに、我々は依然として彼らの中に北のような社会を夢見る人たちがいると考えているのだから、本当に開いた口が塞がらない」と述べた。

尹度玹の「1178」についての反応も良かったという。「初めに我々は、ひとつだった」という歌詞が聴衆の心を掴み、いつも統一は自分たちばかりが叫んで願っていると考えていたけれども、南と北が同じ考えを巡らせている1つの民族だということを改めて新たに感じることになったと述べた。

白智娟の歌「銃に撃たれたように」は、今回の公演で金正恩が特に関心を寄せた歌である。最近、北朝鮮の青年の間でこの歌が愛唱されたのは事実だが、金正恩まで反応を示したのは驚くべき出来事である。

前述したように、南側の芸術団による平壌公演は北朝鮮で放映されなかった。それのみか、これを見たり流布したりする行為を厳禁せよという中央の指示もあった。平壌にはこの時、平昌冬季オリンピック開幕式を盛り込んだUSBも人知れずこっそりと広がったのに、やはりこれも絶対に見るなという指示が下達された。平壌芸術団が韓国で行った公演映像も、やはり禁止された。この映像を見て摘発されれば、政治犯の取扱を受ける。

余談ながら、10余年前に平壌市民だけ見ることが出来るTVチャンネル「万寿台通路」で、緑豆将軍の全琫準（チョンボンジュン）を題材とした韓国の歌劇を放映したことがあった。北朝鮮のTVで韓国の歌劇を放映したのは、これが初めてであると同時に最後であろう。この歌劇を見た平壌市民は、別段の興味を感じられず、ただ歴史を重視する韓国の風土をある程度は知ることになったという。

公開放映を前提に南北が活発に文化交流を行うならば、予算がいくら掛かっても韓国が損害を被ることでは全くない。合わせて北朝鮮当局も、それほど尊重するという人民の文化生活くらいは正常の水準で保障してやれば良いであろう。彼らが接することが出来て、受け入れることが出来るくらいには。

もう一歩さらに

平壌公演をこっそり見たある平壌市民の反応

「公演の歌を聴いたのだが、李仙姫さんの歌は全て趣があり、尹度玹の『1178』が本当に良かったです。もちろん、ここの大多数の人々は敢えて見る考えを持てなかったけれども、それでもこっそり見る人は、もう皆が見ました

そして、記者さんがレッドベルベットの公演がどうだったかと尋ねたのですが、もちろん当然に記者さんも知っておられるでしょうけれども、そりゃ北朝鮮の人であれば誰でも理解できず、そして、やはり『資本主義は腐れた』という表現が出て来るに足る水準で、『明太』という歌は私が聴くにはどれほど異様だか……。おそらく他の人も、同じでしょう。『愛の迷路』は、余りに何回も聴いて、すでに耳に慣れ親しん

だものよりもなぜか下手に思えました。残りの歌は、ただそうなのかという程度に感じました。
こんな文化交流が多くなれば、本当に良いです。ご存知でしょうが、すでに変わったり変わり始めたりした人々の認識を完全に変えるのに、これよりも良い手段は無いでしょうね。最も開いた口が塞がらないのは、確かに私どもは心のままに思いっ切り楽しみながらも、大衆には徹底した統制が入る我が指導部の行動形態です。」

韓国ドラマをリアルタイムで視聴する平壌市民

太永浩（テヨンホ）・前駐英北朝鮮大使館公使は、ある言論とのインタビューで「昼には『金正恩万歳』を叫ぶが、夕方には布団を被って韓国映画を観ているのが現実です」と述べた。そうしながら北朝鮮住民が「不滅の李舜臣（イスンシン）」、「六龍飛天（六龍が飛ぶ）」、「鄭道伝（チョンドジョン）」、「懲毖録」のようなドラマを好むと述べた。彼は「北朝鮮の子どもたちは今、韓国ドラマを余りに多く見て、今や言葉遣いまで韓国式に変わっている」と言い、「チョギヤ～（お前～：愛する人への呼びかけ）」、「オッパヤ～（お兄ちゃ～ん）」という言葉遣いは、正にその影響だと証言した。

北朝鮮を取材する記者の視角から見れば、北朝鮮で韓国ドラマが最も人気を引いたのは2008年であった。その時は韓国で3～4話を放映する時、北朝鮮へ1～2話が入って行くほどであった。けれども、韓国で保守政権が長く執権する中、北朝鮮の韓流は残念ながら急激に熱が冷めた。

その理由は、大きく4種類である。第1に、中朝国境が急激に凍り付いて、渡河費用が2008年に比べて数十倍も跳ね上がったからである。密輸商が多くてこそ敷板（CDとDVD）は多く入って行くのだが、渡河費用が高くては人々が頻繁に往来できず、密輸商が減った。第2に、保衛部の取締が甚だしくなったからである。韓国ドラマを見たり流通させたりすれば無条件に監獄に行くので、どうしても見る人は減る外はなかった。第3に、継続して見ていると毎日、三角関係やらを行う等、内容がよく似通っているので、嫌気が差すからである。第4に、分量からである。こっそり隠れて見なければならないのだが、どうかすると50～60話もあり、そのように長々と隠れて見るよりも、むしろ短く刺激的な武闘とか色情とかの映画を観る方が良いと判断したのである。それで、この頃ではハリウッドのアクション映画や「ヤドン（日本のポルノ映画）」が多く入って行く。

新たに入るドラマは少なくなったが、すでに入っている敷板が消えているのではない。これらも回り回って韓流の命脈を繋いでいる。人の好奇心よりも高い障壁は無い。

CD録画機からタブレットPCまで

私は、北朝鮮へ映像物を送る人を多く知っている。彼らを通じて北朝鮮住民の映像物の趣向と選好度がどのように変わっているのかを把握している。

この頃は動映像を送る道具としてUSBメモリーを最も多く使用する。まず中国に行き、北に売れる程度のコンテンツを求めて、USBメモリーに盛り込む。そうしてから、消す。中朝の税関で検閲を行っても、空のUSBメモリーであるのみだ。これが北朝鮮の闇市場に入って行けば、「技術者」が復元してしまう。このように復元された映像物は、北朝鮮のあちこちへ広がって行く。隔世の感がある。

2000年代初めまでだけ述べても、ビデオは金持ちの家にでもあるものであった。今はLCDテレビ、スマートフォン、タブレットPCなどを困難も無く買えるので、北朝鮮は最近10余年間に韓国の30年をひらりと飛び越えた計算になる。押し寄せる先端機器の洪水は、保衛部が数十年間に蓄積してきた統制ノウハウを水の泡と化している最中である。

2000年代初めにCDプレイヤーが普及する中で、やはり韓国ドラマも急速に広まった。保衛部は家々を訪ねながらCDプレイヤーに検閲済み証を付けたが、こんな方式では統制が不可能であった。挙句の果てに2004年2月に「109常務」という不法動映像取締専門担当の特殊組織を作り、強度の高い取締に入った。

2005年以後、CDとUSBメモリーを全て使えるデータバッテリーが装着された「ノートテル」が広まるや、保衛部に非常警報が響いた。このノートブックに似通った姿のノートテルは中国でだけ広く使われていたのだが、インターネットよりはTVを見たり、CDやUSBメモリーに入れられた動映像を再生したりする用途に使用される。価格も安くて100ドルにもならないものが多く、蓄電器を充電して使用できるので、電気供給が不安定な北朝鮮でも人気が非常に高かった。

普通、北朝鮮住民はCD-ROMに北朝鮮の映画が盛り込まれたCDを入れておき、USBメモリーで韓国映画を観ていて取締班が押し入れば、USBメモリーを抜き出して隠す。保衛部の取締が事実上は不可能になったのである。2010年からは更に骨が折れる機器が登場した。MP4、MP5と呼ばれる類似タブレットPCであった。この機器に装着されているマイクロSDチップは、映画数十編を貯蔵できるけれども、指の先くらいの大きさなので、最悪の場合は飲み込んでしまえば良い。

やはりMP4とMP5ともに韓国には無いものであるから当然だが、数年前に北朝鮮からMP4をちょっと買ってくれという依頼を受けた時、それが何の話か理解できず、ひどく悩んだことがある。2つとも中国で作る低価格の機器である。韓国の英語学院で差し込んで売る動映像再生機に似通ったものである。スマートフォンとタブレットPCに慣れ親しんだ北朝鮮の若い世代は、初めからブルートゥース機能を活用して動映像や不倫小説を遣り取りする。取締が来れば、削除してしまう。

保衛部は過去が懐かしいであろう。昔は（どういうわけか電気が入って来た）アパート団地へ不意に攻め入り、電気遮断機を下ろして、家々ごとにくまなく探せば良かった。韓国ドラマを見ていた住民は、電気遮断により止まった機器からテープやCDを取り出せず、どうすることも出来ずに捕まえられてしまった。けれども、今は確実な心証を持って身体捜査をやっても、証拠を探し出すのは難しい。金正恩がスマートフォン生産を督励する世の中だからか、最新の機器をやみくもに奪うことも出来ない。そうしたとすると、保衛部の子どもからして反動になるかも知れない。

結局、保衛部は大勢に屈服して、ノートテル使用を合法と認定してしまった。代わりに、家々を往来しつつ調査した後、承認された期間だけ使えと脅迫を行った。けれども、決心さえすれば、誰でもノートテル2台以上を購入して、ひとつだけ承認を受け、残りは隠しておいてこっそり見ることが出来るのを保衛部も分かっている。MP5の場合、今は無条件で没収しているが、結局はノートテルのように合法と認定することになるであろう。

高位幹部が先を争って購入する液晶表示ディスプレイ（LCD）テレビも、本当に頭の痛い問題である。平壌で韓国の放送を直接に見られるからである。平壌で暮らして後に韓国へ来た脱北者の中には、家で韓国の放送を見た人が多い。保衛部の電波監督局では、南側から強い出力でTV電波を発していて、防ぐことが難しいと泣き言を吐いたという。平壌周辺に何台ものアンテナを立て、市内に向かって強い妨害電波を発しているが、しばしばの故障と電力難ゆえに発していない時がもっと多い。反面、平壌にはほとんどの家に蓄電器がある。国家には防ぐ電気が無いけれども、個人にはこっそりと見る電気があるのだ。

南浦をはじめとした西海岸地域では、韓国の放送をいくらでも見ることが出来る。北朝鮮当局は2016年に、これを防ぐための「対策」も考案した。この対策は、のちに109常務に言及しながら扱うことにする。人気のうちに密売される携帯用のLCDテレビを持って山に登っても、心安らかに韓国の放送を視聴できる。北朝鮮で視聴できる韓国の放送はKBS、SBS、MBCプログラムが漏れなく混じっている。もしも北朝鮮にチャンネルAの「いま会いに行きます」のようなプログラムが放送されるならば[17)]、一般住民はもちろん当局の反応も大変であろう。

外部ドラマ専門担当「109常務」

北朝鮮では、韓国のTFT（Task Force Team）のような組織に常務という名前を喜んで付ける。そして、その前に数字が付くのだが、その数字は大部分、金さん一家の方針が下達された日である。

「109常務」は、北朝鮮で「ひゃくまるきゅうじょうむ」と読むが、10月9日に金正日の指示により作った組織だという意味である。「109グループ」とも言う。

2004年に作られた109常務は、人民保安省所属の保安員と朝鮮コンピーターセンター（KCC）、平壌情報センター（PIC）所属の技術成員から構成され、役別にいくつもの小組（小グループ）を置いた。しかし、取締過程で賄賂を受け取り、目をつぶってやったり取締成員みずからが韓国の媒体に中毒したりする現象が現れるや否や、この組織を「109連合指揮部」へ昇格させて党機関、保衛機関、検察機関の成員まで包含した。小組の基本権限は、党機関の成員が持つことになった。多くの機関の成員と技術者が1つのチームとして束ねられると直ぐに競争が起こり、その結果として取り締まられる住民も多くなった。

限りない権限を振り回す、この109常務に対する北朝鮮住民の恨みの声が、非常に大きい。109常務は、北朝鮮住民が日常的に利用するTVの「チャンネル固定」、スマートフォンとPCの検閲はもちろん疑心対象者の家宅捜索、甚だしくは麻薬取締に至るまで莫大な権限を行使して、北朝鮮体制の維持に赫々とした功績を上げている。

109常務は、2016年から住民が所有するTVを全て集め、回路基板からチャンネル変換装置を除去した後、返してやっている。韓国放送の視聴を統制するためである。以前にはTV前面にあるチャンネル・ボタンを引き抜いてしまい、封印パッチでリモコン受信部を遮断して「朝鮮中央テレビジョン」だけ見させた。しかし、北朝鮮住民は技術者に個別的に「手工（手で行う仕事を任せるという意味）」を与えて、中国と韓国の放送を視聴できるようにTVを再び手直しした。

結局109常務は、初めからTV本体を解体し、回路基板から半導体の素子を剥ぎ取るに至った。同じ方法で個人が持っているノートテルのチャンネルも固定した。甚だしくは、TVとノートテルのチャンネル固定に動員された技術者は、謝礼と資材費の名目で1人当たり北朝鮮のカネで2万ウォンずつを住民から受け取っている。視聴の自由を剥奪されると同時に、カネまで巻き上げられねばならない北朝鮮住民の心中が穏やかなはずはない。動員される技術者は、当局の強要で働き、やはり受け取るカネも本人が取らずに109常務の担当指導員に渡す。指導員は業務の後に食事費用の名目で、このカネを受け取る。北朝鮮の全世帯が約500万だとして計算すれば、チャンネル固定の名目で巻き上げるカネも相当な巨額である。当局はチャンネルを固定しながらカネまで受け出して、一挙両得という計算である。

北朝鮮は2016年5月から中国産LCDテレビをはじめとして外国産LCDテレビの輸入を完全に禁止した。ロシアや中国に派遣された労働者が帰国する時も、現地で使用していたTVを持って来られなかった。国内のLCDテレビ市場の保護を前面に押し出したりしたが、外部世界の情報流入を遮断するのが目的であった。実際にこれと関連した公文も、該当機関に伝達された。

109常務の取締により2016年以後、北朝鮮では韓国TVをリアルタイムで視聴することが非常に難しくなった。このためなのか、この頃の北朝鮮ではポルノ映像、ハリウッド映画、米国ドラマが人気である。

北朝鮮を3回も旅行し、2016年の夏に1ヵ月間、金亨稷（キムヒョンジク）司法大学で朝鮮語を勉強しもしたトレビス・ジェファーソンという米国人は、北朝鮮で経験した出来事をまとめた本『平壌で再び会いましょう（See You again in Pyongyang)』を2018年5月に米国で出版した。この本には、次のようなエピソードが出て来る。

2016年の夏、ある北朝鮮政府官吏の家を訪問し、一緒にTVを見ていたところ、突然に官吏が立ってカーテンを引き、テレビを消した。そうしておいて、どこから求めたのかハリウッド映画「ズートピア」海賊版DVDを持ち出して、一緒に見ようと言った。「ズートピア」は、2016年2月に封切られた映画なのだが、数ヵ月後には北朝鮮に入って行ったのである。

これは、きのう今日の出来事ではない。私は1992年、平壌で「ダイハード2」を見た。それも字幕まで付いたものであった。その時はビデオテープで見たのだが、テープが既に回りに回ってノロノロと動いた。この映画が1990年に出来たことを勘案すれば、既に1990年代初めから北朝鮮には、米国映画がリアルタイムで入って行ける「ライン」があったのである。

金正恩政権になって取締が強化されたにも関わらず、面白い韓国ドラマは北朝鮮社会に継続して広がっている。最近の北朝鮮で最も人気を集めたドラマは、2016年作の「太陽の末裔」であった。軍人が出て来たからか、密輸品を譲り受けて渡してやる国境警備隊の軍人が熱狂しているという。このドラマは当時、1編に中国のカネ30元で取引された。全体の半分に当たる8部までの分量が盛り込まれたUSBメモリーは、180～200元で取引されたという。

興味深いのは、ドラマを見た国境警備隊員たちが「あー、そうだったんだ（아,그랬지 말입니다)」という言葉遣いをめぐり「南朝鮮が人民軍の言葉遣いをパクって行った」と騒ぎ立てたという点である。実際、国境警備隊ではそんな言い方を以前から多く使った。ところが、韓国軍も数十年前から使用していたというから、国境警備隊の「んだ」という言葉遣いは、韓国から移って行った可能性が高い。当時は軍官の妻たちの間に劉時鎮（ユシジン）（男性主人公）の名前がしばしば口に上ったという話も聞いた。

「109に死を！！！」

109常務が一定のアパートを対象に「作戦」を繰り広げる時は、必ず人民班長が同行しなければならない。互いに通ずる人民班長とアパート入住民の間には、109常務が来たということを知らせるノック方式もあるという。

隠すことが容易なUSBメモリーやマイクロSDチップが広く拡散してみると取締が難しくなり、今や109常務はPCを保有した家庭を基本「打撃対象」と見なし始めた。コンピューター専門家を投入して復元プログラムを回し、痕跡を探し出す。余りに隅々まで全部を調べ上げるので、今や一般住民はデータをPCに貯蔵しておかないのみならず、甚だしくはPCを利用してみることさえも憚っているという。けれども、平壌のほとんど全ての家庭がPCを保有しているので、このようなPC取締も今は容易でない仕事になった。

109常務と関連して出回っている話がある。ある日109グループが、ある家庭を「襲撃」した。不意に押し寄せて来た彼らの検閲により、PCに貯蔵されていた韓国映画を予め消せなかった対象住民は、どうしようもなく取り締まられる外なかった。検閲成員はコンピューター内部の資料を隅々まで探し、「不純出版宣伝物」が更にあるかと探し始めた。そうして巨大容量の圧縮ファイルを発見したが、暗号が掛かっていて内容を確認できなかった。

対象住民にさあ、暗号を出せと攻め立てたが、彼はぐずぐずと口を開けなかった。109常務は、どうせ見つけられたのだから率直に話せば容赦を受けることも出来る、と継続して上手く説き落そうと誘導した。

「さあ、話せ。率直に話せば容赦してやるから、暗号は？」

泣き顔になった対象住民が、やっと口を開いて答えた。

「109に死を、そして、びっくりマークを3つ……。」

平壌の若者であれば、誰でも知っている話である。

109常務に引っ掛かれば、その次の問題は遥かに複雑になる。厳しく罰される場合、平壌から追放されるのはもちろん、5年以上の労働教化刑も覚悟しなければならない。もちろん、109常務も人だから、握り潰される事件も少なくない。賄賂があれば通じないことは無い北朝鮮でもある。ところが、このように賄賂を受け取ると、109常務が「計画」をそのままに遂行するのは難しい。それで、109常務にそれなりの賄賂は上手く通じない。もちろん、賄賂と一緒に「権力」が動員されれば、事情が異なることもあるが、保有した映像物の量が特別に多かったり、他の人に伝播する源泉地の役割を果たしていたりするならば、処罰を避けるのは難しい。このような場合は、いくら人脈関係が良くても数千ドルは使って初めて、やっと生き残ることが出来る。

銃殺、そして「1118常務」へ名称が変わり

109常務の猛活躍の中に、平壌の大学とか青年集団が存在する全ての機関、企業所では、このような不純出版物と関連した会議が1週間に1回ずつ開かれる。こんな中にも幹部の家の子どもは、特恵を受ける。事実として平壌で韓国の映像物を広めてしまった主犯は、大部分が幹部の家の子どもである。彼らは、相対的に韓国の映像物に接することが容易であり、また党機関や武力機関、保衛機関の集体アパートのような所に

暮らしているので、安全も担保される。人民武力部とか護衛局、保衛部のような権力機関の幹部が集まって暮らすアパートには、いくら109常務でもデタラメに入って行けないからである。こんな権力機関の家は、それ自体の「検閲グループ」により検閲を行う。それだから、互いに通じて、さらに「安全」となるのである。

幹部の家の子どもが発覚する場合は大部分、間接的な経路を通じてである。友達や恋人に流布して後、彼らと繋がった環のどこかで事故が起こると、彼らにまで問題が及ぶのである。元来は源泉地であると同時に流布者なので、更に厳しい処罰を受けるべきだが、大概は権力を利用してコッソリと抜け出して来る。もちろん、カネも使わなければならない。取締には小さい魚ばかり捕まるという法則は、北朝鮮でも例外ではない。こんな風に109常務は、国家の仕事を行いながら実益を上げる。

ところで、重要な事実がある。平壌に出回る韓国の映像物の大部分が109常務を通じて広がるということである。彼らは、取締者であると同時に流布者である。109常務に所属した保衛員も、家族と親戚がいる人間であり、本人みずからが大学に通う時、外部の映画とドラマを誰よりも多く観る。それだから、取締をしても人情の常が作用する。もちろん、奪った動映像を家に持ち帰り、近しい知人と共有しもする。109常務に入れば、周辺でそっとしておかない。「良いものはお前ひとりだけ見ないで、持って来い」と督促すれば、持ち堪える術は無いのである。希少本の動映像は、このようにして広まる。犯罪を消し去り、また再生させる悪循環を作るのが、正に109常務である。

彼らは、莫大な賄賂を受け取る地位にある。韓国の映像物を見た事実を誤魔化そうとすれば、とんでもなく多くの賄賂を使わなければならないから、数年は常務として在職すると考えれば、金持ちになる外はない。北朝鮮ではカネが多ければ結局、女と麻薬を訪ねることになる。2014年か2015年に咸興で問題が起こった。麻薬を集中取締する過程で、109常務の成員が芋ずる式に束となって出て来たのである。結局、咸興で彼らに対する公開銃殺が施行された。同時に109常務は、1118常務へ名前を変えた。それでも、依然として北朝鮮住民は、彼らを悪名高かった109常務（ひゃくぜろきゅうじょうむ）と呼ぶ。

「息子よ、ソウルから電話だぞ」

北朝鮮当局から次のような指示が下りたこともあった。講義時間に特に居眠りをしたり、初めから講義をサボったりする学生を不純出版物閲覧の嫌疑対象と指定し、集中して監視せよというのであった。平壌の若者は、韓国の映画やドラマを求めれば、徹夜しながら終わりまで見るのが一般的である。夜をぶっ通して明かせば、翌日に居眠りする外はない。当局も、この点を分かって大学にそんな指示を下したのである。

韓国映像物の熱風を反映する笑い話の中に次のようなものがある。

ある日のこと、ある幹部の家に電話が掛かってきた。彼が電話を受けると、若い女性の声が聞こえてきた。

「こんにちは。哲鎮（チョルジン）（音訳）兄さんのお父様でしょう？」

余りに流暢なソウル言葉に、彼はすっかり驚いた。彼が息子を呼びながら言った。

「息子や、ソウルから電話だぞ。」

この笑い話に追加説明をすれば、幹部の父親は女性のソウル言葉を聞き取ったので、彼も韓国の映像物を多く見たという意味である。また平壌では、父親が息子を呼ぶ時に「アドル（息子）」とは呼ばないから、やはり彼も既に韓国の言い回しに慣れ親しんでいるのである。結局、恋愛中の息子と彼の恋人はもちろん、幹部である父親まで皆、韓国ドラマや映画に溺れていることを示してくれる。

また、次のような笑い話もある。

平壌では誰でも「人造肉ご飯」を好むと前に紹介した。「人造肉ご飯」を売る商人の前に若いカップルが近づいて来た。

「おばさん、いくらかな？」

「3つで2,000ウォンです。」

ソウル言葉であった。人造肉ご飯を買い入れて立ち去りながら、男性が女性に囁いた。

「人造肉ご飯なんか売る奴に韓国語かい？」

もちろん、商人の人格を無視した側面もあるが、人造肉ご飯の商人さえも韓国語に慣れ親しむほどだということを示してくれる話である。さらに進んで、韓国語の言い回しを使うのが北朝鮮で上流層の文化として受け入れられていることを意味する。

韓国ドラマを見れば、副作用も生まれる。私は中国に出て行って、そこで初めて韓国ドラマを見た。ところで、ドラマに出て来る家ごとに、大きな居室に2階へ上る階段を背景として趣味の良いソファがあり、全家族がそこに集まって話を交わした。その時、心の中で「韓国に行けば、皆があんな家であんな風に暮らすのだな」と思った。

ところが、現実に脱北して韓国に来てみると、私が与えられたのは実坪数8坪にチリが白っぽく積もった賃貸住宅であった。このように小さく息の詰まる家がソウルにあるだろうとは想像も出来なかった。のちに分かってみると、ドラマに出て来る家は、大企業の会長なりが暮らしそうな所であった。北朝鮮住民も、のちに私のような失望をするかも知れない。

この頃の北朝鮮では、新しい映画、新しいドラマがほとんど出て来ない。理由が気になって、ある文化芸術系の脱出人士に尋ねたら、次のように答えた。

「何を撮っても、コッソリと見たハリウッド映画、韓国ドラマに目が肥えた人たちが面白くないと悪口を浴びせるので、作る意欲も無くなったのです。」

2011年にこんな出来事があったという。金正日が韓国ドラマの水準が羨ましかったのか、「我々も歴史物ドラマをまともに一度つくれ」という指示を下した。それで、最高の俳優たちが総出動して撮ったのが23部作「桂月香（ケウォルヒャン）」であった。TVで10部まで放映した時、堪えに堪えた金正日が「面白くない」と怒って、止めてしまえと言ったという。ドラマが途中で突然、中断された。韓国では想像するのが難しいであろうが、北朝鮮なので可能な出来事である。私もユーチューブで「桂月香」を見た。私の忍耐心は、1部で限界を表した。

平壌のロデオ通り

ロデオ通り（Rodeo Street）は、米国カリフォルニア州ビバリーヒルズにあるショッピング地区で、衣類ブランドとオーダーメイド衣類商店が集まっている。特に、全世界の全ての名品ブランドが集まっている。それだからなのか、いつからか他の国でも金持ちの町内に名品売店がある通りをロデオ通りと呼び始めた。ソウルにも狎鷗亭洞にロデオ通りが生まれた。

北朝鮮には当然ながら、ロデオ通りという言葉があるはずはない。けれども、平壌にも金持ちがショッピングのために喜んで訪ねる通りがある。もちろん、世界的な名品ブランドが全てあるのではないが、北朝鮮内で最も高い外製商品が集まっている。平壌のロデオ通りはどこなのか調べてみよう。

どこへ行けば名品を買えるのか

平壌にもロデオ通りに相応する通りがある。牡丹峰区域の安尚沢（アンサンテク）通りが代表的で、最近に建てられた倉田通り、未来科学者通り、黎明通り等も多機能総合奉仕網を備えた北朝鮮式のロデオ通りと言える。

安尚沢は、北朝鮮に大金を寄付した日本の朝鮮総連（在日本朝鮮人総聯合会）の企業家である。彼がいくらを北朝鮮に送ったのかは明確でないが、北朝鮮は1980年代に牡丹峰区域の北塞洞に新しく建設したアパート団地を安尚沢通りと命名したほどである。この通りは、凱旋門から万寿台の金日成銅像へ上って行く道の右側にある。

安尚沢通りは、1990年代中葉から北朝鮮のロデオ通りの役割を果たしてきた。この通りには海外交流が可能な在日同胞出身が多く暮らしたからである。一名「在胞」と呼ばれる彼らは、1980～90年代に北朝鮮で先端の流行を先導した。

在胞に日本の親戚から送金されたカネを吸い出すために、外貨商店が

1つ2つと生まれた。1990年代までだけ言っても、北朝鮮で外貨を使う人の大多数は在胞であった。今は華僑とか海外に出て行ってカネを儲けて来た北朝鮮住民とかが持つ外貨がもっと多い。在胞の位相が急激に下落したのは、彼らにカネを送ってくれる日本の親戚が年を取り、この世を去ったからである。

安尚沢通りには今も、外貨商店と外貨食堂など高級店が集まっている。密度で測れば、平壌最高であろう。外貨商店と外貨食堂は各々10余店もあり、一般食堂は遥かにもっと多い。安尚沢通りの北塞商店は、平壌の代表的な名品商店である。カネをちょっと使うという平壌の貴婦人は例外なく、ここに入って行って名品を1つ2つくらい買わない人はいない。この商店の名品保有水準は、北朝鮮を訪問した西側の外交官も驚くほどである。

現在の平壌には、ドルで輸入品を買える所が非常に多い。この中でも北塞商店は、いわゆる真品を誇りとして、他の所よりも2倍以上の価格を受け取って商品を販売する。また他の名品売店として、105階の柳京ホテル付近にある普通江柳京商店、楽園百貨店、大城百貨店はもちろん高麗ホテル、羊角島ホテルなどに行って見さえしても、カネさえあれば世界的なブランドの名品を買うことは雑作もない。

海外から入って来た物品は、万景台区域の保管倉庫にあって後、該当の商店へ出て行く。どのように北朝鮮に流れ入ったのかは重要でない。本当に驚くべきなのは、こんな名品を憚ることなく消費する需要者が平壌にいるということである。趣のある洋装の身なりにサングラスを掛け、名品のハンドバックからドル束を取り出して、数百ドル以上の名品を躊躇うことなく購買する彼らの姿を見るならば、韓国で同じことをやるという消費者も羨ましがるであろう。

一般の平壌住民がそこに行けば、当然に目を丸くする。どこに、どんな商店があるということさえも知らずに暮らす平壌住民も多い。ここには腕章を巻いて来て、見物だけする青春の男女も、ごくたまに見ることが出来る。彼らは「私もいつかここで名品ひとつくらい心行くまで選んで見られるだろうか」という希望を抱き、世に出て初めて見物する珍しく好奇心そそる物品を盗賊仕事でもするように触って見てから、ため息をついて帰る。

北朝鮮の過消費女性

外貨商店がある所には、当然に名品を好む過消費女性が集まり入る。ところが事実は、外部世界と遮断された北朝鮮では、名品が何なのか良く分からない。知っているブランドは非常に限定されており、ブランドのイメージは流行に大きく左右される。北朝鮮の過消費女性にとっては、ブランドより更に重要なのは生産地である。この頃は少し改善されはしたが、中国産の低質イメージは北朝鮮でも同様である。

1980年代は日本産が最高の人気であった。2000年代に入っては韓国産がもっと人気があり、この頃は欧州産へ移って行く趨勢である。欧州産は品質が良いからというよりは、求めるのが難しくて人気が高い。平壌でも欧州産の服を着て行き来する女性が次第に多くなっている。もちろん、彼らは海外のファッションを全く知らない。名品商店で売る欧州産の服は、ニセモノでないということだけ信じるばかりである。

北朝鮮のチャンマダンがどれほど発展しても、欧州産のニセモノを作り出すには依然として力不足である。もちろん、北朝鮮で売る欧州の製品も、調べてみれば中国産のニセモノが多いけれども、平壌住民にはその程度が製品の基準である。北朝鮮産のニセモノが中国産のそれに追いつかないからである。

北朝鮮の名品商店は、全ての商品が真品だと宣伝している。中国の百貨店で名品だと売られる製品のニセモノは普通、その年に平壌に到着する。質は中国の百貨店のそれより劣るが、価格は中国に劣らない。

北朝鮮の過消費女性は、いつも外貨商店に頻繁に出入りしながら商品を見て、カネのある男性を探索する。1990年代だけを述べても、カネのある男性が女性に最も多く送る贈物が外貨商店で売る値の張る「牛皮靴」であった。韓国では靴を贈物にすれば、恋人が逃げて行くと言って憚るけれども、北朝鮮は靴が最も良い贈物である。ところが、今は靴の贈物が余り気に入られない。金の指輪とか金の首飾り、高級スマートフォンくらいになってこそ、堂々とした贈物だと言える。

カネのある男性を誘惑するためには、整形はもちろん各種の高価な北朝鮮版の名品で武装するのが必須である。しかし、北朝鮮では月給でドルを稼げる所は無い。これゆえに売春と詐欺を選択しもする。当局の統制がいくら甚だしいと言っても、隠れた所で進行する売春は防げない。このような現象を通じて発見できる事実のうちの1つは、幼い頃から社会主義・共産主義の教育を受けたとしても結局、美しくなって見栄えを良くしようという欲望は、理念よりも遥かに強いということである。

笑えない逸話もある。外国語大学を卒業し、対外経済委員会に就職したある男性は、他人よりも希望も大きく熱誠的な事務員であった。いつかは飛行機に乗って世界を一周しながら、対外貿易を行うのが夢であった彼は、女性を選ぶ目も他の人と違って高かった。満28歳になり、あちこちから見合い話が飛び込んできて、色目を流して付いて回る女性も多かった。

結婚相手に対する彼の基準は、実は単純であった。人物が良く、すらりと痩せた未婚女性ならば良かった。そのようなある日、真面目に職務に熱中していた彼の目に、ある女性が足を止めた。彼は、すらりとした背格好に人物は言うまでもなく服装まで気に入った。自分が通う対外経済委員会の立派な女性も手に入らずに泣いて行く名品まで身に付けた洒落者であった。着こなしや人物から見て、自分には相応しくない対象だという考えが浮かびもしたが、長いか短いかは実際に当たってみないと分からないし、上手く行くならば妻のお陰で暮らすことも出来ようと思った。けれども、性格が豪放だと自負する彼としても、敢えて先に言葉を掛けてみる口火が思い付かなかった。

そういったある日、友達らとビール1杯ひっかけて退勤の道についたところ、突然その女性が現れた。今日はどうやってでも機会を逃すまい。肝が大きくなるよう1杯のんだではないか。横で友達らが煽り立てまでするので、彼女に言葉は掛けられなくても暮らす所でも探り出そうと思い、後をつけ始めた。地下鉄に入って行った彼女の後に従い、地上に出て見ると、光復通りにある光復駅であった。その女性は、堂上洞の裏通りにある一軒の平屋の家へ入って行った。

無礼な行いのようではあったが、好奇心に勝てずに家の前へ行き、窓を通じて覗いて見ると、そんなバカな、家の中の様子が話にならない。ほんの小さな一間の部屋に多くの家族が集まって暮らしているのに加え、まともな家電製品ひとつ無かった。「いやあ、あんな素敵な処女がこんな風に暮らしているなんて！」　彼は唖然として引き返してしまった。家庭の富を見て人を評価することは出来ないが、家がそれほどみすぼらしいのに、名品ばかり身に付けて通うその女性の精神状態が通常だとは信じられなかったのである。

彼女のイヤホンが差し込まれた所は

こんな話もある。2000年代に入り、平壌にMP3プレーヤーが流行し始めた。テープを使用する小型再生機が登場して名声を広げる前に登場したこの商品は、大きさが小さく、多くの音楽を取り込めるのに加え、数百回も録音したり消去したりしても音質が変わらなかった。さらにイヤホンから響く高音質の音楽は、新しいものを渇望する青春たちの欲求を満たしてやるには充分であった。当時は価格が数十ドル以上で、一般住民は考えもつかなかった。誰かがイヤホンをはめて思索に涙ぐむ顔で通りを歩けば、それこそ尊敬の念で仰ぎ見た。今は特に、大学生にはMP3プレーヤーがほとんど必須である。

韓国の歌謡と中国延辺の歌謡が流入する中、これに対する当局の統制も強化された。機器そのものに対する統制ではなく、聴く音楽に対する統制であった。取締成員はイヤホンを差し込んで通り過ぎる住民を見さえすれば、立ち止まらせて検閲した。

ある日、ある取締成員がイヤホンをはめて通り過ぎる某女性を立ち止まらせた。

「同務、何を聴いているのか、MP3ちょっと見ましょう。」

「はい？　何も聞いていませんでしたけど。」

耳にイヤホンを差していたのに何も聞いていなかったというから、さらに熱が上がった。さあ、差し出してみろと催促すると、未婚女性は自然の仕草でイヤホンを掴んで差し出したが、あれあれ、端末にくっ付いているはずのMP3プレーヤーが見えない。取締者は女性が明らかに自分を騙し、どこかに隠したと考えた。そうだとしてもデタラメに身体を捜索することも出来ない仕事であった。出せとか無いとか騒動を繰り広げるうちに、多くの取締成員が集まって来た。やはり彼らも特別な方法が無くて、その女性を引き連れて該当地域にある保安署を訪ねて行き、女性保安員に捜索を依頼した。女性保安員も興味があって、その女性の身体のあちこちを細かく探し回ったけれども、MP3プレーヤーが無かった。一体全体どうしたことであろうか？

その女性は申し立てた。「実は私が耳の病気をちょっと患い、また周囲が騒がしいのが嫌いで、ただイヤホンをはめて行き来しています。」取締成員たちは開いた口が塞がらず、返す言葉を見つけ出せなかった。耳の病気を患ってイヤホンを差しているとは、聞いたことも見たこともない話である。取締成員たちが酷い目に遭ったのはもちろん、その女性の自尊心も潰された。事実は、その女性はMP3プレーヤーで音楽を聴く人が余りに羨ましくて、イヤホンでも差して真似をしてみたのであった。

このようにニセモノによってでも趣向を醸し出そうとする女性は、平壌のあちこちにいる。現在の北朝鮮には首輪と耳輪、指輪などをはめるのが流行りなので、美を自慢する女性であれば、誰でも着用して行き来する。やはり価格も千差万別である。ひとつに北朝鮮のカネで1万ウォン程度する中国産の模造品から始まり、数千ドルに及ぶ真品に至るまで、多様な階層の女性が多様な装身具を付けて往来する。名品が無ければニセモノによってでも、本物が無ければ模造品によってでも着飾って、美しく見せようとする心が、必ずしも北朝鮮の女性にだけ現れるのではないであろう。

最高のファッションリーダー、李雪主

最近になって平壌女性のファッショントレンドは、驚くほど速く変わっている。平壌は北朝鮮のファッションブランドを先導する。平壌でファッションは、当然に幹部や金持ちの子弟が主導する。海外に出掛け、風に少し当たりながら、与えられた富を思い切り消費（衣服のショッピング）する彼らが、正に平壌のファッションリーダーなのである。彼らは外国、特に中国に出掛けて行き、ファッションブランドに接する。外国の水を一度でも飲んだ女性は、身だしなみが人と異なる。同じスカートやズボンを着ても、どこか着こなしがあり、目線をもう一度やることになる。

2012年7月、風説でだけ知られていた金正恩の夫人である李雪主が初めてTVに登場した。平壌の若い女性は、当然に彼女の経歴と背景、そして何よりもその華麗な身なりに集中した。

李雪主は、平凡な飛行士の娘である。暮らしていた家は、順安区域の飛行場付近にある飛行士アパートで、弟が1人いる。金星学院を卒業し、平壌音楽舞踊大学で声楽を専攻した後、銀河水管弦楽団で歌を歌っていて金正恩の目に止まった。そうした彼女が女性として最高の地位を持つと同時に、北朝鮮で最高のファッションリーダーとして登場することになったのである。

短く見えるスカートを着て、名品のカバンと首飾りで着飾った彼女がTVに出て来れば、平壌の貴婦人たちは、それに連れられて、どうすることも出来ず気持ちがヤキモキした。平壌女性の関心は、彼女がどこに、なぜ現れたのかよりも、彼女が今度はどんな服とカバンを身に付けて現れたのかにもっと寄せられた。北朝鮮の女性であれば誰でも、李雪主を羨ましがらない女性はいないであろう。彼らの間で内密にしながらも、彼女の身なりを評しもする。李雪主が初めてTVに登場した時、社会主義生活文化に合わない身なりであった。それを意識したのか、歳月が流れるほど次第に、正装に近い身だしなみで往来している。

北朝鮮で服装の取締が第一に甚だしい都市は、当然に平壌である。そ

れほど外国の文物に接した人が多く暮らしているから、いわゆる「資本主義の浮かれ風」が最も甚だしい。風雪が吹きすさぶ真冬や暴雨が降り注ぐ日を除いては、学生糾察隊とか民主女性同盟糾察隊とかが腕章を巻いて通りのあちこちで陣を張っている。もちろん、身なりを取り締まるためである。

以前にはスカートの長さが少しだけ短くても、無条件に取締の対象であった。膝が見えるか見えないかくらいに着て、初めて正常であった。ところが、李雪主が登場して以降、このような取締も大きく緩和され、今は膝の上に上がったスカートを着ても取り締まらない。真夏に下着が透けて見える下品な服を着て行き来するのは、もちろん取締の対象である。だが、このような身なりの女性は、どこへ行っても見かけるのが難しくない。

2018年8月に平壌の親戚を訪問した、ある朝鮮族の男性は、次のように話している。

「普通江区域のある外貨商店に行って見て、本当に驚いた。20代初めと見える未婚の女の子たち3人が商店に入った。身だしなみが『平壌の処女』のようではなく、中国の留学生とか華僑のように見えた。ところが、言葉遣いを聞くと平壌の未婚女性たちであった。太腿が見える短いスカートにハイヒールを履いた女性もいて、身体にぴったり合ったスカートを着た女性もいた。髪のスタイルも明らかに北朝鮮式ではなかった。こんな身なりでは絶対に平壌市内を闊歩できない。明らかにタクシーのような運送手段を利用したであろう。ひとりの女性が170ドルするシャネルを探し出して手に掲げるや、一緒に来た女性2人が歓声を上げた。あとに続いて彼女らは手カバンだの化粧品だの、ほとんど1,000ドルに達する豪華商品を躊躇うことなく買った。そのうちの1名が財布を掻き回しているのだが、100ドル札の束が見えた。この頃、平壌の食堂、商店など奉仕網の儲けが余り良くないと大騒ぎらしいが、最高級の外貨食堂や商店を訪ねる常連客は減らないという。」

着こなしを取り締まられた女性に恥をかかせる有線TV

平壌へ行って見れば、ブルージーンズではなくても、身体にキッチリ張り付いたズボンを着て行き来する女性をよく見かけることが出来る。これを一名「体形ズボン」と呼ぶが、もちろん取締の対象である。一時期の平壌には、女性がズボンを履けないようにした時期があった。女性までズボンを履くとは、そうでなくとも団体服のような身なりなので、真っ暗な北朝鮮の通りが更に暗く見えるというのが理由であった。しかし、この措置も直ぐに消えて無くなってしまった。真冬にもスカートを着て、作業動員に出てもスカートを履き、移動して現場で着替えろというのだから、このような不便を甘受できないという社会的世論が造成されたのである。

今は体形ズボンも、ある程度は許容される雰囲気である。北朝鮮でも美を優先視する女性は、体形を表すズボンを好んで選ぶ。いくら糾察隊が取り締まっても、このような身なりは消えない。

平壌には内部市民だけ見ることが出来る「有線TV」というのがある。依然として外部に全く知られていないものなので、これについての言及は恐らく本書が最初であろう。この有線TVは、平壌市内の有線TV網が普及した地域で見ることが出来る。このTVは、ほとんど毎日「取り締まられる女性」を放映する。通りに出て見れば、取締の対象と見られる身なりをした平壌市民が多いけれども、実際にカメラに捉まって侮辱を受ける人は、主に周辺区域とか地方から上って来た女性である。撮られていることも知らずに身なりを楽しみながら市内を往来しているうち、このように主人公となり、TVに出演してみるのである。

服装取締員の実際の権限は、それほど強くはないのに加え、収集されて上部へ上がる資料から知るに足る人は、すべて脱落してしまう。その程度であっても、このような取締でも無いならば、平壌の服装文化は瞬時に利便性と美を追求する「資本主義式ファッション」へ変わることになるであろう。

北朝鮮にも指先に「ナカ（マニキュア）」を塗る女性が多いが、統制が甚だしいので、大体は無色を塗って往来する。こんな無色を塗る女性は大部分10代の青少年で、母親に従って塗る場合が多い。頭の模様を韓国式にする風潮も、北朝鮮当局の強い統制の中で依然として続いている。

このような文化的変化も、やはり新しいものを追求する平壌市民の心中に起こったものである。他のものへ変わるとしても、統制や強要により消えて無くなりはしないであろう。

陰暦で見る平壌のライフスタイル

北朝鮮住民は国慶日（祝祭日）、公休日、名節など「赤い日」をどこで、どのように遊び過ごすのであろうか？　北朝鮮の名節を知っていれば、北朝鮮住民と話をする時、交歓を積むのに良い。名節別の風習まで知ることになれば、「この同務、我が北朝鮮を熱心にも研究しました」という言葉を聞くことになるかも知れない。北朝鮮の名節は何なのか、そして北朝鮮住民はどのように名節を送るのか、調べてみよう。

1989年に南北同時で「陰暦の元日」を復元

誰でも元日くらいは指折り数えて待つ。過ぎ去った一年を振り返りつつ、新しくやって来る一年には、より良い出来事が起こることを期待する。北朝鮮でも元日は、住民が希望の中に一年を迎える名節である。韓国と同様に北朝鮮も陽暦の正月で祝っていて、「陰暦の正月」で元日を認定するまで時間が少しかかった。

元日の話で少し遡れば、元来わが民族は、陰暦を基準に元日を祝ってきたけれども、100余年前の甲午改革を経て、陽暦を基準と見なすようになった。1894年に金弘集（キムホンジプ）内閣が甲午改革の措置として陰暦を陽暦に代えた後、高宗（コジョン）が1895年の陰暦11月17日を陽暦の1896年1月1日だと宣言した。この時から伝統の元日を指す「旧正月・陰暦の元日」という言葉と新しい正月を指す「新正月・陽暦の元日」という言葉が生まれた。

日帝の強占期にも民衆は、新正月を「日本の元日」、「倭野郎の元日」と呼びながら最後まで拒否した[18]。しかし、光復後に大韓民国政府が樹立された後にも、新正月が継続した。とうとう韓国で1985年に旧正月が復活し、1989年1月24日に「ソルラル（元日）」という名称を正しく取り戻しつつ完全に復元した。

韓国に来てみると、陰暦基準の元日を復元することで南北が秘密会議をしなかったのかという考えが浮かんだ。たまたま巧妙なことに北朝鮮も、やはり解放以後に新正月を継続して祝ってきて、1989年に陰暦の元日を復活させた。しかし、言葉どおりに陰暦の元日と言っただけで、北朝鮮当局が公式に記念する元日は、依然として陽暦の1月1日であった。この時に2日間は休息しながら大きくお祝いをし、陰暦の元日には1日だけ休息を与えた。各種の元日行事も陽暦1月1日に進行して、名節の時に与える住民特別供給のようなものも新正月を基準とした。

そうやってきて2003年から民俗伝統を活かすとして、陰暦の元日に3日間の休息を与えて、過去に大きく祝っていた陽暦の元日は1日だけ休むようにした。名称も1月1日を「陽暦の元日」に、陰暦節を「ソル（元日）名節」に変えた。依然として北朝鮮は、数十年間も陽暦の元日を元日として送って来た習慣が容易に変わらずにいる。

北朝鮮では、元日の挨拶や祭事のようなことを普通は陽暦の元日に執り行う。けれども、歳月が流れるに連れて人々の認識も徐々に変わり、今は陰暦の元日を更に大きく祝う人が多く増えた。陽暦の元日は休息期間が短く、新年の辞の学習、新年の戦闘準備などでより忙しく過ごさなければならないが、陰暦の元日はそのような負担も無く、休息日も長いので、陽暦の元日より更にゆっくりと心置きなく遊べるからである。

ただし、北朝鮮は1日の休息日となっていた陽暦の元日の休息日を2014年から2日に増やした。一年中ずっと70日戦闘だとか200日戦闘だとか言いながら追い立てると思うと、申し訳ない心があった模様である。

元日を迎えて祭事を催して、家族や親族が集まって座り、一緒に食事をしながら過ぎた一年と来る一年を話し合うのは、南と北で異ならない。北朝鮮では、皆が一緒に集まって座り、美味しい食事を共にしながら話を分かち合い、酒が一杯はいって雰囲気が良くなれば、立ち回りながら歌を歌うのが最も一般的な名節の風景である。けれども、年輩の人たちを訪ねて新年の挨拶を申し上げ、新年の多幸を互いに祈ることは、むしろ陽暦の元日にもっと多い。

平壌も元日にお雑煮とユン遊び[19)]

元日に食べる料理は、どのようなものがあるのだろうか？　平壌でも元日にお雑煮を食べ、お雑煮を食べてこそ年を1歳さらに取ると話す。「お雑煮を何回たべたか」と尋ねれば、年を答える。

北朝鮮のお雑煮は元来、キジ肉を入れて作らなければならないが、キジ肉を求めるのが難しいので、代わりに鶏肉で作っている。ここから「キジの代わりに鶏（似たもので代わりを務めさせる）」という言葉が出て来たともいう。この他にも生活水準に合わせ、各種の料理とオカズを作って食べる。平素は食べられなかった料理を心のままに食べられる元日こそ、子どもにも大人にも最も楽しい一日である。

韓国と同様に北朝鮮でも、祭事の食卓に果実、ナムル、煎餅、生魚、モチなどを上げる。種類別に1種類以上は、必ず差し上げる。このような祭事の食卓が生き残っている地域は、主に咸興以北である。平壌をはじめとした南側都市の大部分の住民は、このような風習を好ましいと思っていない。伝統の維持についての咸鏡道住民の固執をうかがい知れる。

ここでちょっと取り上げて話しておきたいことがある。元日が過ぎれば、北朝鮮の言論媒体は、金日成広場とか平壌体育館広場とかに出て来て、大縄跳び、コマ回し、凧揚げ、チェギ蹴り[20)]、尻尾取りなどをする子どもの写真を載せる。このように多様な民俗遊戯が繰り広げられる場面は、北朝鮮のTVでも「平壌の正月風景」として放映される。そうなれば、南側の言論媒体も、その写真をそのまま受け取って使いつつ「平壌の正月風景」だと伝える。こんな写真を見れば、北朝鮮は民族の伝統を非常によく守っている所のように認識される。

ところが、実際の平壌に行って見れば、媒体に登場した所の他に、そのように縄を跳び、コマを回し、凧を揚げる子どもを探し出すのは難しい。北朝鮮の一般的な文化ではないからである。元日に広場に出て来て演出写真に動員されるのも、すべて当局からやらせる出来事である。ただし、家庭でユン遊びは多く行う。北朝鮮でユン遊びは、男女老少を問わず誰でも楽しむ大衆的な娯楽である。

他にあるか、立派に食べる日が名節だろう

金正日の誕生日である「光明星節」、すなわち2月16日は、金日成の誕生日である4月15日の「太陽節」と共に、北朝鮮で最も重要な政治的名節である。

光明星節は、金正日の誕生50周年である1992年に民族最大の名節として制定された。2月は、まだ遊ぶのに良い季節ではなく、各種の政治行事が目白押しなので、当日に北朝鮮住民は普通の日曜日と同様に、家で美味しい食事を作って食べたり、余裕がある人は食堂に行って一食とったりする式に過ごす。地方には白米飯でも一椀つくっておいて、豆腐汁でも煮れば、立派に祝うことと見なす家庭が依然として多い。

北朝鮮には「立派に食べる日が名節」という言葉がある。いくら重要な名節も、腹いっぱい美味しく食べられなければ、名節ではないのである。それほど食べることが重要な北朝鮮では、名節の意味が食膳の重さと比例する。北朝鮮では、肉を食べたり多くの他の料理を盛沢山に食べたりすれば「きょう名節をお祝いした」と言う。

北朝鮮の4月は、各種の記念日が最も多い月である。まず4月初めの「清明」は、祖先の墓所を訪ねて墓掃除を行い、祭事を執り行う日である。北朝鮮は解放後から寒式に祖先の墓を訪ねる伝統を維持したが[21)]、2000年に入ってから「寒式は中国の名節なので、代わりに清明を祝え」という金正日の指示が下達された。

それでも、北朝鮮住民が継続して寒式に墓所を訪ねるや、2012年から清明を公休日として指定できなかった。北朝鮮は秋夕をお祝いするが、春に祖先の墓所を訪ねることも秋夕に劣らず重視する。南と北を比較してみれば、秋夕は北朝鮮に比べて韓国がもっと重視するけれども、春に墓所を訪ねる伝統は北朝鮮が更に熱心に守るようである。

北朝鮮の最高名節「太陽節」

4月に最も重要なものとして記念する名節は、金日成の誕生日である太陽節である。太陽節は、今も北朝鮮の最高名節である。北朝鮮は、金日成の誕生50周年である1962年からこの日を記念してきたが、1974年に中央人民委員会政令により敢えて民族最大の名節と規定した。金日成の生前にはこの日を数字そのままに「415（よんいちご）名節」と呼んで、金日成の三年の喪が終わった1997年に太陽節と命名した。

太陽節は、北朝鮮の最大名節であるほどだから「中央報告大会」、単位別「報告会」など各種の記念行事が盛大に開かれる。住民大多数は中央報告大会を視聴するが、主要な機関と特級、1級の企業所は自ら単位別報告会を行う。「太陽節慶祝外務省報告会」のようなのが自体の報告会と言える。

このような報告会では名節を迎えて金正恩に手紙を送るのだが、手紙はいつも「将軍様がご健康であられることを謹んで祝賀いたします」という常套的な文句で終わる。これを「忠誠の手紙採択の集まり」と呼ぶ。

多くの行事の中で北朝鮮住民に最も共感を呼び起こす代表的な行事は「忠誠の歌の集い」である。企業所、農場別に芸術公演を15日以上もかけて準備した後、最終優勝者を選ぶ。

15日の当日には、やはり職場または学校別に体育大会を進行する。体育大会が終わった後には、家で各人が準備した弁当を一緒に分けて食べながら、久しぶりに腰帯を解いて寛ぐ。

国家級行事としては「4月の春芸術祝典」、「人民芸術祝典」、「軍閲兵式」などがある。元来は4月の春親善芸術祝典だけがあった。ところが、この春の祝祭というのは負担が並大抵ではない。北朝鮮の在外代表部から該当国の芸術人を熱心に説得して連れて来れば、彼らを無料で宿泊させてやり、食べさせてやらなければならず、入賞すれば賞金も上げなければならない。年ごとに予算が250万ドルくらい必要なのだが、財政状況が悪化するや、これも容易ではなかった。さらに好奇心半分で北朝鮮に来ていた外国の芸術人も、今は興味を失ったようであった。それで、北朝鮮当局は人民芸術祝典を作り、ある年は外国芸術人を招請する4月の春親善芸術祝典を、次の年は国内用の人民芸術祝典を代わる代わる開くことにした。人民芸術祝典の舞台は、この機会に平壌を見物したい地方住民と認定を受けてみようという芸術人の熱望で、いつも一杯に充満している。

国家がくれる名節の贈物

北朝鮮住民は幼い頃から4・15を最も幸福で楽しい名節と認識するように洗脳される。このために「贈物統治」がなされてきた。金正日は、金日成の誕生65周年であった1977年4月15日、住民に贈物を下賜しながら本格的な対国民贈物統治を繰り広げた。1977年以後、毎年4月12～13日頃に全国の全ての学校で「贈物伝達式」が開かれる。小学校の生徒以下、全ての子どもに1kgくらいの糖果類が伝達されるのだが、学校の講堂に父母まで全て集めておいて贈物伝達式を繰り広げ、「首領様と将軍様の愛の配慮」を大きく宣伝する。

1990年代後半からチャンマダンが活性化する中、市場で砂糖と菓子を買って食べられるようになったが、その前まで北朝鮮で子どもたちが砂糖と菓子を食べようと思えば、4月15日と金正日の誕生日である2月16日に下賜される方法の他には無かった。何時間も待って後、「敬愛する金日成大元帥様、ありがとうございます」という挨拶と一緒に、金さん父子の称揚歌を4曲くらい歌って初めて受け取れる。

学校の制服も4月15日を記念して、2年に1回ずつ支給してくれた。当然に子どもたちは、砂糖と菓子、新しい制服が生まれる4・15を指折り数えて待つようになった。経済事情の悪化により20年前からはカネを受け取って売っているけれども、どうであれ4・15が制服の生まれる日という事実は変わりがない。

経済事情が良かった時は、世帯ごとに酒・油・醤油を1瓶ずつ、豚肉500g、洗濯石鹸と歯磨き数個という式に特別供給もしてくれた。このような供給は、地方行政機関に委任する。どんなことがあっても名節供給をせよと指示するのだが、そのようにやってみると、この「最大の名節」には平壌と地方、立派に暮らす地域と貧しい地域の差異が現れることになった。

もちろん、平壌に暮らせば更に質が良く、量も多い「贈物」を受け取る。平壌市の江東郡、祥原郡、中和郡などは行政区域の変更措置に伴い、平壌にもなったり地方にもなったりした。最も近くは2011年に多くの地域が「地方」として定められる中、該当地域の住民が大騒ぎをした。地方になれば、配給と電気供給のような多くの恵沢を失うからである。基本的には市民証を持ち、平壌市内を心のままに行ったり来たりしながら商売が出来なくなるのが大きかったが、名節に受け取る「贈物」の恵沢が減るのも痛手となった。

名節供給の贈物をどれほど立派に与えるかは、幹部の能力と該当地域の生活水準を示してくれる指標となる。それで、地方住民は自分の郡が立派に暮らすか暮らせないかを名節供給の結果で評価しもする。幹部も有能か無能かがこの名節供給の贈物に掛かっているので、やはり大きな努力を傾ける。

名節供給は、国家の経済事情を反映する指標として認識されもする。過去に経済事情が良かった時と比較すれば、子どもに糖果類でもどうにか供給し、家庭に酒でも1瓶まわれば幸福である現在の状況は、非常に悪いと見ることが出来る。

4月のまた別の名節は4月25日、北朝鮮軍の創建記念日である。金日成が1932年に中国で抗日遊撃隊を作った日である。ところが、この記念日は2018年に2月8日と変わった。元来、北朝鮮軍の創建記念日は1948年以後、継続して2月8日であった。そうであったのに、1978年に北朝鮮軍が抗日の伝統を引き継いだ軍隊であることを強調し、宗派の余毒を根絶すると言いつつ4月25日へ変えた。これは口実であり、本当は1978年頃に金正日が後継者としての立地を完全に固めるために、金日成と抗日パルチザン出身幹部の歓心を買おうとしたのであった。ところが、金正恩は父親が作り出した北朝鮮軍の創建記念日を再び2月8

日へ変えた。いま4月25日は赤い日ではない。

5月1日の労働節が第一に楽しい

労働節である5月1日は、やはり北朝鮮住民が最も大きく祝う名節中の1つである。以前には「全世界の労働者階級の名節」、「国際労働節」と呼びもしたが、今は一般的に「5・1節」と呼ぶ。メーデーとして世界的な記念日となった当日は、1884年5月1日に処遇改善のために立ち上がった米国の紡織労働者の闘争を記念するため、1889年に第2インターナショナルのパリ総会で宣布された。

実は、2月16日と4月15日が北朝鮮の最大名節だと言うけれども、雰囲気と規模の面で北朝鮮住民が最も多く集まって楽しく送る日は、正にこの日である。職業を持つ労働者と職業の無い住民、男女老少、貧富、平壌と地方を分かつことなく、この日だけは北朝鮮のほとんど全ての住民が「野遊び」に行ったり食堂を訪ねたりする。

労働節には大概、職場単位で行楽に出かける。バスをチャーターで借り出して、職場人の家族が一緒に動きもする。大きな工場とか企業所とかは、体育大会を終えて、その場に酒宴場所を作り、歌舞も行いながら一頻り遊ぶ。当日は牡丹峰や半月島、スクソム（スク島）など樹木があり、草が生えている公地であれば、どこへ行っても人派でごった返す。たぶん衛星により当日の北朝鮮を見下ろして見るならば、山と野原が人派で一杯に埋まっている様子に驚き、蜂起でも起きたのではないかと錯覚するかも知れない。当日は当局の統制もほとんど無く、心置きなく食べて飲む。5月から農村支援戦闘をはじめとした各種の動員に苦しめられねばならない北朝鮮住民の最後の再充電という性格も合わせ持つ。労働節は秋夕と合わせて、北朝鮮住民が政治行事に動員されず、心のままに楽しめる最も大衆的な名節と言える。加えて、季節の女王である5月は、天気も「遊びに最適である」。

秋夕の膳に上るカステラ

秋夕は、北朝鮮住民も大きく祝う名節である。あらゆる種類の料理を包み持って祖先の墓を訪ね、墓掃除をして祭事を催す姿は変わりが無い。苦難の行軍の時期以後、北朝鮮が火葬を奨励する中、平壌市民の相当数はこの世を去った家族の遺骨を遺骨保管所に預けた。それで、秋夕になれば、この遺骨保管所で遺骨函を訪ねて、保管所に近隣の緑地とか川辺とかへ行って祭事を催す。平壌の遺骨保管所は、中区域と平川区域のような中心区域を除外しては、ほとんど全ての区域に設けられている。

祭事が終われば、野外で家族、親戚が集まって座り、酒も飲み、余談も分かち合いながら、残った時間を送る。生活水準に従って準備する飲食は異なるけれども、餅、果実、生魚、ゆで肉、鶏卵のようなものは、ほとんど全ての家で準備する。最近にはカステラ、ジュース、熱帯果実など風俗に拘束されず、能力のままに準備する家庭も多い。当日も5・1節と同様に、山と野原が人派で塞がるが、職場単位ではない家族、親族単位で動くという差異がある。

この他にも、8月15日の解放の日、10月10日の労働党創建の日、9月9日の北朝鮮の建国節も2月16日、4月15日、元日、秋夕と共に北朝鮮の7大名節に入る。最近になって「朝鮮戦争終戦日」である7月27日も、国家的名節として大きく記念している。

女性の日と母の日

最近になって北朝鮮が奨励し始めた名節は、世界女性の日である3・8節と母の日である11月16日である。「国際婦女節」と呼ばれる3・8節は、既にずっと前から北朝鮮で「赤い日（祭日）」ではあったが、象徴的な側面が大きかった。しかし、2012年11月16日を母の日として制定した後、3・8節も名実ともに休息日になり、象徴的な名節からかなり騒がしく準備して祝う名節へ発展した。

母の日の制定以後、母親にいろいろな花を贈る風習を造成せよという当局の指示が下りて来た。この時から平壌市内の多くの花屋、花店が生まれ、数年間は商売も上手く行った。今は花を贈る雰囲気が以前のようではないが、依然として余裕がある青春の男女と大学生は、名節や誕生日など特別な日となれば、家族、恋人、師匠、親友に花を贈る。

母の日は、50余年前に北朝鮮で初めて開かれた「母親大会」の日付を引き継いだものである。金正恩政権の初年である2012年に名節として指定されたのだが、その理由は明白ではない。女性を社会と家庭の花として押し出すという北朝鮮式「社会主義」を宣伝するためのものなのか、そうでなければ北朝鮮住民に本当に女性尊重の認識を植え付けてやる契機を作ろうとしたものなのかは分からない。その真意が何であれ、母の日が初めて制定された時、多くの母親と女性が好ましく思ったのは、改めて言うまでもない。外国の水を飲んだ金正恩が、保守的で家父長的な北朝鮮男性の女性観を変えると決心した側面は、明らかにあったように見える。

国際婦女節と母の日が確立する中、男性の認識も大きく変わっている。もちろん、これらの日は季節的な制約ゆえに、野外へ行楽に出たり行事を行ったりはしない。代わりに、恋人同士あるいは家族単位で食堂を訪ねるのが一般的である。特に、当日は平壌の多くの家庭の主婦が夫に台所仕事を委任したり、食堂に連れて行ってくれと公々然と要求したりする。もちろん、妻の要求を満足させるように聞いてやる「能力のある」夫もいるし、この日でさえも妻に汁飯の1杯も買って食べさせられない「無能な」夫もいる。

当日のまた別の特徴は、省、中央機関はもちろん工場、企業所、大学街など女性が働くほとんど全ての単位で、女性のための贈物を与えるというものである。贈物の量と質は、該当の責任者とか機関の能力、受け取る対象によって異なる。衣類や化粧品となることもあり、花の一束となることもあるけれども、このような風習が生まれたこと自体が女性に対する北朝鮮の認識変化を示してくれるものと言える。当日は師匠に送る花束を持って行き来する学生も、多く見ることが出来る。

この他に北朝鮮の公式な休日になっている名節は、北朝鮮憲法の制定日である12月27日である。元来、遵法意識が不足し、法に関心がほとんど無い北朝鮮住民は、年末に休める日が1日あるということだけでも満足に思う。この時は既に年末なので、多くの北朝鮮住民が「忘年会」を行い、その年の最後の名節を過ごす。

休息日ではなく、象徴的な意味だけ持っている名節としては、国際児童節である6月1日、金正日が国防委員長になった4月9日、金正恩が労働党第1書記となった4月11日、金正日が最高司令官になった12月24日などがある。当日は国家行事が進行するが、休息日ではないので、北朝鮮住民は名節の雰囲気を感じられない。

時代が変わる中で明らかに見て取れる変化がある。苦難の行軍の時期以前には、金日成と金正日の誕生日が重視され、北朝鮮住民もこのような日に名節の雰囲気に繰り返して酔ったが、2010年代に入る中でこんな名節は、ほとんど「行事を行う日」へ変わっているという点である。実際に一般住民が楽しみ、感じる名節は元日、5・1節、秋夕のように、もっと現実的にやって来る日々である。再び述べれば、当局が非常に重要だと指定した名節は意味が退色しており、天気が良く、家族や知人と負担なく過ごせる「私にとって重要な日」が重要になっているのである。

南と北の名節を統一するのも、かなり時間を要する作業になるようである。名節を統一するというのは、数十年間も互いに異なって暮らしてきた生活慣習を調律して統一するものだからである。

もう一歩さらに

南朝鮮はゴーストップ、中国は麻雀、北朝鮮はフンス

北朝鮮の元日風景を語る時、主牌（トランプ）文化を抜きには出来ない。酒と主牌は、元日をはじめとして北朝鮮の全ての名節を貫通するキーワードである。

北朝鮮ではカード遊びをする時、「主牌で遊ぶ」または「フンス（紅十）で遊ぶ」と言う。主牌はカードを意味する言葉で、フンスはカードで遊ぶゲーム方式を言う。1990年代初めに中国を通じて北朝鮮に広く拡散し、今もカードを手に取りさえすれば、北朝鮮住民はフンスをして遊ぶ。韓国にゴーストップ（花札）、中国に麻雀があるとすれば、北朝鮮にはフンスがある。

フンスは、中国語で赤色の十字を意味する。北朝鮮に広まったフンスは、3～6名が遊べるが、普通は4名がやれば最も面白い。カードには数字ごとに赤色で表示されたダイヤモンドとハート、黒色で表示されたスペードとクローバーが4枚ずつある。ダイヤモンドとハートの10枚のカードを取り揃えた人が1チームで、先に手の内を示す方が勝つ。ところで、誰と同じ側であるのか分からないので、互いに様子を見ながら牽制したり助けたりする。しかし、敵を自分の側に誤引して助けてやって負ければ、元も子も失うことになる。1ゲームが終わる時ごとに「お前は気転が無い」となじり、また、これを弁明しながらブツブツと不平を言って、騙すのに成功したとニコニコ笑う場面を目にすることが出来る。ダイヤモンドとハートの2枚を独りで持てば、表情を管理しながら他の3名が互いを疑いながら牽制するように仕向けるのが関鍵である。

普通、トウモロコシや大豆、タバコを1人当たり8つずつ割り当てる。1～2等になれば相手側から2つずつ受け取り、1等と3等になれば1つずつ受け取る。8つを全て失った人が最後である。4名がやってゲームが終われば、最後が酒2瓶を買い、3等が酒の肴を準備し、2等はお使いをする。もちろん、1等は静かに座り、受け取って食べる。カネを遣り取りすることも多い。しかし、勝ったと言ってカネを持って行く行為は「非常に悪い奴」になるので、予め決めておかなければ難しい。どうであれ、このカネで酒と肴を買うのは、前の場合と同様である。

酒を飲んで、また酔いが回れば、「もう一度やろう」と言いながら、新しいゲームを繰り広げる。このように明け方まで笑いながら遊べば、全ての憂いが晴れる気分である。今も脱北者社会の名節の集まりに行けば、皆このフンスで遊ぶのに余念が無い。フンスを知らない北朝鮮住民は、ほとんどいない。このゲームは「男女有別」が無い。酒を買うカネさえあれば、誰でも飛び込める。それで、北朝鮮には数回だけ順番が回ってきても、相手がどんなカードを持っており、どんなカードを出すのかを知る「プロ」が甚だしく多い。

確信を持って言うことだが、韓国人が平壌に行って、フンスをやってみると勢い込んで跳び込むと、そのまま餌食になるのが常である。いくら心根が綺麗で美しい微笑を作る女性も、最低でも数年間はそれを遊んでみたプロである。

江南を凌駕する保護者のチマ風

「送ろう、外国へ！　送ろう、平壌へ！」
北朝鮮で公々然と出回っている言葉である。外国に行って来てドルを稼ぐ職業を最も好んで選び、そして「良い大学」は平壌にあるからである。子女を外国や平壌の中心的な大学に送るために、北朝鮮の学父母（保護者）は韓国に劣らず子女の教育に全てを注ぐ。そうだとすると、韓国と似通った様相が現れる。私教育にカネをドンドン使える幹部とか金持ちの子女が良い大学に行くのである。
12年制の義務教育制度（学校前の教育1年を含む）を施行しつつ公教育の質を高めようとする北朝鮮当局は、私教育という大きな難題にぶつかった。随時に取り締まっているが、問題は取り締まる幹部の子どもからして私教育を受けているという現実である。このような北朝鮮の私教育の実態について調べてみることにする。

幼稚園教師のパワハラ、「お前の父母は道徳も無いのか？」

北朝鮮の私教育は、幼稚園から始まる。平壌の幼稚園の水準は、全国で最高である。幼稚園の入園式が終われば、新園児は暫くの間、教養員（教師）が行う次のような質問に答えなければならない。
「哲洙（チョルス）（音訳）くん、朝に何を食べたかな？　英姫（ヨンヒ）（音訳）さんは？」
一種の家庭調査である。朝に何を食べたのか数日間も調査すれば、その家の生活水準を把握できる。いつからか当然の入園儀礼になった。
この年の子どもは、ウソをつけない。甚だしくは、家で父母が争った話まで教養員に具体的に告げ口する子どももいる。各家庭の状況を把握するのは、教養員にとって第一に重要な仕事である。このような把握に基づいて初めて、もっと静かに、もっと大きな利益を掠め取れるからである。生活水準が高く、気前が良い保護者が更に多く出し、更に多く助けてくれるのは、当然の道理である。

父母は、幼稚園の入園前からカネを出す。壁紙、ビニール、床紙、ペイント、石灰粉、セメント、掃除道具、玩具など「幼稚園を飾るのに必要だ」という数十種類の項目である。これゆえに大部分の幼稚園は、入園の時に北朝鮮のカネで8〜10万ウォン（10〜12ドル）を保護者から受け取る。「入園謝礼」という名目で教養員に4〜5万ウォンから8〜16万ウォンまでこっそり渡してやるのも、よくあることである。どれほど少なく見積もっても、入園前に12万ウォンが要る。北朝鮮のレートで約15ドルに該当するカネである。ちょっと考えると多くは見えないであろうが、このカネはコメ20kgとかトウモロコシ100kgとかを買っても残る額数である。この程度の食料があれば、4人の家庭が1ヵ月の間は腹を空かさずに暮らせる。

保護者の「幼稚園暮らし」は、ここで終わらない。毎月コメ3kgと食費5,000〜1万ウォンを出さなければならない。オカズも作って送らなければならない。幼稚園で提供する飲食は、昼食の時の飯と汁、その他に間食である牛乳1杯と菓子またはパン1〜2個である。

作って送るべきものは、これだけではない。教養員は翌日に持って来なければならない各種の項目の物品を手帳に書いて子どもに送る。それだけでも1ヵ月に5万ウォンを越えてカネが要る。もちろん、送らないことは出来ない。持って行けなかったり持って行かなければ、子どもを罵って、罰に立たせたり家へ帰したりする教養員がいるからである。ある教養員は、自らの誕生日はもちろん夫の誕生日、家庭内の大小の出来事の時にまで露骨にカネと物品を要求する。与えなければ、子どもに「お前の父母は道徳も無いのか？」と罵る。

教養員が要求するものを上手く持たせて送ったからと言って安心してもいけない。大掃除とか環境美化とかの作業の時、労力奉仕を要求する教養員もいるし、道路補修や農村支援など「社会動員」を代わりに行ってくれという教養員もいる。賄賂の要求は言うまでもない。

教養員は、父母の「熱誠」が高い子どもに、勉強を上手くやったり良いことをしたりした時に賞として与える「赤い星」をより多く与えたり、園児の間で争いが起こった時に一方の肩を持ってやる背倫により報復したりする。

平壌の幼稚園でも今や自然観察、現場学習などの行事が増えている。体育大会も以前には国際児童節である6月1日にだけ開催したが、今は1年に3回以上と増えた。その時ごとに父母たちは、非常に困難な目に遭う。この負担ゆえに子どもを幼稚園に送らなかったり、低いクラスを跳び越して高いクラスに送って早く卒園させようとしたりする父母も多い。

平壌はソウルと同じくらい、どうかすればソウルよりも更に教育熱が高い所である。子どもの教育は、父母の財力に従って行く。教養員は、カネを出す子どもだけ別に残して、国語や数学を更に勉強させる。この頃の平壌では、幼稚園の時からピアノを教える風が吹いている。幼稚園でピアノを習おうとすれば、1ヵ月に10ドルを出さなければならない。もっと多く出せば、先生が家まで訪ねて来て教えてくれる。莫大な費用を使えば、幼稚園の誕生日（開園記念日）に声楽とか器楽、舞踊のようなものでTVに出演も出来る。一定の水準に至るまで教えるのに要る費用はもちろん、TV出演の時に準備すべき衣装と小道具、撮影陣と審査委員に与える賄賂に至るまで、最小500ドル程度は準備しなければならない。もちろん、子どもに才能がある時には、この費用が大幅に節約される。当然ながら、いくら才能が抜きん出ていても、カネを一円も使わずに、このような機会を得る場合はほとんど無い。

このような現実で子どもたちが何を学ぶのかは、はっきりしている。誰か転園でもして来れば、子どもたちが群がって来て「お前の父母は何をしているのだ？」から尋ねる。「（チャンマダンで）化粧品の商売」という式に答えれば、「カネが少しは抜けるか（儲かるか）？」とまた尋ねて、そうすると再び「そりゃ、そうさ」という風に受け答えするという。5〜6歳の子どもがこのように暮らす。家に帰れば父母がいくら稼ぐのか見て、幼稚園に行けば教養員と同僚の園児が父母の収入によって差別するのを見る。

平壌の幼稚園には等級がある。平壌で最高の名門幼稚園は、中区域の蒼光幼稚園と倉田通りの慶上幼稚園である。この2ヵ所は、外国人観光客にも見せてくれる公式参観コースにいつも含まれている。蒼光幼稚園は主に、中央党幹部の子女が通う（周辺に暮らす子どもの一部も入学できる）。慶上幼稚園は、非公式ではあるが、入学金が500ドルで、毎月50ドル以上が追加で要る。

金正恩は2012年に2回、この蒼光幼稚園を訪問した。北朝鮮の言論は「将軍様の愛情の下、幼児たちが立派な教育環境において」とあれこれと述べたけれども、その幼稚園に入学し、続けて通うのにどれほどカネが要るのかは、北朝鮮で金正恩だけが知らないであろう。この幼稚園は、韓国人訪問客の常連観光コースでもある。

北朝鮮の幼稚園は、卒園する時もカネが要る。北朝鮮には卒園式の時、保護者がカネを集めて教養員に記念品を与える長い伝統がある。過去には服であれば問題なかったが、この頃は教養員が先に冷蔵庫、コンピューター、洗濯機などを要求する。「私もカネを多く使ってこの地位まで来たので、その元手を取り戻すべきではないか」というのが教養員たちの考えである。

記念品まで与え終わると、辛い幼稚園は、とうとう卒園である。もちろん、終わりではなく新しい始まりである。小学校、初級中学校、高級中学校、大学校が更に大きな口を開けて順に待っている。平壌の幼稚園は、南側の形態と大きく異ならず、甚だしくは否定的な姿まで抜き出して差し込んだようである。もちろん、家庭の負担とか露骨に奪い取られる程度は、北朝鮮が数倍も上であるかも知れない。

南北が経験を交流したことも無いのに、悪徳の形態が似ているというのは、本当に珍しいことである。子どもを育てるのにカネが余りに多く要り、子どもを産めないという不平不満まで南北が似通っている。このような状況でも、北朝鮮は税金の無い社会主義無料教育制度がある楽園だと南側に向けて「自慢気」である。厚かましいことである。確かに北朝鮮の父母は各種の名目で毎日カネを吸い取られているにも関わらず、である。甚だしくは、有料教育制度が導入されて、定められたカネだけ出す南側を羨ましがるほどである。それほど暮らしが良いという平壌の幼稚園がこの程度であれば、地方は敢えて説明する必要も無い。

3大課外は英語、ピアノ、卓球

平壌は、北朝鮮のどの地域よりも課外の熱風が甚だ激しく吹いている。平壌には公式的な課外学院が無い[22)]。北朝鮮は無料教育、平等教育を前面に押し立てる所なので、当然に課外が存在するということだけでも体制に大きな打撃となる。

例外である課外学院としては、平壌学生少年宮殿とか万景台学生少年宮殿付属学校とかを挙げられる。これらの学校は、午前に課程に伴う基本授業を行い、午後に該当専攻に従って各種の才能を伝授するが、ここに行ける人員そのものが制限されていて、それほど入学も難しい。

このような学校と各級の1中学校、外国語学院に子どもを送るためには「課外」が必要である。この課外は、幼稚園あるいはそれ以前に始められる。どちらにしても、いくらかカネがあり、子どもを立派に育ててみようという夢を抱いた保護者は、遅くとも小学校の時に課外を始める。

課外の項目としてはピアノ、バイオリン、声楽、舞踊、書芸など芸能分野から英語、囲碁、コンピューターのような知能分野、さらに進んで卓球、バレーボール、水泳のような体育分野に至るまで本当に多様である。この中で、最もありふれていて一般的なものがピアノ、英語、卓球である。

ピアノと英語は、韓国にも課外学院があるので驚かないが、卓球の課外は意外かも知れない。これは、韓国のテコンドー学院を思い出せば、理解が容易であろう。卓球の先生が多く、設備といっても卓球台いくつかを揃えておけば良いだけなので、商売が容易なのである。このような課外の熱風からなのか、2018年7月に韓国で開かれたコリアオープン卓球大会の時、北朝鮮の選手は韓国の選手より更に良い成績を示しもした。

北朝鮮のTVを見れば、わらびのように可愛い手でピアノや伝統楽器を上手に取り扱う子どもをしばしば見ることが出来る。早期教育を通じて芸術人材を育成するからである。平壌の特権層は、子女を名門芸術学校に進学させるために幼稚園の時から競争が熾烈である。価格も1ヵ月に少なければ10ドル、多ければ30ドル程度であり、20ドルが普通である。

幼児の課外学院の通学は普通、家で遊んでいる祖母、祖父が引き受ける。普通の場合ではないが、カネをたくさん与えれば、先生が直接に家へ来て教えもする。このような課外は、該当職業を持つ専門家が余暇にもっと稼ごうとしたり、既に退職した人たちが専門的にやったりもする。子どもが少し更に大きければ、特に初級中学校3年を終えて高級中学校の段階へ進学する時とか、高級中学校を卒業して大学に入学する時とかは、課外はほとんど必須である。

北朝鮮では、初級中学校3年を終えて高級中学校へ進学する中で運命が分かれる。1中学校とか外国語学院、芸術学院のような人材養成学校へ行くのかどうかが決定されるからである。芸術学院の場合は、小学校を終えて直ちに行くこともある。

平壌には平壌1中学校、彰徳学校、牡丹峰1中学校、東平壌1中学校まで1中学校が4校あり、各道には道庁所在地の名称を帯びた1中学校が1校ずつある。外国語学院は、平壌と道庁所在地ごとに1校ずつある。平壌には平壌外国語学院と呼ばれる中央級の外国語学院と、統一通りの市外国語学院がある。芸術学院も、やはり道ごとに1校ずつくらいある。このような1中学校とか外国語学院のような所を卒業して初めて、金日成大や金策工大、外国語大学のような平壌の一流の中心的な大学に推薦を受けて行くことが出来る。

北朝鮮は、大学の定員が高級中学校の学生数の15～20％に過ぎない。進学率が80％に肉薄する韓国に比べれば、空の星を取るがごとしである。加えて、大学試験圏が外国語学院と芸術学院、1中学校などに集中してみると、一般の高級中学校を卒業して大学に進学するのは、ほとんど不可能である。もちろん、進学が「禁止」されているのではないけれども、推薦入学の確率が非常に低く、一般住民は夢にも見ない。実際に金日成大の入学は、地方の1つの郡に1名くらいしか割り振られない。

平壌も事情は同様なので、一般の高級中学校を卒業した生徒が金日成大に推薦を受けて行く場合は、1区域に2～3名くらいである。それこそ、空の星を取るのである。その他の中央にある大学に行こうとしても、一般の高級中学校卒業では足元にも及ばない。それだから、初級中学校の段階で課外をやらせても英才学校に送ろうとする保護者の競争が熾烈である。

英才教育も、水準が異なる。1中学校を卒業して大学に行けば、人文系に入るのが難しく、大部分は自然系に入学する。北朝鮮は人文系と自然系を選好する差異が大きいので、どうせならば人文系に送ろうとするが、人文系入学生の80％以上は除隊軍人である。それに応じて外国語学院に送れば、金日成大の外文学部とか平壌外国語大学に入れるが、ひどく門が狭くて、それ相応の自信感が無ければ、この道を選択するのは容易ではない。芸術系統の大学も似通っている。そういうわけなので、大多数の課外がこれに合わせて無難な1中学校の進学に焦点を合わせる。課外の先生は、有り余っている。現職の教員であれ退職した教員であれ、分かつことなく襲い掛かる。

課外の基本科目は、数学である。1中学校の合格に数学が決定的だからである。1中学校の入学試験で数学は、他の科目と異なって3次まで行うが、満点も他科目の2倍の100点である。保護者は、優秀な数学の教師がいる学校の校長に裏金を出し、そこに子女を送り入れて、数学小組（グループ）活動をやらせる。それだけでも足りずに、学校の他に課外教師を探す。

この数学小組は、平壌だけではなく北朝鮮のほとんど全ての小中学校にある。もちろん、実力が優れた子どもは、無料で入って勉強できる。無料と言っても、小組の教員にいろいろな「挨拶謝礼」をするのが、やはり必須である。当然に実力が不足すれば、挨拶謝礼以上の「事業」が必須である。

高級中学校を卒業して大学に進学する中で、子どもの運命はもう一度、分かれ道に立つことになる。この時の課外は、様相が大きく異なる。初級中学校を卒業して1中学校に入学すれば、大学進学は容易になる。着実に勉強して実力を積めば、特別に課外を受けなくても、金日成大のような一流大学にどれだけでも行ける。それほど1中学校の教育課程は、水準が高い。ところが、無理に入学して実力がついていけない場合とか、一般の高級中学校を卒業した場合とかは、非常に異なる。彼らは、高級中学校のほとんど全期間、または大学入学の1年前から集中的に課外を受ける。

この時、課外の教師として最も好まれ選ばれる対象は、中央にある大学の教員とか博士院生（研究生）である。出来ることならば、独身を好んで選ぶ。これも誰でも出来ることではなく、大学期間の基礎知識をしっかりと確認した教員だけが採用される。保護者が教員の実力を問い質して選ぶのである。このような課外の稼ぎを北朝鮮でも「アルバイト」という。平壌の中心的な大学で修士課程まで終えた人であれば、誰でもこのようなアルバイト経歴を一度くらいは持っている。当局の統制が強化されているけれども、ほんの一時であるばかりだ。どのようにしてでも子どもを良い大学に入学させようという保護者たちの熱望を妨げることは出来ないのである。取り締まるという幹部からしてが、子どものための個人課外教師を積極的に物色している。

課外の費用は科目数、課外を受ける対象の水準と条件により多様だが、科目当たり1ヵ月に20ドル以上は基本であり、普通は50ドル程度である。

幹部の家の子どもが好んで選ぶ原子力131指導局

金日成大と金策工大のような一流の中央にある大学で、在学生の半分くらいは除隊軍人の出身である。北朝鮮の131指導局は、軍需工業部に所属する原子力（核）開発機関であると同時に、関連対象に対する保衛と監視を引き受ける、最高指導者に直属する秘密機関である。この軍部隊だけは、服務期間が6年と短く、入党も他の部隊よりも容易である。軍服務期間に放射能と近くで接するので、健康状態が悪くなることを勘案した補償次元であると見れば良い。もちろん、原子炉と遠く離れた指揮部の建物警備だとか後方補給とかを引き受けた部隊は、幹部の家の子どもというお陰である。彼らは、ここで短い軍服務を終えて大学に進学する。

一般の軍部隊に行けば、軍服務を10年ずつやって除隊するので、中学時節の基礎知識が残っているのは難しい。それで、彼らも大学に行く前に課外を受ける。本当に力のある幹部の家の子どもは除隊2〜3年前から、1年に数ヵ月ずつ家に帰って来ているうちに課外を受ける。事情が許さない人たちは、除隊1〜2ヵ月前からでも課外を受けるのが必須である。そうでなければ事実上、大学合格がほとんど不可能である。

北朝鮮の大学入学地域割当制は、徹底している。また、中央にある大学の入学人員が1,000名であれば、ちょうど2倍に当たる2,000名に受験資格を与える。そうであるから、大学推薦がそのまま入学なのではない。大学入学は、やはり北朝鮮でも容易ではない。

最近になって平壌に専門科目の個人教師が急激に増えた。入学を準備する除隊軍人のためのもので、金さん父子の歴史から始まって数学、物理、化学、英語、歴史、地理など無い科目が無い。個人教師の大部分は、中学校または師範大学で該当科目を教えていた教員で、1科目だけ集中的に教える。勉強する時間がいくらも残っていない受験生は、このような教師を選択する。

大学入学試験が1〜2ヵ月先に迫って来れば、科目別の曜日を定めて、該当教師を訪ねて行く。この時は課外費が相対的に安く、1ヵ月に10〜20ドル程度である。もちろん、大学入学試験に出て来る7科目を全て受けようとすれば、1ヵ月に100ドル以上が要る。課外を受けなければ、大学入学は夢に過ぎないので、どうしようもない仕儀である。

類型と関係なしに、大学入学の課外を行う教師のほとんど全てが、整然とした自分なりの「課程案」を持っている。もちろん、「既出問題」と「出題予想問題」の資料は基本である。彼らの電話番号は公開されていて、電話1本すれば契約が成立する。カネが少しあり、習おうという熱望さえあれば、勉強できる条件は充分だと見ても良い。

一部の大学生も課外を受ける。課外の科目は大体、英語とか中国語のような外国語だが、短期間に実力を高めるのが目的で、この時は専門外国語教育を受けた教師の助けを受ける。金正恩政権以後、課外の雰囲気が変わったのだが、ひとつは外国語ブームが大きく起きたことであり、もう1つは医大の人気が突然に高まったことである。

大学を卒業して幹部となるのを好んで選んでいた北朝鮮で、医師の位置は封建身分制と同様に「両班の次の中人」程度であった[23)]。権力も無く、無償医療制に奉仕するので、賄賂を多く受け取ることも無かったからである。けれども最近、子女を医師へ育てようという幹部が増えている。金日成大付設大学になった平壌医学大学は、金日成大のそれなりに好まれる学部に劣らず人気が高い。

北朝鮮の保護者も、悟り始めている。のちに北朝鮮が崩壊しても、外国語を話せれば生き残れるということを分かっているのである。北朝鮮ではなく他の国では、医師が人気のある職種中の1つだということも、よく知っている。付け加えれば、北朝鮮で医師は粛清されることもほとんど無い。

大学入試、国語を除いて歴史と地理を新たに入れて

北朝鮮の大学入学試験は革命歴史、歴史、地理、英語、数学、物理、化学と全てで7科目である。私が大学入学試験を受けた1990年代には革命歴史、国語、英語、数学、物理、化学の6科目であったが、金正恩体制が成立した後に国語が除かれ、代わりに歴史と地理が入った。大学入試科目が変わったのと関連した記事を見た記憶が無いので、依然として韓国には知られていない情報である。

大学入学のために国英数に集中する韓国の生徒には、意外なことであろう。私が見ても、そうである。国語が除かれ、歴史と地理が入ったのは、さらに意外である。

韓国に来た脱北者は、歴史分野に最も弱い。過去の北朝鮮では、韓国の初等学校5～6年の年に朝鮮の歴史と世界史を1年ずつ習った。そうしてこそ、1週間に45分授業が1回なので、古朝鮮から現代に至る朝鮮

史を30～40時間に全て習う計算であった。それほど封建王朝の歴史は知る必要も無いと言いながら、反外勢闘争とか農民蜂起などに焦点を当てた。今も北朝鮮住民の大多数は世宗（セジョン）大王くらい知っているものの、他の王の名前は全く知らない。地理も短く習った。加えて、幼い時に習ったことなので当然、大部分は直ぐに忘れた。

ところで、いま国語が除かれ、歴史と地理が入ったというので突然、珍奇な考えが浮かぶ。おそらく金正恩が歴史と地理を知らない北朝鮮住民ゆえに、怒ったことがあったのだろうと推測する。

大学入学試験で歴史と地理の問題は15問くらい出るが、このうち12問くらいは北朝鮮の歴史と地理、3問くらいは世界史と地理である。最近になって世界史の問題として、十字軍の遠征と欧州のガルフストリーム（Gulfstream）が出題されたという話を聞いた。

革命歴史は金日成革命歴史、金正日革命歴史、金正恩革命歴史、金正淑（キムジョンスク）革命歴史まで全て合わせて1科目として行う。中学校の時間表を見れば、革命歴史の科目が歴史や地理に比べて最小10倍以上も多いが、大学入学試験では同じ点数として配定される。おそらく、この頃の北朝鮮の中学生は、金さん一家の歴史勉強を以前のように熱心にはしないのであろう。

英語、数学、物理、化学などは韓国と似通っているので、さらに説明する必要は無いと思える。ただし、北朝鮮の数学、物理、化学など基礎科目の実力は、韓国に比べて相当に高いのが特徴である。私も、やはり韓国に来た初年に大学入試の試験問題を見て、水準が低いと感じた。

北朝鮮の大学入学試験では体育も評価するが、当落には大きな影響が無い。

腐敗ゆえに生まれた「自動採点体系」

人生がかかった大学入学試験なので、腐敗も継続して起こっている。北朝鮮当局は、これを防ぐために、システムを継続して変えている最中である。

北朝鮮は、伝統的に大学入学試験を主観式で行ってきた。試験問題の数十問が記入された紙を分かち与え、そこに答えを書き込む方式で進行させたのである。そうして見たところ、採点者が介入して点数を操作する余地が多かった。1990年からは各大学で自ら点数を出していた方式を廃止し、大学同士で試験紙を交換して採点するシステムが導入された。もちろん、どの大学の試験紙がどの大学へ行くのかは、極秘事項である。それでも、依然として不正から抜け出せなかった。

2015年に入って、自動採点システムを導入した。この試験は徹底的に客観式で、受験生が直接コンピューターの前に座り、答えを押して試験を行う。試験が終われば、モニターに直ちに点数が点く。金日成大のように数千名が受験する大きな大学では、全ての学生が講堂に集まり、試験を行う。数千名がモニターを前に置いて、試験を受ける場面は壮観である。

このようになれば、不正が介入する余地が大きく減る。地方の学生が平壌に行って試験を受ける必要も無い。各道庁所在地にある電子図書館に座り、国家情報通信網で試験を受ければ良いからである。試験を受けていて停電になる事態を防ぐために、各コンピューターに別途の電気供給体系を取り付けている。

試験と採点そのものの公正性と別個に、北朝鮮の大学入学試験で出身成分は依然として影響力を行使する。党で特別に配慮しなければならない対象は、点数が低くても大学に行く。

北朝鮮では中学校卒業生のうち、大学に行く人員が15～20％程度にしかならない。試験がありのままに執り行われれば、人材を正しく選抜する可能性が高くなる。韓国で客観式試験を執り行うのを見ながら、主観式の世代である私は「あのように押しボタン機械で育てれば、学生の思考がどうして発達できるのだろうか？」という思いがした。「自由に想像の翼を広げられる主観式の教育方式が遥かに優れている」と思った。ところが、今や北朝鮮にも押しボタン世代が誕生したのである。

公正性を担保するには客観式に従って行く外ないが、学生の創意力を育てるところには主観式に比べるべくもないと信じる。公正性も重要で、創意力を育てるのも重要である。学者であれば創意力を育てるのが優先だと主張するだろうが、管理者であれば後腐れの無いことが最優先であろう。押しボタン教育を選択してしまった北朝鮮の入試制度を見れば、哀惜の念を禁じ得ない。

無償医療体系と資本主義の医者

北朝鮮の無償医療体系は無料教育制度、無税金制度と共に社会主義の施策をなす支柱である。1990年代の社会主義供給体系が事実上は倒壊する中、このような無償医療体系も一緒に崩壊した。もちろん、平壌を訪問した韓国人とか外国人がケガをしたり病気になったりすれば、ちゃんと治療を受けられる。このような経験をもとに、北朝鮮の医療体系を称賛する人もいるけれども、一般的な北朝鮮住民に適用される医療体系は、外国人が経験するのとは全く異なる。無料教育制度と同様に、名目上でだけ残っている北朝鮮の無償医療体系について調べてみる。

人口400名当たり医師1名

北朝鮮の「無償治療制」は、1953年1月から実施された。その後、自体の発展を繰り返しながら、1980年代に至って無償治療制、医師担当区域制、予防医学を核心とする全般的医療保障制度が完成した。このうち医師担当区域制は、医師が一定地域住民の健康を担当し、責任を負う形態である。医師は、病院を訪ねて来る患者だけではなく、自分の担当区域内にいる住民を対象として、家庭を直接に訪ねて行って検診し、疾病予防対策を立て、予防接種を行う等、医療サービスを提供する制度である。

ソ連と東欧の社会主義国家が残っており、北朝鮮式の計画経済がそのようなまま維持されていた1980年代までは、北朝鮮の医療体系は充分に良い水準であった。北朝鮮の憲法に全ての住民は「無償で治療を受ける権利と労働能力喪失の場合は物質的幇助を受ける権利を持ち（中略）、これは無償治療制により保障される」という文句があるほど、無償治療制は北朝鮮が打ち出して自慢していた社会主義の施策であった。

北朝鮮には首都の平壌に最高の医学大学である平壌医学大学があり、やはり各道にも医学大学を1つずつ持っている。そして、金亨稷軍医大学のように軍医官を専門に養成する軍部の大学もある。やはり道別に医学専門学校が1～2校ずつあって、医学専門学校と道ごとに1～2校ずつある保健幹部学校で看護員を養成する。年ごとに医師の数千名が新たに養成される計算である。現在は北朝鮮に医師の資格者が5万名以上いると言い、北朝鮮の人口を勘案すれば、医師の比率は400名当たり1名弱である。韓国の500名当たり1名よりも高い。この医師たちが北朝鮮の医療体系を維持してきた。

しかし、1990年代に入ってから事情が違ってきた。国家の配給体系の崩壊と共に、薬品と医療設備の供給はもちろん、医師の生存のための配給と生活費の供給が中断されたのである。医療体系は、それ以上もう正常に維持できなかった。国家が負担する医療保障制度は作動を止め、今も北朝鮮住民の大多数は無償治療制の実際の恵沢を受けられないでいる。北朝鮮の新聞、放送に無償治療制の恵沢により病を完治したという事例がしばしば載せられるけれども、実際に紹介されたその数十名の事例が全部である。

北朝鮮の病院の第一に大きな問題は、薬が無いということである。劣悪な装備も問題だが、病院に行っても薬が無いので、結局チャンマダンで必要な薬を調達しなければならない。医師は診断だけ下してやってカネを受け取り、薬を別に買わなければならないから、北朝鮮の医療体系は事実上、有料である他の国家と異なるところが無い。特に、韓国のように健康保険があるわけでもないから、実質的な負担は更に大きいと言える。

金日成の政策に反旗を翻した平壌の医大生

「予防治療制」は、北朝鮮の医療体系で核心となる大黒柱の1つである。1966年10月、金日成が「社会主義の医学は予防医学である」という題目の文献を発表した後、北朝鮮はこれを社会主義医学の本質と規定した。これは、医大生にとって「必須の教育教養」でもある。

予防医学は、言葉そのままに人が病にかからないようにすることを目的として、生命と健康に否定的な影響を与える因子を予め無くしたり防いだりするものである。目的は正しいと見ることが出来る。しかし、この理論を余りに強調して見ると、むしろ治療技術の進歩を妨げる逆効果をもたらした。

平壌の医大生は、予防医学によっては発展が無いと公々然に述べる。もちろん、病気にならないように予防すれば良い。しかし、人の力で全ての病を予測し、予防することは出来ない。「医学は治療医学になって初めて、さらに高い難度の疾病に対する挑戦力が生まれ、それを治療して行く過程を通じて発展するようになる」というのが彼らの考えである。歴史を紐解いて見ても「医療技術と名薬の大部分は、人の命が左右される戦争を同伴しつつ誕生した」というのが彼らの論理である。彼らは「我々のように継続して予防医学のみ叫べば、本当の医療技術の進歩をもたらせない」と主張する。金日成が打ち出した政策に現場の医大生が反旗を翻したのである。これを意識したのか、北朝鮮当局も「予防医学が社会主義医学の本質」だという言葉を以前のように叫びはしない。

北朝鮮には数多くの衛生防疫所と衛生防疫機関があるが、原始的な伝染病が最も多く残っている国のうちの1つが北朝鮮である。予防医学制度の虚像を赤裸々に示してくれているのである。1990年代の中盤、北朝鮮の各地域にコレラ、発疹チフス、パラチフス、腸チフスなど伝染病が発生して、数年間も非常事態に陥ったりもした。臨床治療と予防能力の低下、栄養状態の悪化などに伴う感染の増加、上下水道の汚染と衛生体系の崩壊がもたらした必然であった。各種のチフスと関連しては、2000年代末まで伝染病患者が続出した。チフスは高熱と脱水を同伴しながら数日ずつ患うのだが、2回だけ患えば幹部事業もしないという言葉が生まれるほどであった。チフスにかかって苦しんで見ると、人が異常になるという意味である。現在はこのような伝染病がほとんど発生しない。けれども、依然として結核や肝炎のような慢性疾患者の比率は減らないでおり、世界的にも高い発病率を見せている。

昨年（2017年）は、共同警備区域（JSA）を通じて帰順した北朝鮮軍兵士の腹から寄生虫が発見されたことが、大きなイシューであった。

2015年に檀国大学校医科大学の金錫培（音訳）教授が『大韓内科学会誌』に発表した論文によれば、脱北者たちの寄生虫感染率は41.18％と明らかになった。脱北者の大多数は、中国を経てやって来る中、寄生虫の駆除薬を飲んだ状態なので、これも正確な数値と言えない。実に寄生虫は、北朝鮮に蔓延した状態である。どれほど予防医学を騒ぎ立て、衛生防疫を強化すると言っても、寄生虫の感染さえまともに防げないのが北朝鮮医療の現実である。

無償治療制の崩壊と医師の実力向上

1990年代に北朝鮮が経験した苦難の行軍により、既存の北朝鮮の社会主義医療システムは崩壊してしまった。ところが、意外にも北朝鮮の医師の間で、実力を育てるため熱心に努力する現象が現れた。

以前には治療を立派にしても出来なくても、解雇ということを知らなかった。また、患者の百名を診ても10名を診ても、自分が受け取る配給と月給がほとんど同じだったが、今は事情が異なってしまった。自ら医術を高め、特技を持たなければ、患者が訪ねて来ないようになったのである。治療する時ごとに医師に賄賂を渡さなければならない患者としては、敢えて実力の無い医師に病気を見せる必要が無くなった。反面、医師は患者を多く診てこそ、家庭内が立派に暮らせるようになった。

このような雰囲気に乗って発展した1990年代以後の北朝鮮の医術は、それほど能力の無い方ではない。薬と医療設備の不足は依然として問題であるけれども、医師個人の実力だけは認定しなければならない。どうかすれば、無償治療制の崩壊が本当の医師を作り出す足掛かりになったのかも知れない。

北朝鮮と交流が活発であった2007年、平壌に行って来た韓国の医師たちは、次のように述べていた。

「北朝鮮の病院がこんな風だとは。我々の1980年代の水準のようだ。本当にこんなに劣悪だとは知らなかった。どこから手を付けねばならないか分からない。」

ところで、彼らが見て回った病院は、正に北朝鮮を代表する３大病院である平壌赤十字病院、平壌医学大学病院、金万有(キムマニュ)病院であった。北朝鮮が誇らしく見せてやった病院の実態がこの程度なので、他の病院は更に述べることもない。地方の病院は、消毒条件とか電力条件がまともに保障されておらず、簡単な手術さえも不可能な所が多い。

金正恩のハンが埋もれた乳腺腫瘍研究所[24)]

それから10年が過ぎた今も、北朝鮮の病院の全般的な状況は、大きく改善されていない。ただし、特権層のための病院は、目について増えた。北朝鮮が最近になって弘報した人民軍総合病院である大城山総合病院と玉流児童病院、平壌産院乳腺腫瘍研究所のような所は、設備もなかなか良く、入院室も問題の無い水準級である。

外国人の参観時に常連のコースになっている乳腺腫瘍研究所は、特に北朝鮮が多くのカネを注ぎ込んで建てたものである。この研究所を建てることになったのには、理由がある。金正恩の生母である高容姫が乳腺癌で死亡したからである。当時の北朝鮮の病院には乳腺癌を治療できる設備と専門医師が不足して、高容姫はフランスをはじめとした外国の病院を回りながら治療を受ける外なかった。しまいには完治できず、これがいつまでも長く胸に引っ掛かった金正恩の指示により、乳腺腫瘍研究所が設立された。

ここは誰でも入院治療を受けられるわけではないが、その分だけ名目上は無償治療制があって、平壌の女性であれば誰でも検診くらいは受けられる。この他にも中央党幹部が対象である烽火診療所、省と中央機関の部長以上の幹部と教授、博士以上の学者が診療を受けられる南山病院なども、かなり良い医療設備とサービスを備えている。ごく少数の特権階層のための奉仕だけは医療体系においても、どのようにしても維持されているのである。

一般の病院と治療所は、注射器とリンゲル液まで再消毒して使用する有様である。北朝鮮は数年前から中国と合作（協力）して１回用の注射器を自ら生産しているが、供給量が少なく、患者は個人として注射器を準備して行かなければならない。平壌市民は、インフルエンザに掛かったり、その他の重篤な症状が現れたりすれば、普通はペニシリン注射を打ってもらう。洞内に医院があればそこに行き、無ければ洞の診療所へ行く。もちろん、この時に薬と1回用の注射器を購入して持って行く。

大多数の病院が、X線とか超音波診断設備のような初歩的な診断体系も備えられないでいる。北朝鮮の病院の医師は、依然として聴診器で診断を下す。

病院の入院室は、さらに心細い。警報体系と災難防止体系が備わっていないのはもちろんであり、冬の暖房と夏の冷房が出来ておらず、それなりに病んでいなくては入院する考えさえ浮かばない。入院をする場合、薬はもちろん友達から食べ物まで自ら調達しなければならないから、なおさら思い至らない。

北朝鮮の病院に行けば、医師や看護員が胸に付けている姓名票に職位、名前と共に「精誠」の二語が書かれている。「医師たちの精誠が名薬である」という金正日の名言も、全ての病院に額縁で掛かっている。「医術は仁術」という高麗医学の伝統が反映されたものだと推測する[25)]。

北朝鮮の病院で「精誠運動」が始められたのは、既に数十年前である。1960年11月13日、咸鏡道の興南肥料工場病院に3度の火傷を被った少年が運ばれて来た。全身の48%に内部の肉が現れる程度に甚だしい火傷であった。当時の医学技術によっては到底、治療が不可能に思えた。この時、病院の医療人とこの病院に実習に出て来ていた咸興医学大学の学生17名が自分の皮膚を剥がし出して移植してやることにより、少年を奇跡的に蘇生させた。

この事実は1961年2月、当時の民主青年同盟の機関誌である『民主青年』に載って広く知られることになった。この報告を受けた金日成は「これは、社会主義社会にだけあり得る美しい素行」だと言いつつ、高い称賛と共に「医療部門で患者のためであれば、自分の肉も骨も分かち合ってやる極限の精誠を発揮しなければならない」と強調した。そして、同年2月13日に興南肥料工場病院と咸興医科大学に称賛の手紙を送り、「精誠運動」を公論化させた。2.8ビナロン工場の操業式に参加した金日成が[26)]、この時に九死に一生を得て生き返った少年を抱いて撮った写真は、今も報道されている。なんにしても、この時から保健部門の「精誠運動」が大衆的次元で展開された。

精誠運動は「人を最も貴重に見なす主体思想の崇高な発現」として「医学理論や技術手段、薬が治療の成果を左右するのではなく、保健従事者の思想・精神的風貌の集中的表現である精誠が決定的役割を果たす」というが核心である。「鶏卵にも思想を詰めれば、岩を砕くことが出来る」という北朝鮮式の思想第一論のまた異なる複製版なのである。

このような「精誠運動」が今は「カネ稼ぎ運動」、正確には「生きるための運動」へ大化けしてしまった。

最も選好される臨床学部、基礎医学部

北朝鮮で医師という職業は、幹部より劣るけれども、平均以上に好まれ選ばれる職業であることは明らかである。前述したように、最近になっては更に選好されている。そう思うと、大学の推薦時にも平壌医学大学と道級の医学大学は、金日成大のような中央にある大学と競い合うほどに人気が高い。地方の医大を卒業すれば、該当の道病院や大学病院に配置されるのを最高と見なす。

北朝鮮の医大でも、好んで選ぶ科とそうでない科がある。平壌医学大学で第一に選好される学部は臨床学部であり、その次が基礎医学部、口腔学部、高麗医学部の順である。医大の臨床学部と基礎医学部の修士課程まで終えた卒業生のうち、一部は中央級の病院に配置され、その他は市級の病院とか区域の病院に配置される。中央級の病院の中でも烽火診療所や南山病院のような特殊医療機関は、最も羨望される対象である。

反面、薬学部とか衛生学部のような科は「推薦を受けたから仕方なく行く」という心情で入って行く。ある医大の卒業生は、初めから医師の進級そのものを放棄し、個人の医師を選択する。個人の医師は病院で働かず、地方を回りながら治療してやる医師を指す。もちろん、これは不

法である。けれども、地方の山の中に行けば、医師もおらずカネも無くて治療を放棄する住民が多いので、このような地域に薬を持って訪ねて行く個人の医師が結構になる。彼らは、治療の代価として食料を受け取り、この食料を市内に売る。巡回医師であるからだが、賄賂も受け取れない人気の無い科で働くよりは、それなりに食べて暮らすのが相当に良い。

北朝鮮で幹部になろうとすれば、6寸（またいとこ）まで身元調査を経なければならない。反面、医師は出身成分が悪く、背景が良くなくとも、大きく支障がない。それで、医大を志望する学生が隠然として多い。特に、医師は体制や制度がどのようになっても、技術で暮らしていけるという信念がある。これは、数十年前から存在して来た暗黙の信念である。6・25戦争（朝鮮戦争）の時、医師の必要性と重要性だけは南北を分かたなかった。子どもを医師に育てなければならないという認識には、このような経験も影響を及ぼしている。

医師が食べて暮らす方法

無償治療制が消えた北朝鮮で、医師はどのように食べて暮らすのだろうか。最も一般的な方式の数種類を紹介してみる。

まずは、治療報酬である。どんな患者を引き受けるかにより、報酬も異なる。報酬は、物品で受け取りもし、現金で受け取りもする。大物の幹部に会えば、運命が変わりもする。家の問題が解決し、子どもの大学推薦を受けて、親戚が進級も出来る。

中央党幹部の専用病院である烽火診療所のような所は、看護員になるだけでも権限が大変に大きい。北朝鮮では除隊軍人出身の党員に中央にある大学の卒業証を備えれば、幹部になる資格が充足される。ところで、ラインがなければ出世が容易でない。こんな時に烽火診療所の看護員を配偶者に得れば、大きく利得を得られる。妻が治療を担当した中央党幹部を動かして、夫を出世させられるからである。もちろん、夫がどこまで昇進できるのかは、自らが担当した中央党幹部をどのように、どれほど懐柔するかに掛かっている。

平壌市民の間では病院に行く時、タバコ1～2箱くらいは持って行くのが「道徳」である。前述したように、北朝鮮で最も多く通用する賄賂がタバコ1箱である。病院に行って簡単な検査を受けたり、注射1本を受けたりする時も、タバコ1箱くらいは医師や看護員に与えなければならない。医師や看護員もタバコを受け取るのに、何の躊躇いも無い。当然な治療の代価と考えているからである。

病院の級数や医師の水準に従って異なるけれども、平壌では歯科医師の収入が相当に良いという。歯を抜いたり矯正したりする時、入れ歯をする時、医師は材料費の名目で患者からカネを受け取る。入れ歯の場合、100ドル程度を受け取りもする。

最近では外国から技術を学んで来て、インプラント施術を行ってくれる医師も生まれたという。もちろん、施術の材料は患者が準備しなければならない。それで、カネの少しある人は、貿易商人に依頼して中国から良い材料を入れて来て、しっかりした歯を差し入れる。

その他、骨折手術のように特殊な材料が必要な全ての手術も、やはり患者が材料を直接だしたり材料費を負担したりしなければ、絶対に行われ得ない。現実がこうであるから、ドルを弄ぶには歯科が最も相応しい。もちろん、カネを稼ぐためには、発展した医術を錬磨しなければならないのは必須である。

平壌に居住する女性であれば、誰でも「最初の子ども」くらいは平壌産院で産む権利がある。2人目からは義務ではないので、この時から賄賂が行き来する。2010年代の初めに平壌産院で「無痛解産（分娩）法」というのを開発したと大きく騒いだことがある。この方法で今や女性が苦痛なしに子どもを産むことになったと宣伝しつつ、出産を奨励しもした。ところが、この方法は脊髄麻酔法を出産に導入したものに過ぎない。このように解産（分娩）した女性の相当数が脊髄の疾病を患ったり麻酔事故で死亡したりする中、この脊髄麻酔法は静かに跡形もなく消えた。

以後、帝王切開術が大きく増えた。自然分娩より苦痛が遥かに少ないと知られる中、手術が増えているのだが、平壌の女性はこの方法で分娩し、子どもを2名までは産めると知っている。公式には禁止された手術だが、1名以上を産む考えが無い平壌の新しい世代の夫婦は、分娩の苦痛を減らすために多く選択する趨勢である。

帝王切開方式で分娩しようとすれば、手術費が20ドルである。もちろん、非公式に渡されるカネである。任意に出来ない手術なので、医師は手術後、子宮外妊娠だとか骨盤が小さいとか口実を付けて、治療記録を残さなければならない。20ドルは、これに対する費用だと言える。産院に入院しても妊産婦の食事準備と医師に行う「挨拶謝礼」にカネが要る。普通は退院する時、医師に30ドル以上をこっそり渡す。このように医師は、出産女性1名に50ドルほどの収入を得る。一般労働者の家庭では、このような挨拶謝礼を初めから行わない場合もある。北朝鮮式に「腹を切り開け」というのである。外形上は無償治療制だから、患者がこのように出て来れば、医師は大人しくしている外はない。

平壌産院では分娩した産婦に毎日、ハチミツも一皿を提供する。これは、社会主義医療保健体系を宣伝する良い手段として利用されもする。そのお陰で平壌産院の医師は、ハチミツを抜き取れるようになった。医師たちが平壌赤十字病院とか金万有病院より平壌産院を一層このんで選ぶ理由のうちの1つである。

平壌赤十字病院には、名物が1つある。正にMRI検査装備である。2014年当時まで北朝鮮には、MRI検査装備を備えた病院が2ヵ所であった。1ヵ所は、金さん一家と最高位層の専用病院である烽火診療所であり、もう1ヵ所は正にこの平壌赤十字病院であった。以後、対北制裁が継続したので、MRI検査装備が更に増えなかったものと推定する。

MRI撮影を1回おこなうのには3,000ドル程度の賄賂が要る。北朝鮮では気絶するほどに高い価格である。数年前、北朝鮮で上将まで務めた前職の軍人が、肺癌の末期診断を受けた[27]。立派に暮らす家庭だからであろうか、家族は肺癌に高麗人参が良いという話を聞き、開城に行って1kgに50ドルもする人参を50kgも買って来て、煮詰めさえした。それでも病気が治る様子は無かった。その間に患者は、6ヵ月間にMRI撮影を4回おこない、総額1万2,000ドルを使った。装備を備えた病院が2ヵ所しか無いのに加え、需要者が多くて、いくら「バック」を使っても、いつ撮影するのか約束も無しに袖の下を出したのである。平壌で立派だという人も、MRI撮影を行おうと思えば、この程度のカネを使わなければならないから、一般住民は思いも寄らないのは当然である。平壌赤十字病院の医師がMRI撮影でどれほど多くの賄賂を受け取っているのかは、想像さえ出来ない。

薬商売も兼ねる医師

苦難の行軍の時期以後、医師が真っ先に始めた副業が、正に薬の販売である。依然として無償治療制なので、国連から支援した医薬品や北朝鮮内の製薬工場で生産した薬が、病院ごとに無料で供給されている。この薬は、患者に大部分は有料で販売される。医師から薬の処方を受け取った患者は、チャンマダンで薬を購入するよりは、それでも医師を通じるのが更に安全だと感じる。医師はこの時、こっそり抜き取った薬品を売りさばいて儲ける。もちろん、静かに上手く処理しなければならないのであって、問題になれば処罰を受ける。退職した医師も、家で洞内の医師という役割をしながら薬を売りさばく。

チャンマダンで薬の販売がなされる中、民間の医療市場が形成された。一部のトン主は製薬工場とか医療機関とかに投資を始め、各種の会社の看板を掲げて運営する個人薬局も平壌のあちこちに広くある。個人薬局で薬を売る人は、すべて医師の資格を備えている。

平壌にも個人の医師が少なくない。大部分が平壌で医師をやれない人たちである。地方の医科大学を卒業した医師資格者は、平壌居住の資格を得ていても、上手く望みが叶ってさえ、せいぜいで区域病院の医師程度であり、普通は診療所の医師職も得るのが難しい。

大学で実力を積んで、それなりに必要な期間の治療経験まであれば、家で個人の医師として始めても別に問題は無い。治療を上手に行うと人の口に噂が立てば、こっそりと幹部も訪ねて来る。そのようにしてラインを作って地位を占めれば、薬房も1つ取り揃えたりしながら食べて暮らす。個人の医師は、常連客に認定を受けようと不断に努力する。不法ではあるものの、摘発されて処罰を受ける場合も珍しい。

個人の医師が最も多く行う手術のうちの1つが、妊娠中絶手術である。北朝鮮では、妊娠中絶手術が禁止されている。以前には人知れずに訪ねて行き、タバコ数箱だけやれば手術を受けられたが、2018年に数十ドルへ費用が大きく跳び上がった。その理由は、次のようである。北朝鮮では2018年を「狂犬の年」と言い、子どもの出産を嫌がった。北朝鮮当局は「これは、敵どもが流言飛語を撒き散らした饒舌」と言いつつ出産を奨励したが、そうでなくても全てが不足した北朝鮮では、荒唐無稽の風説だとしても、悪いものは出来るだけ避けようとした。そうなるや否や、当局は妊娠中絶手術を行う医師を厳しく取り締まり始め、危険負担が大きくなった個人の医師は、手術費用を大きく引き上げる外なかった。

医薬品の無料供給がちゃんと出来る病院は、中央党幹部が主に利用する平壌赤十字病院と金万有病院、平壌医大病院くらいである。これら病院には、診療券の対象という特権階層が通う。診療券の対象は、省と中央機関の事務員以上、教育・科学機関の教員、研究士以上で、各級の病院で優先的に治療を受ける権利を持つ。階級によって治療の優先権を定めているのである。一般住民は、このような特権を絶対に持ち得ず、診療券の対象も特権に従って治療の水準が異なる。幹部と教員がどうして同じ治療を受けられるというのか。

カネさえあれば、治療券の対象でなくても水準の高い病院で最高の医師に治療を受けられる。もちろん、金さん一家と中央党の核心幹部だけが行ける烽火診療所は、カネがいくら多くても一般住民は行けない。

北朝鮮の医師の大部分は、外国への進出を希望している。1990年代以後、アフリカをはじめとした開発途上国へ派遣される医師たちが生まれ始めた。いちど派遣されれば、少なくとも10万ドル以上を稼いで来るという。紛争地域とかマラリアのような伝染病が広範囲に広まった地域に行き、生命の危険を被った事例もあるが、これほどの額数は北朝鮮で一生を通じて稼いでも集められない大金なので、誘惑を跳ね除けるのは難しい。

誰でも外国に派遣されるのではない。平壌医学大学のような最高水準の医学大学を卒業し、赤十字病院や金万有病院のような所で医療経験を豊富に積んだ医師だけが期待できる。特に、外国にある北朝鮮公館に担当医師として派遣されるのは、それこそ空の星を取るようなものである。こんなラクダが針の穴を通るような希望を捉まえて見ようという平壌の医師による努力は、今日も継続している。

「山蔘の英気が通じる人です」

偽薬は、北朝鮮の計画経済と医療体系の崩壊が誕生させた、本当に深刻な問題となる要素である。1990年代の中盤、北朝鮮経済が倒壊する中で製薬工場の大多数が門を閉めた。そうでなくとも伝染病が多く流行していた時なので、当然に薬剤もデタラメに不足していた。医師に薬草収集課題を与え、各級の病院が自ら薬草畑を掘り起こして薬を生産せよという臨時の方便を準備しもしたが、これでは足元にも及ばなかった。もちろん、薬草で治せる病気も、ほとんど無かった。

この時からアスピリンとか下剤のような常用薬はもちろん、ペニシリンとかマイシンのような抗生剤を不法に製造する偽薬剤師が出現した。薬品原料の代わりに、それほど人体に害が無い澱粉などを包んで薬として製造し、製薬工場に賄賂を包んで包装容器まで購入して、偽薬を流通させた。さらに進んで、彼らはアスピリン製造には酸味を出す氷酢酸を、腸チフス治療剤であるシントマイシン（syntomycin）製造には苦味を出す靴墨の原料を、解熱剤であるダイアゾル（diazole）やケミファの製造には甘味を出すサッカリンを混ぜる等、想像するのが難しい反人倫的な行為を行うに至った。

当然にこの偽薬を買って飲んだり調合されたりした人は病状に変わりが無く、甚だしい場合は副作用を起こして、2次治療を行わなければならない等、二重三重の苦痛を受けもした。この時期に工場からどうにか出て来る正品の薬も事実上、偽薬と異なるところが無かった。抗生剤の治療効果が余りにも無くて、北朝鮮当局が注射薬を分析したことがあるのだが、ペニシリンやマイシンの場合は成分の含量が正量の10分の1にしかならなかった。結局、北朝鮮住民は国内産の薬を信じられず、中国から輸入した薬を買って服用し始めたが、それさえも偽物が多かった。最近までもこのような偽薬が流通しており、北朝鮮住民の不信は大きい。

熊胆、山蔘、鹿香のような漢薬剤まで偽物が作られた。偽の補薬に騙されて、ひどい目に遭った平壌市民も多い。「犬蔘」という草の根が山蔘に化けて、根2本に25ドルほどで売られて出たりもした。このように詐欺を働こうとすれば、「話の効力」が優れていなければならない。例えば、次のようなやり方である。

詐欺犯は田舎の女性のように装って「私は、慈江道のある山里に暮らすのですが、平壌の大学に通う息子の卒業ゆえに上って来ました」という風に自己紹介をする。そして「すでに何個も幹部に挨拶謝礼で差し上げ、これは売って交通費を準備しなければならないので、助けてやると思って買って下さい」と言う。購買者が躊躇すれば、もう少し更に入って行く。「100ドル以上のものをこのように柔らかに（値が安く）売るのは、蔘は英気があり、誰彼の別なく売ってはならないのですが、こちらの観想をして見ると、山蔘の英気が通じる人のようだからです。」

ソウルでよく接することの出来る「道をご存知ですか？」[28)]と似通った詐欺が1度や2度ではない。偽の草根は少なくとも人体に害を与えないけれども、偽の抗生剤は本当に深刻な問題である。この頃は北朝鮮当局の統制が強化されたという。統制と言ってみても、刑期を非常に長く下すのが全部であるけれども。

偽薬を売って名医と噂になった医師

「家で水が漏れる瓢、野に出て漏れないのか（決定的な欠点のある人は、どこに出てもその欠点が出るという意味）」という言葉があるように、こんな偽薬の世の中に暮らしていた北朝鮮の医師が海外へ出て行き、偽の医薬品を売る出来事も1度や2度ではない。2年前にタンザニアでは、北朝鮮の病院2ヵ所が偽の医薬品処方などの理由で廃止、閉鎖されもした。

カネを稼ぐため海外に出て行った北朝鮮の医師が、偽薬の販売という思いがけない金儲けの機会を取り逃がすはずは全く無い。北朝鮮には、アフリカの某国家に派遣されて、わずか1年だけで10万ドルを稼いだ医師の話が広く知れ渡っている。彼の「非法」は、何ということでもなかった。彼は、出国当時に北朝鮮で生産されたいろいろな薬品を持って行った。特に「牛黄清心丸」をたくさん持って行った。この薬は元来、牛黄と長芋、人蔘、甘草、麝香、龍脳など数十種類の薬草を複合して作った東薬（漢方薬）で、脳卒中の後遺症などに使われる。噂になって薬が少し売れ始めるや否や、供給が不足するようになった。腹黒い心を抱いた彼は、自分の薬学知識を利用し、偽薬を製造し始めた。牛黄清心丸の代わりに東海清心丸というのを作った。アスピリンと澱粉、その他の香料を混ぜて作ったのだが、脳血管の疾病はもちろん風邪のような季節性の疾病とアレルギー性の疾病にも特効のある万病統治薬だと大々的に広告した。こんなやり方で他の薬まで作り、「偽薬に混ぜた新薬の成分」によって処方をしてやった。新薬が入っていたので病気の治療効果があったであろうし、安慰剤（プラシーボ）効果まで加わって、その医師は僅かの間に名医として噂になった。お陰で（?）高麗薬に対する評判まで良くなったりもした。

外国に出て行った北朝鮮の医師は、大概このような方法を用いる。現地の法律に引っ掛かっても、どうせ北朝鮮へ追放されれば良いだけなので、現地滞留期間が定められている医師は、こんな仕事あんな仕事という心情で詐欺を働くのである。

幸いに北朝鮮の薬市場は、さらに悪くはならず、徐々に本来の姿を取り戻して行っている途中だという。

いま北朝鮮にも大城山総合病院、玉柳児童病院、柳京眼科総合病院、高麗医学予防院など大型化・現代化した病院が新たに生まれ出ている。

まだ利用が円滑ではないけれども、遠隔医療と類似した「遠距離医療奉仕体系」というのも開発された。これと共に、医療サービス電算化に対する国家的関心も高くなっているという。

精誠製薬工場、保健酸素工場など製薬工場と医療器具工場も漸次に復旧しており、注射器やリンゲルのような単純医療器具、ペニシリンとマイシンのような1世代抗生剤の生産は、ある程度は活性化した。ペニシリン200万単位の1筒が北朝鮮のカネ1,000ウォン程度で売られるほどに値段が下がり、ほとんどどこででも購入できる。平壌と地方の所々に個人が投資した薬の販売店が生まれたのも、このような変化の一環であろう。今は北朝鮮も、事実上「有償治療制」国家となった。

事実、地球上には社会主義国家ではなくても無償治療制を実施する国々が少なくなく、韓国の医療福祉システム水準は北朝鮮に比べようもなく高い。北朝鮮の事例は結局、経済力が伴って行けない無償治療制は存在できないということを如実に示してくれている。

第3章
愛と欲望の都市、平壌

恋愛と結婚の話

結婚は、その社会の文化全般を見せてくれる縮小版である。北朝鮮の恋愛と結婚の文化を見れば、その社会が分かる。境地が似通った家の子女同士が結婚をするのは北朝鮮も同様であり、結婚で人生を変えようという人間の欲望も、やはり南北が異ならない。
この頃、平壌の結婚式は韓国を追いかけて行くのが大勢である。専門「扮装師」を呼ぶのに200ドル以上を使い、専門「撮影家」も雇用する。特に、有名俳優に100ドル以上を与えて結婚式の司会をさせるのは流行になった。結婚式にしばしば招請を受ける俳優は、「ドラマー」とかピアノ演奏者がいる「小規模楽団」まで帯同する。北朝鮮の恋愛観と結婚の風習について調べてみる。

結婚の相手、カササギはカササギ同士

「北朝鮮は恋愛で結婚しますか、仲立ちで結婚しますか？」

韓国に来て多く聞いた質問である。それほど北朝鮮は、よく分からないという意味である。人が暮らす世の中は、みんな全く同じである。北朝鮮にも恋愛結婚と仲立ち結婚がある。正確な統計資料は無いが、多くの証言を総合して見れば、80％以上の青春の男女が仲立ち結婚をする。この頃は性が開放される中、恋愛する相手が他にあり、結婚する相手は別にあるという話も広がっている。

仲立ちは主に親戚、兄弟、友達が中に立ってくれる。年が満ちて、よく合う相手がいると見なされれば、仲立ちをする。北朝鮮では「家庭経歴（家庭環境、背景）」と「土台（出身成分）」が「発展（成功）」に重要な作用をするのに応じて仲立人は、結婚当事者はもちろん、その家庭環境まで調べる。知らなかった事実が結婚後に知られて、良くない出来事が発生する場合、仲立人もある程度は責任を負わなければならない。「仲立ちは立派にやれば酒3杯、やれなければ頬打ち3発」という言葉

が、北朝鮮にもある。

仲立ちを多くやれば、自らの福が出て行くという風説もある。それで、若者よりは中年以上の年を取った女性が普通は仲立人として立つ。結婚以後に家庭生活が円満であれば、夫婦と仲立人とは生涯を親戚のように過ごす。

恋愛結婚が多くなる趨勢だとは言え、家庭内の差異がある縁の場合、結婚まで繋がる恋愛は見かけるのが難しい。北朝鮮には「カササギはカササギ同士で暮らす」という言葉がある。結婚はもちろんであり、恋愛も環境が似通った男女同士がする場合が多い。韓国と全く同じである。

「糟糠之妻は絶対に捨てません」

女性は25歳、男性は30歳を越えれば、婚期を超えたと見なす。私が北朝鮮に暮らしている時にも、女性の年25歳であれば嫁に行けという督促が甚だしく、27歳になれば結婚を放棄した老処女と見なした。この頃は北朝鮮でも結婚を遅くする趨勢であるが、それでも女性は23～26歳、男性は27～30歳を結婚適齢期と見る。この年が過ぎれば、なぜ嫁を取らなかったのか、なぜ嫁に行かなかったのかと言いながら、周囲からうるさく苦しめる。

男性は軍から除隊すれば、27歳を越える。10年間も田舎で女性にほとんど会えずに過ごして、除隊して家に帰れば、父母がまず嫁から取れとうるさくせがむ。北朝鮮では「軍からちょうど除隊したばかりのチョンガー（鍾閣：独り者）の目には、どんな未婚女性でも全て可愛らしく見える」という言葉がある。それで、この時期に「何も分からないで嫁を取った」と言いつつ、一生を後悔して暮らす人も少なくない。

軍の除隊後に大学推薦でも受けることになれば、父母が年老いて世話を見てやれる状況が実現できない場合、嫁を取って妻の実家の恩恵を被ろうという男性も多い。大学を卒業しようとすれば、家1棟を売っても充分ではないカネが要るからである。もちろん、妻の実家の恩恵により大学に通うのが容易なことではない。持つものが無い大学生の夫・娘婿を得れば、妻とその実家で大学4年を背後から支えて世話しなければならないから、「除隊軍人に党員」という良い条件を持ったとしても、さっき入学したばかりの大学生を快く夫・娘婿として選択するのが容易ではないのである。

そうだとすると、除隊軍人の大学生は3学年くらいになって初めて、身の値段が上がる。けれども、前出の例のように暮らしがひどく貧しくて、1〜2学年から妻の実家が世話をしなければならない場合は、これあれと選ぶ状況にはなり得ない。それで、田舎に暮らしているとか、良い人物ではないとか、成分が劣るだとか、という女性を妻に得る場合が多い。

このように急いで妻を娶れば、3〜4年くらいは残念な思いがする。同じ除隊軍人出身の未婚の友達は、家庭の内も良く美貌も優れた女性と結婚したが、自分はもう別に世話することも無い妻の実家を持った所帯持ちなのである。それで、目が高くなった男性が浮気をする場合が多い。除隊するや否や家で結びつけてくれた女性を捨て、平壌の女性と目が合うのである。望む通りに地方の女性と離婚し、平壌の女性から新しい妻を取る場合もあるけれども、女性が大学に熱心に申告して、男性が退学となる場合も少なくない。北朝鮮では、糟糠之妻（糟糠の妻：一緒に苦労する内助の功が大きな妻）を捨てるのが大きな罪だからである。保衛部のような場合は、男性が離婚すれば、直ちに除隊（退職）させてしまう。

私が金日成大に通った1990年代にも、大学内で次のような出来事が継続して繰り広げられた。金日成大は、分期（4半期）に1回ずつ全体の学生を集めておいて、思想闘争会議というものを開く。思想学習のようなものはサボっても、この思想闘争会議は余りに面白く、参加率が高い。各種の過ちを犯した学生が、皆の見守る中で演壇に上り、自分の過ちを事実の通りに告白して反省する。タバコを吸って挙げられた学生、酒を飲んで引っ掛かった学生、泥棒をやって捕まった学生など多様である。地方の糟糠之妻を捨て、平壌の女性と浮気をした事例もしばしば含まれている。

自己批判が終われば、大学の党秘書が「それで同務、自分の妻を捨てるのか、捨てないのか？」と尋ねれば、問題になった大学生は「暮らします」と大声で叫ぶ。「おや、声がどうしてそんな風なんだ？　全学生が皆で聞くように、大声で答えろよ」と言えば「はい、絶対に捨てずに、一緒に暮らします」とあらん限りの声で叫ぶ。この場面が依然として目に鮮やかである。聞いて見ると、今もそのようにやっているという。

二股を掛けた青年の運命

最近、平壌の某名門大学で実際にあった話である。似通った事例が多いが、現在の北朝鮮の風俗を推定できる話なので、紹介してみる。

家が地方の大都市にある、ある幹部の家の息子は、軍に入隊しても「花補職」にあって安楽に生活した。ところが除隊の頃、驚いたことに突然、父親が死亡した。それなりに父親の後光によって中央の大学に推薦を受けていたが、そののち大学に通うことが非常に危うくなった。

どうにか持ち堪えて、大学2学年まで上ってきたけれども、問題はカネが要る時期がそれ以後からだということであった。6ヵ月間にわたり軍に行って来る「教導隊生活」があり、革命史跡地の踏査もある。卒業の頃には良い職場を手に入れるために、賄賂も使わなければならない。カネをまるで湯水のように使わなければならない。加えて、裕福な家庭に育ったせいで、カネで更に悩まされる外はなかった。

結局、大学2学年の冬休みの時、家に帰省して、その都市で立派に暮らす第一の大金持ちの家の娘と結婚することになった。平壌の美人よりは劣るけれども、人物もそれなりに良かったし、何よりも以後の大学生活と就職に保障を受けられた。残った大学の期間に消費するカネを全部だしてもらい、「卒業配置（就職）」に必要な資金も準備してくれ、卒業後の家まで買ってやるという約束を受けた。そのように一旦は婚約式を挙げた。

北朝鮮では婚約式だけやっても、もう結婚したものと見なすが、咸鏡道を含む北側地方の風俗は比較的に頑固で、結婚式の前には男女を同室に入れない。苦難の行軍の時期以後、性が開放されて、婚約式くらい挙げても同室で暮らす場合が多いが、依然として保守的な風俗と伝統に縛られた家庭が多い。彼が初夜を送ったか送らなかったかは、分からない。婚約後、平壌の大学へ戻った彼は、妻の実家からの助けにより寄宿舎から出て、外に家を得た。

除隊軍人が大学に通いながら消費するカネは、状況によって異なるけれども、大体1ヵ月に100〜300ドル程度である。わずか100ドルと言っても、コメ150kg以上を買える大変なカネである。平壌で大学に通おうとすれば、多くのカネが要る。私が大学に通う時も同様であった。いくら節約しても、私が1ヵ月の間に使うカネがあれば、家族が2ヵ月を食べて暮らせた。

必要な賄賂も使い、友達らと時に食堂にも通いながら、余裕を持って暮らそうとすれば、300ドルは無ければならない。金持ちの家の娘婿になった彼は、1ヵ月に500ドル以上を消費しながら、余裕ある暮らしをした。そのような中、妻の実家の商売が傾き始めた。補給（経済的な支援）も減り始めた。このような中に、彼の心境の変化もあった。

婚約する前にはよく分からなかったけれども、大学で金持ちの友達らに合わせて、素敵な女性がもてなしてくれる食堂に通って見ると、やはり自分の妻は「田舎娘」であった。いくら大都市の資産家の娘だと言っても、やはり平壌にいる幹部の家の娘とは比較できなかった。

彼は大学に通う間、地方に婚約した女性がいるという事実を隠した。地方出身の彼が平壌に位置した軍部や保衛部、保安省のような権力機関に入るためには、少なくとも「未婚男性」でなければならず、究極的には平壌出身の女性と結婚しなければならなかったからである。

卒業を前にしていたある日、このような彼の事情を知らないある友達が、平壌に暮らす幹部の家の娘を彼に紹介してくれた。彼を紹介された幹部の家では、彼の出身成分とか大学生活には別に問題が無いという仲立人の「提供情報」を信じて、結婚を承諾した。卒業配置（就職）を立派に行ってやり、背後をちょっと世話してやれば、発展（出世）は時間の問題だと見たのである。

私が平壌にいた時にも、中央党幹部が地方の零細な家庭出身の青年を娘婿として迎える場合が多かった。おかしなことにも中央党幹部は、息子よりも娘を多く持っていたのだが、このように家庭はみすぼらしいけれども「幹部徴表」を全て備えた青年を婿養子として入れて「発展」させた後、息子のマネをさせるのが一般的である。

このように彼は、妻の実家を2つも持つことになった。もちろん、許容されないことだったので、彼はありとあらゆる口実を作り出して「前婚約女性」に破婚（結婚破棄）を宣言してしまった。しかし、3年近くの歳月を背後で金銭的に支えていた「前妻の実家」が黙っているはずが全く無かった。結婚破棄された婚約女性は、いっそう我慢ならなかった。結局、その前婚約女性は、前婚約男性が通う大学に行き、彼の「罪」を伝えて「伸訴（悔しくて胸が塞がる事情を訴えること）」を行った。

ところが、何の反応も無かった。調べてみると、その前婚約男性が既に新しい義父に自分の罪を包み隠さずに告げて、容赦を願っていたのである。もちろん、その新しい義父も怒りが心頭に達したけれども、そうだと言って彼を蹴り飛ばすと、自分の娘がにわかに離婚女性となるところであった。やむなく彼を庇護し、大学に力を行使した。

結局この事件は、地方の資産家と中央党幹部の力の対決となった。力で押されるや否や、前妻の実家は、商売の元手まで全てはたいて、中央党に渡りをつけた。大学は検閲を受け、この背倫児を退学させた。結局、彼は新しい妻の実家からも結婚を破棄され、故郷へ帰って行った。大学卒業証も無い彼が、噂の乱れ飛んでいる故郷でまともに暮らす可能性は、ほとんど無いように思える。このように北朝鮮でも、結婚により運命を良い方へ変えようという出来事が数多いのである。

新郎は「熱帯ナマズ」、新婦は「現代カレイ」

北朝鮮では結婚相手を物色する時、どんな条件を基本として押し出すのか？　理想的な新郎像と新婦像の条件については、以前から話題が多かった。1980年代には「5場6機（5棚6電気機器）」を備えた金持ちの家の未婚女性が最高の結婚相手であった。5場は衣服棚、布団棚、食器棚、書籍棚、靴棚を、6機はTV、冷蔵庫、洗濯機、録音機、ミシン（裁縫機）、扇風機を意味した。いま平壌では中産層にだけなっても、この程度は取り揃えている。もちろん、録音機とミシンのような嗜好製品は除外される。現代になってはコンピューター、ピアノ、歌謡伴奏音響設備などを備えたいと思っている。

今は結婚相手の条件を確認する時、「軍党指導員（군당지도원軍党知道元）」、「熱帯ナマズ（열대메기熱大帯機）」、「現代カレイ（현대가재미現大家才美）」を見る（全て同音異義語の掛け言葉）。すでに10年前から流行して、今も通用する基準である。

軍党知道元と熱大帯機は、新郎像の資格を評する略語である。軍党知道元で「軍」は軍服務をしたか、「党」は労働党に入ったか、「知」は知識程度を意味し、大学を卒業したか現在かよっているか、「道」は礼節があるのか、「元」は北朝鮮のカネの単位であるウォンを表して、カネがあるかということである。そして、熱大帯機で「熱」は愛に熱情的か、「大」はやはり大学を卒業したか、「帯」は労働党に入ったかという意味で、北朝鮮で入党することを、党員証を「帯同する」と表現するところから出て来た言葉である。「機」は「5場6機」の略語で、各種の家電製品と電子製品を持っているか、すなわち、カネがあるかという意味である。

このように新郎像としては、大学を卒業し、労働党員に除隊軍人であって、カネもある人が最高の資格を持ったものと数えられる。この程度の経歴とカネがあれば、北朝鮮社会で幹部として発展して暮らしていくことは問題にならない。この他に父母の社会的地位と家庭環境などを確認しもするが、軍党知道元や熱大帯機くらいを備えていたならば、すでにその家庭が問題ないことを証明している。

現大家才美は、新婦像の資格を評する言葉である。「現」は現金、つまりカネがあるか、「大」は大学を卒業したか、「家」は家庭内の気風が良いか、「才」は才能があるか、「美」は美貌を備えているかという意味である。この程度であれば、それこそ最上級の新婦像だと言える。

こんな条件を揃えた完璧な新郎像、新婦像を探そうとすれば、やはり自らもそれ相応に準備していなければならないから、やはり「カササギはカササギ同士で暮らすようになる」のが当然なのである。

結婚が持つ意味

北朝鮮で商売の道に入った女性が生活のほとんど全てを左右していた1990年代には、次のような選択基準もあった。「ヤギは山に行ったか？」、「荷車は上手く引かれて行ったか？」、「スズメは製粉所に飛んで行ったか？」という言葉であり、新婦の側から新郎の側の家庭に要求する初歩的な条件を滑稽に表した当時の流行語であった。

「ヤギは山に行ったか？」という言葉は、タバコばかり吹かして接待を受けたがる舅（夫の父親）が既にこの世を去ったかという意味である。すなわち、年老いて何の役にも立たない舅は必要ないという意味が込められている。「荷車は上手く引かれて行ったか？」で「荷車」は荷物のようなものを運ぶ手押し車を意味するが、ここでは商売をする息子の嫁の手足となり、まめまめしい荷担ぎのように身の回りの世話をよくしてくれる健康な姑がいるかを比喩的に表したものである。

「スズメは製粉所に飛んで行ったか？」は、して欲しいことは無くとも、顔も見たくない小姑が嫁に行ったかという意味である。今も地方に行けば、生業の前線で暮らしていく多くの女性が、こんな話をする。「我が家にはヤギがいて、荷車は故障しており、スズメもぺちゃくちゃとしゃべるのよね。」

このような流行語が新郎像、新婦像を選ぶ基準、すなわち将来の幸福に対する期待を盛り込んでいるのは事実だけれども、大部分の新郎・新婦は、このような基準に合うことは不可能である。一般的な北朝鮮住民は、それなりに「適当であれば」結婚する。

北朝鮮は、結婚比率が非常に高い。韓国は今や独り暮らす世帯が全体の30％に達するが、北朝鮮では結婚しないで独り暮らす人は、何かしらひどく足りない人と見なす。このような社会的偏見とは別に、実際に北朝鮮では独身ではやっていけることがほとんど無い。また、子どもを嫁に遣り、あるいは嫁に取ったりして、孫を早く抱きたい年老いた父母の希望も、大きな影響を及ぼす。

子どもを2～3名もつ家庭は、子女の結婚が直ちに父母の人生である。やはり韓国の父母も子女の結婚に神経をひどく使うけれども、北朝鮮の父母に比べるべくもない。北朝鮮の父母は、一生にわたって子女が結婚して使う布団と所帯道具を整え、結婚する相手に与える婚礼服を準備する。

北朝鮮で結婚は、人間として享受できる唯一の楽しみなのかも知れない。旅行も文化生活も自己実現も出来ない北朝鮮で、結婚を除けば、人生の意味をどこで探し出すことが出来るであろうか。甚だしい生活苦に突き当り、これに歯を食いしばって暮らしていくことになることをぼんやりと知りながらも、躊躇なく結婚を選ぶのは、このように結婚の他には別に楽しみが無いからかも知れない。

礼式は2回、パーティは西洋式

北朝鮮の将来を夢見る新郎・新婦は、家で結婚式を挙げる。韓国のように礼式場で挙げる場合は、普通ではない。最近は北朝鮮にも礼式場が生まれており、礼式場でなくても公園や野外で結婚式を挙げる場合があるにはあるが、大部分の結婚式は家で行われる。

結婚式の規模と形式は、生活水準によって差異が多い。1990年代以前の結婚式は、新郎の家で1回、新婦の家で1回、計2回を挙げるのが常例であった。当時、当局は結婚式の簡素化を奨励しつつ豪華な結婚式を統制しもしたが、他人に後れを取らないようにという北朝鮮住民の熱望を妨げることは出来なかった。体面を特別に重視する北朝鮮住民の結婚式は、日ごとに規模が大きくなった。甚だしくは苦難の行軍の時期にも、結婚式だけは盛大に催した。両家を行ったり来たりしながら洞内の住民を呼び集めて、酔っぱらう時まで飲んで楽しむのは、北朝鮮住民が享受できる唯一の好事だったのであろう。

この頃は場合により「合宴会」を行いもする。「結婚式パーティ」とも言うが、言葉そのままに西洋式の宴会である。家に仲の良い親戚と同僚を招請し、1膳でも2膳でも部屋ごとに料理を出しておいて、夜通し食べて飲みながら歌を歌う。これは、新郎・新婦のための最高の贈物であると同時に客としての礼儀である。

祝い客が結婚式に持って行く記念品を見れば、少し立派に暮らす家からは各種の家電製品を贈る。文章や絵画を刺繍した額縁、時計、鏡なども人気の記念品である。もちろん、記念品の代わりにカネで祝儀を出すこともある。祝儀の額数は多様なのだが、地方では北朝鮮のカネで5,000ウォンが一般的である。平壌の礼式場で結婚式を挙げる場合は、招請された食堂の1人分の食事価格以上を寄付するのが一般的である。1人分の食事価格が12ドルならば、最小20ドル程度は持って行く。もちろん、親しさに従って数百ドルを出す祝い客もいる。

婚礼祝いは現金が最高

平壌の結婚式は、地方より遥かに華やかである。生活水準が北朝鮮で最も高いから、当然にそうである外ない。

婚約を通じて結婚を確定すれば、結婚式の日取りと場所を合意して定める。この時、両家の親同士が礼装（結婚記念に相手に与える礼物）も論議する。数年前までだけを述べても、タンスとか下着、家と所帯道具を準備して交換するのが一般的だったが、今は全て面倒なことと見なして現金を交換する。このように交換したカネの一部は、結婚式に使う。額数は多様だが数百ドル以上であり、財政状況が異なっていても互いに不平等でないように、同じ額数を交換するのが普通である。形式的なことであるが、相手に対する礼儀を備える過程だと言える。

平壌で結婚式が最も多く挙げられる季節は、春の4〜5月と秋の9〜10月である。春は明るい将来を約束してくれる希望の季節であり、秋は努力の果実をもたらしてくれる結実の季節だからである。もちろん、無条件に春、秋に挙げねばならないのではなく、必要によって任意の季節に行いもする。

金日成の誕生日である4月15日と金正日（キムジョンイル）の誕生日である2月16日のような大きな名節は、避ける。祝い客を招請するのに気まずくもあり、名節の雰囲気に結婚式の意義が減少するのを望まないからでもある。

最も値の張る結婚式場は高麗ホテルと書斎閣

中産層以上の平壌市民であれば、誰でも食堂の結婚式を好んで選ぶ。専門の結婚食堂とか礼式用の空間がある食堂とかを予約して、式を挙げる。富裕な家は高麗ホテル、玉流館、清流館のような所を予約し、華麗な結婚式を挙げる。

2000年代までだけ言っても、専門の結婚食堂である慶興館で結婚式を行えば、水準が高いと認識した。今は青春通りと未来科学者通りのような所に環境の良い専門の宴会用食堂が多く生まれ出て、慶興館の位相が揺らいでいる。国営食堂である慶興館の1人当たり食費は5ドルくらいで、他の専門結婚食堂に比べて安い方である。これゆえに、高級イメージと別に、慶興館の人気は以前と同じである。ここで結婚式を挙げようとすれば、最小限1ヵ月前に予約しなければならない。

結婚食堂の食費は、祝い客1人当たり5ドルから12ドル程度であり、高級食堂は20ドルに達しもする。新郎・新婦用の膳の価格は、別途に出す。この価格は、その膳に何を上げるのかにより左右される。だいたい新郎・新婦用の膳には、花と熱帯果実、酒類を上げる。祝い客の目を意識しないわけにはいかない新郎・新婦は、この膳に高価で珍しい熱帯果実とか名のある西洋酒を能力の限りに上げる。

高麗ホテルとか書斎閣のようなホテルで結婚式を挙げる場合は、1人当たりの価格が20ドルを遥かに上回る。新郎・新婦は、このホテルに部屋を得て、初夜を過ごしもする。北朝鮮では、誰でも味わえるわけではない「新婚旅行」の雰囲気を初夜にでも満喫するのである。

このような食堂で結婚式を挙げようとすれば、だいたい数千ドルが要る。平壌で少しカネがあるという家は、結婚式に1万ドル程度を消費するのが一般的である。この費用には、祝い客の食事をはじめとして新郎・新婦の婚礼服に至るまで、結婚式に必要な全てが含まれる。幹部の家の子どもの結婚式には祝儀も多く入ってきて、このくらいの消費の半分程度は埋められるという。もちろん、高位級幹部が祝儀の名目で受け取る賄賂は、別途の収入である。

結婚式当日の新郎・新婦の一日

北朝鮮の結婚式文化は、韓国を追いかけている。特に最近10年間、このような傾向が一層あきらかになった。結婚式で扮装師と写真師を呼び、類似のウエディングドレスを着て、動映像を撮影するのが一般的な風景である。

結婚式の当日、新婦は明け方から数時間、扮装をする。この時、写真撮影が始まる。状況によって専門の扮装師を呼んだり、才能がある知人に助けを求めたりする。専門の扮装師を呼ぶのには、級数に従って異なるけれども、200ドル以上が要る。新婦は主に朝鮮服を着て、新郎は洋服を着る。北朝鮮では、結婚する時に着る朝鮮服を「初日服」と呼ぶ。

最近になって当局が民俗伝統を強調する中、新郎もパジチョゴリ（朝鮮服の上下）を着る場合が多くなった。しかし、新郎の大部分がパジチョゴリを着ることを喜ばないという。新婦の場合、2000年代後半に暫くウエディングドレスを着ることが流行しもしたが、当局が資本主義文化だと統制し、今は探し出すのが難しい。代わりに新婦は、ウエディングドレスと類似した形態の、身体にピッタリ付いたドレスを着たりする。この類似ウエディングドレスは、いくつもの初日服の1つで、礼式の順序に従い、または撮影場所によって着替える。

扮装が終わる頃に新郎が車を運転して来て、新婦を連れて行く。自分の車でも借りた車でも、どんな車を持って来るのかも祝い客の関心事のうちの1つである。新郎が新婦を車に乗せてから、付き添いらと一緒に撮影を始める。

新郎・新婦の一行が初めに向かう所は、金（キム）さん父子の銅像である。平壌では万寿台の銅像へ行き、各道では道庁所在地の近くにある銅像へ行く。郡と里のように銅像が無い地域では、肖像画がある所へ行き、花束を置いて挨拶を申し上げる。銅像の前で心の中から「我々が結婚するように取り計らって下さり、ありがとうございます。将来を祝福して下さい」と挨拶する人は、ほとんどいない。慣習であると同時に儀式であり、写真撮影のための演出である。

このように写真と映像を撮影した次は、平壌市内あちこちの諸名所を巡りつつ、やはり撮影を継続する。万寿台の噴水公園とか大同江の主体塔の前、錬光亭、牡丹峰、牡丹峰劇場、大城山にある動物園とか植物園などが一般的な撮影場所である。もちろん、演出家の意図と着想により、他の対象地を選定することもある。

撮影場所で新郎・新婦は、俳優になる。一生に1回だけ与えられる主人公の役であり、当日でなくては意味深い写真を残す機会も無いから、この日だけは新婦と新郎が誰でも勇敢になる。デートする姿、愛を約束する様子、未来を思い描く模様など写真師の機智と技術が反映された「名場面」が作られる。

出張写真師も専門化していて、結婚編集物を完成してくれることまで含め、100ドル以上を受け取る。この価格も級数に従って多様であり、大変なプロ級の写真師を招請しようとすれば、数百ドル以上が掛かりもする。もちろん、状況が許さずに専門の写真師を呼べず、親戚や友達のような知人に撮影を依頼する場合も多い。動映像の撮影も同様である。

民俗公園が期待の中で門を開いた時は、結婚式を行う新郎・新婦でごった返した。その場所で封建時代の衣装を借りて着て、駕籠に乗り、「新郎・新婦用の膳」を受ける礼式まで、ひとしきり「いにしえ結婚式」を挙げれば、2～3時間は直ぐに過ぎたという。ところが今は、民俗公園を見ることは出来ない。金正恩（キムジョンウン）が、この公園を見れば張成沢（チャンソンテク）が思い出されると言って、無くしてしまった。そこで撮った写真まで全て消せと指示したけれども、一生の追憶として残る写真を消すほど忠誠心の厚い平壌市民は、ほとんどいなかった。

このように市内の所々を回り、写真撮影を終えた後、礼式が進行する場所へ移動する。この時刻ころになれば、新郎・新婦は半分くらい疲れ切っている。予め来て待機していた祝い客は「テープを延ばし、花吹雪を振り撒きながら」彼らを迎える。最近には、子どもが新郎・新婦に花束を渡しもする。

結婚の祝賀曲は「良い時、良い日に結ばれた愛」という歌詞で始まる「축복하노라（祝福します）」を歌うのが一般的である。この頃は爆竹も登場する。当局が「北朝鮮式でない」と言って統制するけれども、継続して爆発している。事実、当局が爆竹を統制するのは中国式だからではなく、「通りが荒れて、また状況上このように出来ない人々の感情を傷つけ、全般的に社会の雰囲気に宜しくない」という理由だという。北朝鮮の結婚式の動映像は、ユーチューブでいくらでも探して見ることが出来る。

主礼と礼式のファンファーレ

北朝鮮にも主礼がある[29)]。この主礼は、1990年代末までを述べても、探し出すのが難しかったけれども、今は一般的な風景になった。北朝鮮で主礼は「司会者」である。普通は新郎・新婦の職場の先輩やら知人の中の年長者が引き受ける。先に結婚した友達や「雰囲気チーム」が引き受けたりもする。

新郎・新婦が雇用する雰囲気チームは、結婚式が成功裏に進行するように雰囲気を導きながら、専門的に楽しませてくれる役割を果たす。主に、俳優と歌手が顔を売る。北朝鮮では勲功俳優だと言っても、どこかに行って心置きなくカネを使う立場にはなり得ない。玉流館や清流館のような国営食堂に行って国定価格表を得て食事をするとか、ビール店で顔を売って容易に譲歩を得たりするのが、彼らの楽しみだとでも言おうか。

実際に北朝鮮の俳優は、商売をすることも事業を営むことも出来ない。彼らの実質的な収入源は、正にこの結婚式の主礼である。結婚式に雰囲気チームとして呼ばれて行けば、1回に100ドル以上は稼げるという。もちろん、全ての俳優がこのように受け取るのではない。このような「行事」によく呼ばれて通う俳優は、定められている。やはり彼らも主礼から終わりに至るまで、いつでも「行事保障」をしてやる準備が出来ている。このような雰囲気チームは、ドラム手（ドラマー）とかピアノ演奏家のような小規模楽団まで帯同する。

副作用もある。有名俳優が結婚式場に現れれば、祝い客が新郎・新婦より俳優に関心を持つのである。これゆえに最近は、雰囲気チームを呼ばない趨勢である。状況がこのようだと見ると、専門の礼式場では雰囲気チームを代替する「主礼人」と楽団を別個に準備している。

主礼の辞は、一般的に「あらゆる種類の花が満開の意義深い4月の今日、和やかで清明なこの春の日のように美しく花開いた希望を胸に秘めた新郎なんとか同志（あるいは同務）と新婦なんとか同志（あるいは同務）は、満場の人々の祝福の中で社会主義大家庭に花咲く、また一束の美しい花として今日、ふたりの人生をひとつに合わせる意味深い結婚式を挙げることになりました」で始まる。

あとに続けて、新郎・新婦の父母紹介、経歴と職業の紹介が繋がる。この時「党と首領の配慮」は、必ず言及される。最後に「どんな環境の中でも互いの愛を変えず、息子・娘をたくさん産み、百年偕老しなさい」という内容で終わりを締め括る。主礼の辞が終われば、新郎・新婦の結婚を祝賀する乾杯を提議し、「祝賀いたします」という挨拶の言葉と共に全員が一緒に杯を上げる。

祝賀の乾杯が終われば、新郎・新婦は両家の父母と親戚に酒を注ぎ、一緒に記念撮影をする。続けて新郎・新婦が互いに指輪をはめてやり、時計を付けてやる儀式、互いに贈物を遣り取りする儀式など、多様な儀式が進行する。

礼式が終われば、娯楽会が進行する。だいたい新郎・新婦の両家の家族が代わる代わるマイクを握り、歌を歌って踊りを踊る。この時、主礼は娯楽会の途中、新郎が新婦を抱いて友達の間を通過するようにしたり、友達同士で「双舞（2人が対をなして踊る踊り）」をさせたりする等、雰囲気を盛り上げる。もちろん、この過程でも写真撮影は継続する。娯楽会は、新郎・新婦の二重奏で幕を閉じる。このように食堂結婚式が終わった後にも、祝い客の一部は新郎・新婦の新婚家庭に行って「2次」を行う。当然ながら、この時は新郎・新婦と近しい友達とか親戚の数名だけが参加する。新婦も服を楽に着替えて、夜通し飲んで楽しみながら新しい朝を迎える。

動映像の撮影担当者は、この全ての過程を撮影し、編集して「何某と何某の結婚式ビデオ」という名前を付けたCDを新郎・新婦に贈物する。2000年代以後に結婚した夫婦であれば、このようなCD1枚くらいは誰でも持っている。

いつかは南北の青春男女が愛を分かつであろうし、結婚もするであろう。その結婚式は、韓国式で挙げねばならないか、北朝鮮式で挙げるべきか、ちょっとの間だけ考えてみる。

北朝鮮の性とセックス、そして……

北朝鮮の映画にキスシーンが最初に登場したのは、1980年代の中盤であった。北朝鮮に拉致された申相玉（シンサンオク）監督が作った映画「鉄路に沿って千万里」に出て来た。恋人が大同江でボートに乗り、キスをしようとするように顔を近づけた瞬間、画面が遠くなると同時に洋傘に遮られる。これだけでも北朝鮮住民は、甚だしい衝撃を受けた。

1980年代末には、北朝鮮で最高の「映画文学作家（映画シナリオ作家）」の李春久（リチュング）が「心臓に残る人」という作品を書く中、三角恋愛を暗示する内容を入れようとしたのが問題となったこともある。以後、李春久は2008年に金正日の「シナリオ修正指示」に従わなかったという理由で投獄され、北朝鮮の映画界から行方をくらました。三角恋愛が無ければ映画やドラマを作れない韓国と異なり、過去に北朝鮮の映画館は、ほとんどイスラム文化圏の水準であった。

しかし、今や凍土の地にも変化の風が吹いている。北朝鮮の恋愛と愛、性文化について調べてみる。

「愛する＝セックスする」

北朝鮮の映画や小説を見れば、愛という単語がかなり多く出て来る。ところで、実際の生活で北朝鮮住民は「愛する」という言葉を安易に口に出来ない。「愛」すれば、それに伴う「セックス」が連想されるからである。幼児が「愛する（사랑을 한다）」という表現を使ったら、大人に叱られるのが常である。

甚だしくは、夫婦間でも愛するという言葉を余り使わない。恋愛をする青春男女の間でも同様である。代わりに「好きだ」とか「気に入る」とか言う。最近ある平壌市民と北朝鮮の愛の表現に関して話を交わしたのだが、やはり彼も本当に愛する人から愛するという言葉を聞けば、ひどく気まずいであろうと述べた。平壌では、外国の水を飲んで開明したという一部住民がこのような表現を使いもするが、一般の北朝鮮住民がその光景を見るならば、ひどくきまりが悪くなるだろうことは明らかである。

セックスという言葉は、さらに聞くのが難しい。北朝鮮住民は、セックスという言葉に大変な拒否感を感じる。セックスという言葉を口に上らせるのは、酒の席でも非常に低俗な行為として扱われる。北朝鮮住民の大部分は、セックスを非常に恥ずかしい行為と見なす。1990年代以後、大きく開放されたとは言うが、セックスについての北朝鮮住民の拒否感は以前と同様である。北朝鮮でセックスは、本能的な意味が強いので、隠さなければならないものと歪曲されている。相当数の北朝鮮住民が愛とセックスを別物と見なしている。

北朝鮮には「『酒の上（酒の席）』では『陰口』せずに『猥談』でもしろ」という言葉がある。酒の席で他人の陰口、特に政権を誹謗したり政策の是非を質す話をしたりしても良いことは1つも無いから、ただ猥談でもしながら楽しもうという意味である。それだからなのか、北朝鮮住民が平素かわす言葉は、どろりと濃い。韓国人が聞けば、ひどく驚くほど衝撃的である。韓国のようならば、北朝鮮の男性たちは大多数が「セクハラ」で捕まって行くのが当然である。それだからなのか、北朝鮮の女性は男性の猥談に寛大である。どろりと内容が濃く、下品で浅はかなことに比類なき猥談を日常茶飯事としながらも、「セックス」という表現だけは恥ずかしくて口に出来ないのである。

容赦できない重罪、淫乱罪

北朝鮮で淫乱物というのは、セックス場面が盛り込まれたビデオを言う。平壌に淫乱物が流れ込み、一般住民に広がり始めたのは、1990年代である。その前には、このような淫乱物がほとんど無かったと言っても良い。実際に映画のような公式の映像物には、抱きかかえる以上の親密な行為が出て来ない。キスはもちろん、ポッポ（頬などへの口付け）も無い。

北朝鮮の映画で「リアルな」キスの場面が初めて出て来たのは1990年代の中盤、北朝鮮が大作だと評価する長編芸術映画「民族と運命」(洪英子（ホンヨンジャ）編）であった。韓国中央情報部長の金炯旭（キムヒョンウク）と彼の内縁の妻がフランスはパリのあるホテルで会い、キスしながら抱き合う場面が数秒でてくるが、これは今日までも「北朝鮮で第一に刺激的な映画の場面」である。

これと別に、1990年代から淫乱物が流布し、2000年代末には青少年の間でも淫乱物の視聴が蔓延するに至った。2010年には平壌のある高級中学校3学年（15～16歳）の生徒たちが、団体で淫乱物を見ながらセックスをして、社会的に大きな物議を醸した事件もあった。首謀者はもちろん、その家族まで地方へ追放されて、学校の校長と青年同盟の指導員も職位から解除された。規模と程度の差異があるだけで、2000年代以後に平壌では、このような事件が再三再四にわたり発生した。

2013年8月、北朝鮮であれほど名前を轟かせた銀河水管弦楽団が突然に解体された。団長から第1バイオリン演奏者に至るまで、主要な人物が死刑とされた。罪名は「淫乱行為」であった。彼らが露骨な性行為の場面を撮影して、日本に売り渡したというのであった。その動映像の淫乱水位は、日本人も舌を巻く極致だったという話まであった。この映像物に接した、ある朝鮮総連（在日本朝鮮人総聯合会）の人士がそれを全て収集して、源泉を消した後、北朝鮮に通報したというであった。これは風聞であって、楽団解体と団員処刑の実際の理由については、李雪主（リソルジュ）の醜聞など多様な推測が出回っている。

北朝鮮当局は彼らになぜ殊更、わざわざ淫乱罪を取り上げて被せたのであろうか？　淫乱行為そのものをタブー視する北朝鮮住民の心理を利用したのである。淫乱罪で処刑された団員たちは、北朝鮮住民の同情もまともに受けられなかったという。北朝鮮が脱北した主要人士に淫乱な人物だというイメージを作って被せるのも、やはり同じ脈絡である。

このような北朝鮮住民の認識は、北朝鮮の教養事業にも効果的に利用されている。実際に淫乱映像物を見たり流布したりする行為が摘発されれば、当局は「見よ、これが腐り果てた資本主義社会の正体である。南朝鮮のような資本主義社会は、こんな動物的な要求を正当化し、淫乱な諸行為が憚ることなく犯される、腐れて病んだ社会である」式に「教養する」。

脱北して韓国へ来た前職外交官の高英煥(コヨンファン)先生は、1980年代にあった出来事だと言って、次のような証言を行いもした。

「ある日のこと、外交部で南朝鮮の実相関連講演を聞くに、講師が講演提綱（台本）のままに南朝鮮が腐れて堕落したと述べながら、おおよそ600万名の女性が通りで身体を売っていると言うのであった。ところで、講演の相手が誰なのか。外交官たちではないか。黙って聞いてみると、その時に南朝鮮の人口が約4,000万名なのだが、このうち女性は半分の2,000万名となり、この中で20～30代の女性人口を計算してみると大略600万名が出て来る。それで、誰かが『講師同務、600万名であれば、20～30代の南朝鮮の女性は全部が通りに出て来て身体を売るという話なのだが、それはちょっと行き過ぎたのではないですか？』と尋ねた。講師も聞いてみると、言い返す言葉が無くて口をつぐんだが、のちに見るに、講演提綱で売春婦の数字が600万名から60万名へ修正されていた。」

北朝鮮は「腐り果てた」資本主義を攻撃するのに「通りに売春婦がうじゃうじゃいること」くらい良い素材が無いと考えている。このような教育は、今も変わりが無い。北朝鮮住民の大部分は、資本主義社会では淫乱な性行為が露骨に敢行されており、カネが無い女性は全て売春をするものと思っている。このような認識は、当局が北朝鮮住民と外部世界を遮断する口実の根拠となりもする。「インターネット空間には淫乱映像物が溢れ返り、それが社会に流布されれば、人々の健全な思想意識が麻痺する」式である。

北朝鮮の性教育

北朝鮮には性教育がほとんど無い。思春期の女生徒を対象として進行する「女生徒実習」という科目で、生理について1～2時間くらい教えるのが精々である。最近になって「衛生」という科目が生まれて、ある程度は基礎を教えると言うが、性の本質とそれが人間生活で占める地位についての北朝鮮住民の認識は、途方もなく不足している。

依然として北朝鮮では「子どもがどうやって生まれるのか」と尋ねる子どもに「橋の下から拾って来た」と知らせてやる。性教育が脆弱だから、避妊に関する常識も不足する外ない。2000年代以後からコンドームを売っているが、一般的な性生活ではもちろん性売買行為（売春行為）でも、このコンドームは使用されない。だいたい女性が「リング」をはめたり、生理の周期を調節したりする方式で避妊を行う。驚くべきことに、北朝鮮の未婚女性の相当数は「男女がキスするだけでも、子どもが出来る」と信じている。

知識だけではなく、意識も問題である。性差別が事実上は合法である北朝鮮には「性戯弄（セクハラ）」とか「性醜行（性的暴行）」とかいう単語（概念）さえ存在しない[30)]。混雑したバスの中で、停電で止まった地下鉄の中で、痴漢行為が随時に発生するが、男性中心的な価値観に囚われた北朝鮮の女性は、羞恥心に申告も出来ない。

セクハラや性的暴行という犯罪だけではなく、性売買も蔓延している。北朝鮮の主要都市である平壌、清津、咸興、南浦、沙里院をはじめとして北朝鮮の多くの中小都市には、身体を売って暮らしていく「花売る処女（売春女性を指す俗語）」がいる[31)]。彼女らの大部分は生計のために、この「花」を売っている。

淫乱小説流通の一等功臣、金正日

既に知られた話である。2007年6月に開城工業団地のある企業が門を閉ざしかけた事件があった。女性用の下着を作るこの企業が、製品の包装にパンティだけ付けた外国女性モデルの写真を使ったのが問題になった。この包装を見た北朝鮮の関係者は「どうしてこんな写真を使えるのか」と強く抗議し、押したり引いたりの神経戦が繰り広げられた。結局、女性で構成された包装作業労働者だけが出入できる密室で作業する条件により、工場を継続して稼働できた。

この事件を見れば、北朝鮮当局が男女問題に非常に保守的で、厳格な基準を持っているかのように感じられる。しかし、事実はそうではない。北朝鮮では当局の幹部が第一に淫乱である。資本主義の退廃文化である淫乱物の視聴と性売買を最も多く行う階層が、正に幹部なのである。

1990年代の中盤以後、北朝鮮の幹部社会では男女関係を淫乱に描写した書籍と映像物が流行した。今は外国のポルノ物がその場所を代替したが、その前まで幹部たちは、露骨な性行為を描写した「肉談集」とそれに関連したビデオテープを回して見た。

このような肉談集とビデオテープが出回り始めたのは、1996年に金正日が咸北の明川郡にある七宝山を視察してからである。当時、七宝山の寺で働いていた解説員は、金正日の前で夫婦岩の由来を説明した。「戦場から帰って来た夫と彼の妻が抱擁する姿です。ところで、この岩を仔細に見れば、女人の一方の手が見えません。」 金正日は、この解説員の該博と才知に富んだ話を繰り返して称賛した。

この噂が広がるや否や、九月山と松岩洞窟など新たに開発した名勝地には、岩や山頂に「新しい意味」を付与して、金正日が訪問することだけを指折り数えて待った。果せるかな、2002年4月19日に金正日は、松岩洞窟（龍門大窟）を訪問し、解説員の金明玉（キムミョンオク）（音訳）が聞かせてくれた男根石（男子の性器に似たという自然石）と鍾乳石（女性の胸に似たという岩）の話に大きく笑いながら満足したという。

北朝鮮の最初の肉談集である『七宝山伝説集』（金星青年出版社）は、1998年に出版された。2003年には文化芸術総合出版社から『金剛山無我境』という淫乱小説水準の「話集」を出版した。文化芸術総合出版社からは幹部を対象にした『肉談集』を非公開に出版して、普及させもした。このような話集の冒頭の章には「肉談も民俗文化伝統の1つの流れだから、保存して発展させなければならない」という金正日の「お言葉」が解説と一緒に巻頭言として入っていた。その内容を見れば、民俗文化伝統とは何の関係も無い、文字そのままの淫乱物であるばかりだ。

2000年には、中央放送委員会の男女アナウンサーが出演した「肉談録音テープ」まで作り、幹部たちに普及させもした。その内容は、淫乱録音テープの水準であった。

金日成の時代には、肉談をはじめとして性と関連した話を勝手に出来なかった。金正日の時代に至って性と関連の出版物とか録音テープが製作、流通したのは、最高権力者である金正日の趣向とその趣向を押し戴く北朝鮮の政治風土と無関係ではないであろう。

北朝鮮の淫乱出版物は大概、短い話の多数で構成されている。主に封建時代の両班（貴族）官僚と妓生を登場させて、男女のセックスを赤裸々ながらも密度を持って描写したのが特徴である。文字になった本であり、音声になった録音テープだと言っても、扇情的な内容は韓国のポルノ物に劣らない。

性的な表現が入った北朝鮮で初めての映像物は、ミュージックビデオテープであった。ビキニ姿の女性たちが踊りを踊る中、北朝鮮の生活歌謡が流れ出た。主に旺載山軽音楽団の俳優と一部の放送演劇団の俳優が出演した。ミュージックビデオの中には「旺載山軽音楽団舞踊俳優たちの四季の踊り」というのがあるのだが、服を着替えながら踊りを舞って後、最後にはパンティと「胸紐（ブラジャー）」を除外して全て脱ぎ捨てるのであった。

この舞踊集は、北朝鮮社会に広く拡散し、ジミー・カーター元米国大統領が北朝鮮を訪問した時、朝米両国の首脳部の前で繰り広げられた公演という噂も一緒に出回った。このテープがどんな用途で製作されたのかは正確に明かされなかったが、幹部の目の保養用として製作してから外部へ流出した可能性が大きいと思われる。

以後、このようなテープを全て没収して廃棄せよという当局の指示が下った。ここに外国のポルノ物まで流入する中、このような北朝鮮製作の淫乱映像物は、姿をくらました。現在の北朝鮮に流通するポルノ物は、大部分が中国で製作されたものである。1997年から密輸商たちが持ち込んで来ている。このポルノ物の最も大きな購買層も、やはり早くからその味を覚えた軍と政府機関の幹部たちであった。

カネと権力の徴表となった「情婦」

北朝鮮住民の大部分は、婚前同居に否定的である。さらに進んで、婚前に青春男女が性関係を持つことを不倫扱いする。もちろん、恋愛が深くなり、結婚まで約束した後、隠密になされる場合は少し異なる。

そうだと言って、北朝鮮住民の男女関係がキレイかと言えば、やはりそうではない。もちろん、彼らにも「成し遂げたいが成し遂げられない愛」というのがある。正に「情婦」や「情夫」、すなわち「内縁の女」、「内縁の男」の関係である。

カネが少しあり、権力が少しある人は、大体こんな情婦を置いている。男性同士が楽しむ酒の席のような所で冗談を言うのを見れば、情婦がいない人がほとんどいないほどである。情婦の1人くらいはいてこそ、豪放な男子の扱いを受けるのである。

平壌の食堂や商店に行って見れば、情け深く腕を組み、ショッピングしながら楽しむカップルを少なからず見かけられるが、彼らの大部分は夫婦ではない、正にこの情婦（あるいは情夫）関係である。韓国と同様に、本当の夫婦は、このように腕を組んで散歩することを非常に不自然だと思う。若い恋人の間では、それなりにこんな姿を多く見受けられるが、結婚してから数年した夫婦は、このような接触をほとんどしない。

北朝鮮では情婦（情夫）の性比が、つまり情婦と情夫の男女性比が釣り合わない。普通、内縁の女が内縁の男より遥かに多い。ところが、確かに話題になるのは内縁の男である。カネが少しある30代の既婚女性が集まって座れば、話題と見なすのが正に情夫である。誰それは企業の社長を情夫に置き、カネの心配を知らずに暮らすだとか、誰かれは外貨稼ぎ人を情夫に置いて、1ヵ月に何度も外国の名品を受け取るだとか、どうかすると陰口のようであり、どうかすると羨みのような無駄口を叩くのが一般的である。

話しぶりに勢いが強い内縁の女の間で出回る「情夫論」も、本当に多様である。情夫は大きく3種類の類型があるのだが、ひとつは「カネをくれる情夫」、もう1つは「身体をくれる情夫」、残りの1つは「身体だけくれてカネをくれという情夫」である。

男性が内縁の女を置こうと思えば、やはりカネが要る。いちど会えば当然に食堂に行って食事でも1回やらなければならず、隠密な場所で情を交わす時は小遣い銭もやらなければならない。カネを少し稼ぐ人も手に負えないし、カネも無くこんな関係を維持する人は本当に悩みが多い。ところで、こんな関係が維持されるのが「本当の愛」を感じるからだというから、南でも北でも人が暮らす所で繰り広げられる出来事は、どこでも同じようである。それで最近は「精神的情婦（情夫）」というのも出現したという。互いに財政的な負担なしに、ただ会って交際しながら関係を続けて行くという意味である。

当然な話ながら、内縁の男や内縁の女の関係がバレれば、直ちに家庭不和へ繋がる。ところが、この家庭不和が離婚へ繋がる場合は非常に珍しい。北朝鮮社会そのものが離婚をタブー視しているのに加え、訴訟のようなことをしようとすればカネが要るし、子どもの問題もあって、大部分が道に外れた事態を容赦することで終わってしまう。

銃殺で終わった50名のゲイグループ事件

北朝鮮にも同性愛者がいるのだろうか？　もちろん、当然にいる。しかし、自らが同性愛者だということを知らずに暮らす人が大半である。

2015年に自伝的小説『赤いネクタイ』を刊行した脱北作家の張英鎮（チャンヨンジン）（音訳）さんは、自らが同性愛者だということを告白した。彼が1997年に休戦ラインの東側に沿って命懸けの脱北をしたのは「窓格子の無い監獄のような悲惨な結婚生活」から抜け出したかったからである。「妻を愛の無い結婚から解放してやりたかったから」である。普通あまり無い彼の脱北事由に、韓国政府も訝しく思った。

張さんは、入国過程で相談を受ける中、その時に初めて自らが同性愛者だという事実を悟った。40年も人生を生きて来ながら、自分が男性を見てなぜソワソワするのか、仲立ちで結婚した妻にこの間なぜ手ひとつ握ってやれなかったのかを、韓国に来て初めて分かることになったのである。彼は「自らが誰かも分からないまま生きて行くのは、どれほど大きな悲劇なのか」と言いつつ、ため息をついた。張さんのように北朝鮮には「同性愛者が何かも知らない」同性愛者が悲惨に暮らしている。彼らの大部分は、同性愛という概念そのものを知らず、知っているとしても同性愛は「不道徳な精神的疾病」と見なしている。

北朝鮮では、同性同士が下着を着て、抱き締めて寝たり背負って抱いたりするのが日常である。幼い頃から集団生活を多く営む北朝鮮住民は、成長過程で男性同士あるいは女性同士が寝食を共にしながら同居するのが、全く不自然ではない。幼少の時から参与する農村支援、赤い青年近衛隊はもちろん大学時節の教導隊の生活に至るまで、同性同士が一緒に寝て食べながら仲良く暮らす機会は、ありふれてもいるし広範囲に渡る。

2013年、北朝鮮に大事件がひとつ起こった。平壌で50余名が連累する「ゲイクラブ」が摘発されたのである。このクラブには金策(キムチェク)工大の教員をはじめとして中央機関の成員と一般労働者まで含まれていた。当時の北朝鮮では、このような同性愛者が存在する（現れた）ということ自体が衝撃であった。首謀者（?）は全員が死刑とされ、その他の関連者は出党、追放、労働教化などの処罰を受けた。そして、平壌ではこのような行為を「未然に遮断する」方策が論議され始めた。この時に処罰された人々が何の罪を犯したのかは、今日までも知らされていない。

万病治癒、神秘的なスーパー・バイアグラ

このように、性と関連した全てのことを徹底して統制して制限する北朝鮮で、バイアグラを露骨に販売して奨励するとすれば、信じられないことであろう。「老年が飲めば精力が強くなり、子どもが飲めば成長ホルモンが多く分泌される。」

外国人対象の雑誌に載せられた精力剤の広告内容である。この「体力活性栄養丸」という商標が付いた薬の効能は、これだけではない。「筋肉強化、学習集中力堤高、疲労解消、吐気と貧血に特効、安定的熟睡保

障」など多様である。それこそ万能薬である。この広告は、北朝鮮の元祖スーパー・バイアグラと言える「ネオバイアグラ Y.R.（「青春1号」とも呼ぶ)」の説明に照らしての薬効である。この薬の説明書には「2次以上の性交時、勃起復帰時間が15分周期と短く、男女が望む通りに4～8回の連続性交を実現できる多回性機能復活剤。勃起持続時間24～36時間。疲労感は1回の性交と6回の性交で同一。疲労解消および活力増進」と記されている。説明書に出ている女性の性機能改善効果は、きまりが悪いので記せない。ここに「急性腎臓炎、腰痛ならびに肩の痛み、肝炎、関節炎、脳動脈硬化症にも効果があり、副作用は全く無い」と強調している。

2006年に韓国の食品医薬品安全処（食薬処）がこの薬を分析したのだが、重金属と麻薬成分が検出された。水銀が基準値の7.5倍も出て、向精神性医薬品に分類されているジアゼパム（diazepam）も検出された。

当時でさえも平壌と金剛山に行って来た韓国人が多かった。訪朝経験がある韓国の男性であれば、北朝鮮の記念品売場で麗しい女性案内員が「先生、この薬いちどお召し上がって下さい。精力が素晴らしく漲ります」と言いながら、捉まえられた経験を1度くらいはしたことがあるだろう。

食薬処の分析結果発表以後、北朝鮮は引き続いて「新製品」を出した。これらの薬は「生薬成分で作り、副作用が無い」という点を特別に強調している。商標名も「陽春蔘鹿」、「清活」、「天窮百花」、「ネオバイアグラ」など多様である。このような「スーパー・バイアグラ」は、北朝鮮の主力外貨稼ぎ商品のうちの1つである。名目は万病治癒の健康食品であるが、大多数が精力剤の機能を強調している。

このような薬は、海外にある北朝鮮食堂の大部分で売っている。酒を売り、薬を売って、一挙両得の計算である。原価が分からないカプセルひとつが5ドル以上で取引される。中国、ロシア、東南アジア地域が、この頃は北朝鮮産バイアグラの集中攻略地である。2015年にはバングラデシュのダッカにある北朝鮮食堂の女性支配人が、バイアグラと酒を不法に販売して逮捕されもした。

1992年に中韓修交以後、韓国に渡って来た朝鮮族が、白頭山から出る特効名薬だと言って熊胆（熊の胆嚢）と鹿茸を競争的に売っていたのが連想される。朝鮮族であれば、北朝鮮に行って「私が往年、南朝鮮で熊胆を少し売ったのだがね」と語る話が多かろう。

北朝鮮がバイアグラと健康食品を前面に押し出しながら薬商売をするのは、本当に笑わせる出来事である。性教育は固辞し、映画の中のキス場面さえも許容されない所、住民の健康状態が世界的に劣悪な所が北朝鮮である。そこでスーパー・バイアグラと健康食品を開発しているのである。

北朝鮮は、母の日まで新たに作って、出産を督励している。避妊も難しく、堕胎は許容さえされないが、出産率は最悪である。これが36時間の効能が持続するという、あのスーパー・バイアグラを作る北朝鮮の現実である。本当に効能があっても、問題である。生活する家が絶対的に不足した北朝鮮は、小さな家に3代が一緒に暮らすのが一般的である。スーパー・バイアグラを飲んで一体全体どうして暮らせというのか……。若い恋人も、絶対に服用禁止である。北朝鮮にはモーテルも無い。

モーテルの代わりに浴場と食堂で（？）

モーテルが無い所で、青春の男女とか「情婦（情夫）関係」は、どこに行って愛を分かつのであろうか？　これと関係して、4年前に『東亜日報』に書いたコラムがある。そのコラムの内容をそのまま引用してみる。

「お母さんが聞かせて下さった、1960年代末に北朝鮮でお父様お母様が恋愛なさる時の出来事である。ある日、お二人が夜遅くまでぶらついて後、市内中心の公園ベンチに座って話を交わしたという。2時間くらい過ぎたろうか。突然ベンチの下から人の気配がしたそうだ。

もうビックリして覗いて見ると、その下から安全員が這い出して来たという。彼は、きまりが悪かったのか『えい、今夕は時間浪費だったな』と不平を言いながら行ったそうである。反動的だったり退廃的だったりする話あるいは行為があるかと息を殺して見守り、ついに両手を挙げたのだ。そんな話を聞きながら、お父様お母様の世代には恋愛さえも随分と『革命的』な出来事であったという思いがした。

なるほど、その時はそんな時代であった。平壌でもない地方都市でさえ反動を捕まえるとベンチの下に入っていたという話である。それから40年以上が流れた。技術の発達と合わせて、北朝鮮の監視方法も進化した。

2013年の夏に平壌では、主体思想塔の現代化工事が進行していた。名目は塔の上にある烽火の照明を発光ダイオード（LED）へ変えるというもの。この時、所々に監視カメラ（CCTV）も一緒に設置された。ところが、平壌の人もよく知らないことが1つあった。歩道の側に針の孔のような赤外線監視カメラがこっそりと設置されたという事実を……。

主体思想塔の周辺は、平壌の恋人たちが夜に最も楽しく訪れる場所のうちの1つである。誰かが監視カメラを通じて自分たちを見張りながらクスクス笑っているという事実を知らないまま、深夜にその前で密度の濃いスキンシップを行う恋人たちだけが哀れであった。この頃は平壌の未婚女性たちが見違えるほど果敢になったという。ここには北朝鮮指導層の変化も、一定の役割を果たした。金正恩と李雪主が公開席上に腕を組んで現れるや否や、恋人たちが歓呼したからである。過去には男女が腕を組んで行き来すれば、非社会主義行為だと取り締まったが、今は取り締まれなくなったのである。

今まさに夏が来た。平壌にも恋人たちの季節がやって来た。ところが、行く所があるべきなのに無い。遊びに行く所も、交通手段もちゃんと無いから、精々で大同江や普通江に出て行って散歩をし、食堂に行くのが全部である。幸いにも平壌は、首都を横切る河の横に車道が付いていない、世界でいくつも無い都市である。それだけは、本当に良い点である。

金正恩体制になって、凱旋青年公園と綾羅遊園地が新装開園する中、ここも恋人たちの人気コースになった。この公園と遊園地のピークタイムは、夕方の時間である。未婚女性たちが糾察隊の取締に引っ掛かりたくて苛立ちでもしたように、可能な限りセクシーで特色ある身なりで出て行く。そうするや、遊具に乗るための目的よりは、彼女たちを見物するために独り者たちが集まって来る。ただし、ここはカップルが行くには人が余りに多く、静かにひそひそ話が出来る場所となり得ないのが欠点である。男女の愛情が熟するのに、河の横だろうと遊園地だろうと場所が重要ではなかろうけれども……。

平壌の問題は、愛が成熟した次である。手だけ握っても互いにメラメラと火が燃えるのに、この火を消す所が本当にあるべきなのに無い。ソウルのどこにでも見られる「どうぞ、いらっしゃい」と催促するように赤黒い看板を点滅させているモーテル、旅館の類が北朝鮮にあるはずがない。

最初の選択肢は、家である。父母が共に出勤する場合であれば、昼間に稲妻のように家で会えば良い。ところが、これも平壌だから、あれこれと思うに任せない点が多い。まず、平壌は住宅事情が良くないので、1つの家に3代、4代が暮らす家が大部分であるから、昼間だと言っても家が空いているのは容易ではない。また、平壌のアパートには警備員が見張っている。初めの数回は別々に上って行き、訪ねる家をウソで述べれば良いけれども、しばしば行くことになれば、ウソがばれるのは常である。第一に大きな問題は、昼間には本人たちも組織生活に縛られてみると、互いに時間を作るのが難しいという点である。

カネが少しある男女であれば、それに応じて若干の選択の幅がある。最も多く活用されるのが食堂である。常連になって食堂の責任者を知るようになれば、カネを少し渡してやる場合、部屋ひとつを出してくれる。平壌には間仕切りとなっている食堂が少なくない。そうしてこそ、商売になるからである。平壌では良い料理に劣らず、訪ねるのが難しいのが、このような静かな空間である。それでも、数時間は構わないけれども、一晩は難しい。

もう1つの代案は、浴場である。浴場の責任者にカネを渡してやれば、個人用の風呂を数時間は出してくれる。夜に警備に立つ老人たちに酒と肴、若干のカネをこっそり渡してやれば、一晩でも可能である。北朝鮮当局は、食堂と浴場が退廃の温床だと言って周期的に取り締まるが、これはいくら妨げても効用が無い。

食堂や浴場に行くカネが無ければ、方法は無いのか。ある。そのまま山に登るのである。蚊に刺される覚悟は、もちろんしなければならない。平壌の中心部から第一に近い所は牡丹峰で、少し離れた所に大城山がある。牡丹峰には、静かに隠れる所が多い。景色が素晴らしい牡丹峰に昼間から登り、プルゴギを焼いておいて、暗くなる時刻まで2人で一杯やれば、雰囲気が素晴らしい。恋人と一緒にどこか食堂に行き、一杯やるかと悩む韓国のお兄さんたちも、こればかりは北朝鮮が羨ましいと言うかも知れない。

主要国家記念日とか政治行事とかがある休日の夜であれば、牡丹峰と大城山は電池灯（手電動灯火）が点灯している。捜索組が山を隈なく探しているのである。そうすれば、草むらに隠れていた恋人たちがウサギのように跳び出して逃げる。けれども、余りに熱中していて、不憫にも摘発される場合も少なくない。この時は無条件で賄賂をそっと渡してやらなければならない。財布にカネが無ければ、取締員の住所を確かめて、最大限に大急ぎで訪ねて行かなければならない。それくらい夏なので、山にでも登るのである。家の外も寒く、家の中も寒く、太陽まで早く沈む冬には、地下鉄の他に行く所が無い。

金正恩の指示により最近の平壌では、遊園地と水泳場が相次いで門を開いている。けれども、遊具のピリッとした感覚も、水泳場の冷たい水も、若さを冷ますことは出来ない。アスファルトも恋人たちも熱くなる、あぁ、平壌の夏である。」

日常に深く入り込んだ売春と麻薬

北朝鮮で最も暗い所についての話である。異邦人の接近が許容されず、ただ現地人のみが知ることの出来る北朝鮮の暗部の話である。北朝鮮は、売春と麻薬が日常化している。社会主義を標榜する北朝鮮なので、このような行為を根絶しようとそれなりの努力を傾けているが、同じく人が住む世の中なので、他と異なることがない。外に表れた平壌のイメージだけで北朝鮮を推測する人には、衝撃的な話であろう。

彼女らはなぜ通りに出て行くのか

2015年の夏、北朝鮮第2の都市、咸北の清津を去って脱北したある男性は、そこでの売春の実態を次のように証言した。

「午後10時が過ぎて、水南市場から道立劇場まで、中心道路の横の狭い2車線の道を歩いて行くと、見れば暗い中に女性たちがずらりと出て来ています。全て身体を売ろうと出て来た女性たちですよ。10里(約4km)を越える区間に、こんな女性たちがどれほど多いか分かりません。数えられないほど多いのです。価格は、人物と年によって決定されます。一般的に中国のカネ50元(約8,700ウォン)なのだが、40代以上ならば30元、可愛い未婚女性は100元を受け取りもします。価格交渉が済めば、近隣の家屋に入って行きます。場所を貸してやって税を受け取る家も多いです。男性がその気分になれば、酒と肴を買って来て、一緒に食べもします。コンドーム、そんなものは無いです。北朝鮮の男性たちは依然として、それをよく知りません。女性が避妊手術を行うだけですね。検査をちゃんとしないから、梅毒のような性病が本当に多く広がっています。」

中国のカネ50元があれば、北朝鮮で1名が1ヵ月は食べて暮らせる食料を購入できる大金である。売春女性は、身体を売ってこのカネを稼ぎ、家税を払い、随時に取り締まると言って接近する保安員に賄賂も与える。

売春は、通りでだけ繰り広げられるのではない。この頃の北朝鮮には「カラオケ」と呼ばれる歌室が多くなっている。2000年代の中盤に繁盛して後、取締ゆえに委縮したが、この頃また人気を得ている。ここでは、歌だけ歌えば1時間に中国のカネで3元である。ところが、「歌手」と呼ばれる女性を呼べば、時間当たり4元が追加される。韓国で例えようとすれば、カラオケのトウミ（도움이：お助け人）というわけである。

暗い中で売春は、清津のみならず平城、沙里院、新義州、海州、南浦、咸興、元山など北朝鮮の道庁所在地と一部の市、郡庁所在地でも全く同様に行われる。恵山と江界は、比較的に少ない方である。平城と沙里院、南浦、新義州などの地は、自分の地域だけでなく外部から来る出張者を狙い、このような売春行為が露骨に行われる。

売春行為は、人を引き付けるために多様な方式で行われる。1990年代とか2000年代初めまでだけ言っても「花を買え」と奨める露骨な方式が一般的であったが、今は「食事をしろ」とか「宿所を提供してあげる」と引き入れた後、対象を把握して売春行為に及ぶ。

このような取引は、だいたい駅前を中心にチャンマダンなど人が多く集まる所でなされる。上で例を挙げた清津のように、中国のカネが通用する国境地帯では大体、元で計算するけれども、平城、沙里院、南浦のような内陸地域では北朝鮮のカネ、米貨などが手当たり次第に使用される。一般的には10ドルくらいあれば、準備が出来た女性と2時間を一緒に過ごせる。価格も多様ながら、北朝鮮のカネで2～3万ウォン（3ドル程度）から「高級な」場合は数十ドルまである。

売春行為は、普通「紹介屋」を通じる。紹介屋は、紹介費を受け取り、大部分のカネは売春婦を雇用した業者が奪い取る。売春に利用される女性は大部分20代で、該当地域に居住する場合は少なく、地方の農村からカネを稼ぐために都市へ来た女性が大部分である。不法居住者である彼女たちは、雇用主が与える数分[32]にもならないカネを受け取りながらも「仕方なく」このような仕事を行うという。

冷泉洞の女性とは暮らすな

平壌で東大院区域の冷泉洞、大同江区域のトゥンメ（둥메）洞[33)]、小龍洞は、極貧層が暮らす地域として知られている。この大同江の南側、主体思想塔の数km後ろに位置した地域には平壌演劇映画大学、平壌美術大学、朝鮮体育大学など大きな大学がいくつも集まっている。これとは別に、平屋が多いのだが、居住民の大部分が市内に出て行き、各種の日工労力（日当仕事）をしたり青物（野菜）商売をしたりしながら暮らしている。彼らが一日に稼ぐカネでは、コメ1kgも買うのが難しい。晩ご飯をまともに食べれば、ちゃんと暮らす家に属するほどである。

平壌には、各種の動員が多い。その中でも国家の主要工事の建設動員は、平壌市民が最も忌み嫌う。劣悪な地方に行って苦労しなければならないからである。代表的なのが2017年の三池淵工事である。平壌の各機関に人員が割り当てられた。苦しい労働も問題ながら、白頭山の下には、ご存知の通りで何も無い。カネがあっても、苦労を避けられない。

機関に動員指示が下ってくれば、冷泉洞の住民は好材に会ったと考える。カネがあり、力がある機関の成員の賦役を代替する対価として、カネを稼げるからである。

昨年（2017年）には、前で言及した三池淵工事に動員された、ある夫婦の身の処し方が北朝鮮社会で話題となりもした。この夫婦は、機関の成員を代替して、三池淵建設動員に出て行く条件として1人当たり毎月50ドルを受け取ることにした。妻が先に出て行き、いくらか後に夫が従った。問題は、この夫婦が去って、家に独り残ることになった10歳あまりの子どもであった。放置された子どもは、学校でも何でも全て放り出して、なるがまま暮らす外なかった。隣家の助けにより、なんとか飢えに苦しむことは免れ得た。

平壌には、冷泉洞の女性と暮らすなという言葉がある。貧しいからでもあるが、苦難の行軍の時期から「身体を売ってコメを買って暮らす」

と噂が立ったからである。この地域の女性が他の地域の女性より売春行為を更に多く行うのは、事実かも知れない。2年前まで平壌に暮らしていたある男性は「性売買が最も多くなされる地域」として東大院区域の金亨稷(キムヒョンジク)司法大学の近所を挙げた。この大学の後ろ側に冷泉洞がある。ここに車を付けて止めておくと、真っ昼間にも若い女性が接近して「疲れているように見えるけど、寝て行きなよ」と言いつつ、腕を組むことが多いという。

いくら性売買が多くなされる地域と言っても、売春と無関係に暮らして行く女性が大部分であろう。そうではあっても、この地域の女性は、冷泉洞に暮らすという理由だけで嫁に行くのは難しいのが実情である。

トンテ御飯に含まれた売春価格

平壌と隣接地域は、取締が厳しくなり、売春が更に内密になった。本書を作るのに助けをくれたある平壌市民は、いくらか前に友達が平城への出張途中に経験した出来事だとして、次のような話を聞かせてくれた。

彼は、用務を終えて家に帰るために、金稼ぎ車が列をなして並んでいる駅前広場でうろうろしていた。この時、女性が近づいて来て「車が人をみんな乗せるには、まだ時間がかかるのだけど、私が車中の席は取っておくから、近くにある家に入って食事でもしましょう」と捕まえて引き留めた。こんな場合、大体は売春へ繋がるということを風説で聞いて来たところだが、興味もそそられて思いに勝てず従って行った。

女性の後を付いて歩くと、この裏通りあの裏通りとどれだけ複雑なのか、再び出て来ようとすれば案内が必要なようであった。ともあれ、その家に到着して見ると、アパート3階の3部屋の家であった。内装もなかなか良く、静かで穏やかであった。その女性は、食事メニューを記した紙を取り出して置いたのだが、価格がそれほど安くはなかった。

食べたい考えも別に無く、トンテ御飯（スケソウダラ汁飯）ひとつだけ注文して座っていたところ、主人と思われるオバサンが来て、あれこれ尋ねた。何の仕事をしているのか、ここには何の仕事で来ることになったのか。ある程度は把握したと考えたのか、「可愛い未婚女性が1人いるから、一緒に食事しないか」と尋ねた。それで、そのまま同意したが、そうしようとすれば、その価格が料理に含まれて10ドル程度は更にお願いしなければならないと言った。それも、そのまま同意した。このように売春行為は、初めから露骨に押し出さずに、食事費に含めて代金を受け取りもする。そうしてこそ、のちに事件が起こっても無難に処理できるからである。

価格交渉を終えたオバサンは静かにいなくなり、代わりに若い女性が現れ、食膳を整えて酒の世話をした。時間が少し流れた後、その女性に尋ねると、故郷は咸鏡道の金策だと言った。言葉ではここが親戚の家だと言うが、言葉遣いや行動の様子を見るからに、雇用されたことが明らかであった。こんな仕事で稼ぐことになるカネも大部分は主人に差し出して、自分に落ちることになる分はいくらにもならないと言いながら、自らを思って別にもっと差し出してくれと懇願したという。彼は、可哀想に思う心が生まれて、カネ4万ウォンくらい（約5ドル）を更にこっそり与えてから、その家を出た。

このような最下層の女性には、初歩的な人権さえも保障されていない。彼女らは、人権という概念があるということ自体を知らず、食べて暮らす別の方途が無いから、このように暮らすのだと考える。売春に利用される女性の大部分が、このように暮らしている。

北朝鮮当局は、このような売春行為を無くすと何回にもわたって人民保安部名義の布告を出し、南浦と平城、沙里院のように売春行為が極めて甚だしい都市で主犯を逮捕して死刑にもしたが、売春は依然として無くならずにいる。2013年に沙里院で売春組織の大物女性2名を死刑にし、彼女らと共謀した市保安局の多くの幹部を解任、追放しもしたけれども、売春は依然として蔓延している。

韓国人が思い浮かべる北朝鮮のイメージが「見かけが良い」のは、韓国人をはじめとした外国人の接することが出来る都市が平壌だけであり、それさえも訪問時期が特別行事期間に限定されているからである。

異邦人は北朝鮮の真夜中、裏通りに接近できない。

平壌市民は、生まれてから巨大なセット場に暮らすのに慣れ親しんでいる。街路灯が消えて、セット場が暗闇に埋もれれば、平壌市民の相当数が麻薬と売春に浸り、長い夜を送る。今夜も、そうするであろう。

南浦を騒がせた高級売春婦事件

北朝鮮には、裏通りに売春だけがあるのではない。2003年4月に繰り広げられた、北朝鮮に広く知られた事件ひとつを紹介する。

2003年4月に人民保安省政治局の緊急指示が監察局一般観察部に下った。南浦市臥牛島区域の保安署に勤務していたある保安員（大尉）が、平壌の保安省本部政治局を自ら訪ねて来て、自首したことが事件の発端である。

前後の経緯は、平壌のある中央機関の貿易会社に勤務していた彼の友達の話で始まる。この保安員の友達は、南浦にある南浦貿易港に出張し、港区区域のホテルに宿泊していた。ある日、中年女性が彼を訪ねて来て、こんな提案をした。その女性は「外地に来て、ご苦労様です。可愛い未婚女性に按摩を受けるのはどうですか」と言いつつ「100ドルだけくれれば、最高級の奉仕をしてくれる」と誘惑した。北朝鮮では普通、按摩とか高級奉仕を受けろという言葉で性売買を提案する。やはり彼も、このような風土を知っていた。外地に出て来て寂しいのに加え、財布にカネもある。さらに、果たして100ドルもする売春の水準はどうであろうかという好奇心まで乗じて、女性に従って行った。

その女性に従って臥牛島区域のあるアパートへ行くと、本当に可愛くて若い女性が彼を迎えてくれた。どんな男性も充分に誘惑できるような愛嬌を振り撒きながら親切で寛大に迎えてくれ、一緒にサウナをして按摩もしてくれながら、2時間くらい性的な要求まで円満に充足してくれた。彼は、たとえ100ドルでも惜しくないと考えた。出来事は、その次に起こった。

楽しみを終えて出て来て見ると、財布にあったカネ3,000ドルが消えていたのであった。余りに意外な出来事で、してやられたようで激憤しもしたが、客地に出て来て不法な性行為をしていたので、申告も出来なかった。あれこれと考えを巡らして後、面識のあった臥牛島区域の保安員を訪ねて行き、事情を打ち明けて「カネを探し出してくれれば、500ドルやる」と取引をした。女性の家も具体的に知らせてやった。その保安員は大言壮語しながら、その家を訪ねて行った。

その女性の家に入り立った瞬間、その保安隊員はそのまま豪気を失ってしまった。一般住民と同様に、その保安隊員もやはり劣悪な生活をしていた。電気が無く、照明用電気も蓄電器を買って自ら調達しつつ暮らしていた彼は、小さな噴水がある居室に立派なサウナまで備えられているその家で、つい気後れがしてしまった。加えて、下着が透けて見える日本産の室内服を引っ掛けた仙女のような女性が喜んで迎えてくれるや否や、そのまま理性を失った。結局、その保安員は本分も目的もどこかへ遠く放り出して、美女の胸に抱かれて夢のような時間を過ごしてしまった。

そこの「フルコース」は、サウナで軽い按摩を受けることから始まった。按摩が終わった後、バスタオルだけ引っ掛けて出て来てビールを飲み、最後に寝台で性行為をする方式であった。当時の北朝鮮では、想像も出来ない方式の性売買であった。前に述べた通り、このコースの価格は100ドルであった。

友達のカネを探してやると乗り出して、無料で全コースの奉仕を受けて出て来たその保安員は、苦悩に陥ってしまった。友達に会う面目も無く、そのまま済ましてしまうには保安員という自分の身分が負担に感じられた。いつかこの行為が明らかにされでもする日には、処罰を避けられないのであった。数日を置いて苦悩していた彼は、保安員の本分を全うしようと決心した。しかし、いたずらに処分を任せたら、不覚を取るのが明らかであった。これほどの売春行為の水準であれば、明らかに南浦市の大物を間に挟んでいるであろうし、末端の保安員による申訴（申告）が容易に受け入れられるわけがないと判断した。それで、考案し出したのが平壌へ行き、人民保安省政治局に自首することであった。

申告を受けた検察部の保安員は、緊急出動して女性3名を逮捕した後、平壌へ引っ張って来て取り調べた。調査の結果、1名は売春宿の主人、2名は売春婦であり、主人と売春婦は母子関係であった。南浦市の数多くの幹部がこの家で、無料で接待を受け、その代価として背後から助けていたという事実も明らかになった。その幹部たちは、全部が免職処分とされた。

その家には当時、北朝鮮の全女性が持ちたいと思っていた日本産の女性下着が一杯に充ち満ちていたという。2名の売春女性は、その値の張る下着を1度だけ着て捨てたということであった。尋問が継続されるや否や、この2名の女性を相手に2回以上も売春行為をした男性が200名以上だという事実も明らかになった。驚くべきことに、証人尋問を受けた男性の大多数が「カネ100ドルは惜しくなかった」と述べたという。

2名の娘を連れて性売買の斡旋と泥棒を犯した女性は懲役14年、長女の売春婦は懲役9年が求刑された。「専門的に」売春行為を行った次女の売春婦は、南浦市場で公開処刑された。自分が死刑に処せられるという事実を知ることになった彼女は「他の人々は辛く長く生きるが、私は幸福に短く太く生きて逝く」という言葉を残したという。この言葉が事実なのか、でっち上げて伝えられたのかは、知るすべも無い。

このような高級売春行為は、実際に平壌でもっと多くなされている。平壌では、高級買春行為を行う男性が、ほとんど定まっている。金持ちと幹部である。カネと権力を持つ人たちは、バレることがなく、バレても後腐れが無い。

今も北朝鮮の性売買行為は、継続している。売春は人類の歴史と軌を一にし、売春は人類の最も古い職業だという言葉がある。理想的な社会を建設するという名分を押し出し、70年以上も住民に思想教育を施してきた北朝鮮も、売春だけは防げないのである。

金日成の指示で始められた麻薬栽培

北朝鮮で売春と麻薬は、ほとんど1セットである。売春行為をする女性は、たいがい麻薬をやり、男性を迎える。アイス（氷または氷毒とも言う）と呼ばれる麻薬（ヒロポン）は1gに50元くらいで、この程度があれば10回を越えて楽に吸入できる。性売買の女性は、麻薬をやって初めて、夜に眠らないで頑張れるし、猛々しい男性の前でも恥ずかしさを忘れられると語る。

ヒロポンは過去に咸興地域で作ったが、今は清津など他の都市でも作る。非常に小さなヒロポンの塊を銀箔紙に載せておいて、その下に火を点けて炙れば、水銀と酷似した液体へ変わり、くるくると回りながら煙気を出すのだが、それをストローで吸引する。金日成の顔が入ったゴワゴワ硬い北朝鮮の紙幣をクルクル巻いてストローとして使えば、用途として相応しいともいう。

麻薬は、価格が高く、普通は中産層以上が楽しむ。アイスは、意外に女性が更に多くやる。女性がカネをもっと良く稼ぐからである。職場が減る中で、北朝鮮住民の相当数がチャンマダンの収入で暮らしている。商売は主に女性が行い、男性は女性を保護したり荷物を運んだりする。北朝鮮男性の半分が家で飯を作り、子どもの世話をする。経済力を握った女性が男性よりアイスをもっと楽しむのは、どうかすれば当然である。

一方、北朝鮮では1968年からアヘン（楊貴妃）を本格的に栽培した。当時「経済国防並進路線」を主唱した金日成は、核とミサイルの開発資金を準備するため、秘密裏にアヘン栽培を指示した。以後の北朝鮮は、両江道に出入禁止区域を作り、本格的にアヘンを栽培した。

金日成は、東欧社会主義諸国家が崩壊する中、経済が難しくなるや、1980年代末にもう1度、大々的なアヘン栽培を指示した。この時から各道に楊貴妃農場が生まれた。北朝鮮住民は、楊貴妃を「白トラジ（桔梗）」または「ピラミドン（Pyramidon）」と呼んだ。

現在の北朝鮮で最も多く使用する麻薬は、アヘンではなくメタンフェタミン（ヒロポン）である。北朝鮮は1980年代にタイから技術者を拉致して、羅南製薬工場で高純度のヘロインを作った。このヘロインの大部分は、外国に密売された。以後1990年には中国へ逃走した韓国人

「最高技術者」を連れて来て、純度96％以上のヒロポンを作るのに成功した。最近の北朝鮮で生産されて世界に広がっているヒロポンの純度は、98〜99％で、世界最高水準だという。

北朝鮮には1990年代に麻薬中毒者が登場し始めたのだが、大部分がアヘン中毒者であった。この時期に北朝鮮の病院は、薬の供給がきちんと出来ずに自ら薬草を栽培しており、この時に楊貴妃も一緒に栽培するのが一般的であった。そうして見ると、アヘンが広く拡散する外なかった。

今は北朝鮮内の流通麻薬の80％以上が、アイスと呼ばれるヒロポンである。これを使用すれば、中枢神経が興奮して、一時的に疲労が消え、感情が好転する効果を得るようになる。憂鬱症のようなものも消えて、甚だしくは父母が死亡したような悲しい出来事に見舞われても沈着さを維持し、夜をぶっ通して明かしても精神がはっきりしている。もちろん、その効果が消えた後、肉体と精神が受ける苦痛は、他の麻薬と異ならない。

アイスは、肉体的能力を増加させる効果もある。北朝鮮ではサッカー、拳闘、柔術（柔道）の選手にアイスを提供するという話もある。大会の開始3ヵ月前までに投与すれば、ドーピング検査で引っ掛からず、力を出せるという風説がある。

常備薬の不足した北朝鮮で、アイスは万病統治薬のように認識されている。低血圧、風邪、肺炎、脳血栓、関節痛、神経痛など全ての病に使用される。特に、脳血栓や脳出血の初期に使えば、回復が早いと知られていて、それなりの水準の家庭では初めから常備薬として買い揃えられているほどである。2008年8月に脳卒中で倒れて立ち上がった金正恩が、脳出血を除去するためにアイスを服用したという風説もある。

アイスは2000年代、大学生の間でも多く使用された。この麻薬を使えば数日を眠らなくても、明瞭な精神で勉強できるという噂が出回ったのである。試験期間に目がピカピカした友達を見れば「お前、薬やっただろう？」と言うのが日常であった。夜を明かす賭博屋も、しばしば使用したという。

生物学的に製造されるアイスは、麻黄という薬草からエフェドリンを抜き取り、精製したものである。しかし、化学的な製造方法が開発される中、今はフェノールと酢酸を合成して作った塩酸エフェドリン（Ephedrine）で作るのが一般的である。この製造方法が個人に知られるようになって、アイスを使用する北朝鮮住民が更に増えたという。

A級アイス1gに30ドル

前で述べたように、現在は麻薬が最も多く製造、流通する都市は咸興である。咸興には国家科学院咸興分院という研究機関があるのだが、麻薬の化学的な製造方法を初めて開発した所が、正にこの研究所である。この製造方法が近隣に広がって行って、咸興は麻薬の温床となった。

2008年にここで製造された麻薬が中国へ密輸されて、それを使用した中国人が死亡する事件があった。この事件が国家的な問題へ飛び火する中、その麻薬の製造に参与した咸興分院の室長が死刑になり、その他の関係者が処罰された。室長は製造だけでは死刑まで行かない可能性もあったが、調査過程で製造方法の流布と販売の事実まで表面化して、極刑を免れなかった。

順川、南浦、沙里院など化学工場がある所にも、アイス製造により暮らしていく北朝鮮住民がいる。化学の勉強をしなかった人も、専門家に1,000ドル程度を与えれば、製造方法を習えるという。

北朝鮮で製造されるアイスは、A級1gが30ドル、C級1gが20ドルで流通するが、中毒者の中には一度に1gを使用する人もいるという。このような過程を経る中で、わずか10年のうちに北朝鮮住民の大部分がアイスを知ることになった。韓国で脱北者の数千名を調査した結果、その70％が北朝鮮にいる時アイスを経験したことがあった。

麻薬中毒者の末路は、全世界的に全く同じである。平壌の牡丹峰地域の北塞洞に暮らす、ある中毒者夫婦は、日本に暮らす家族が送ってくれるカネで羨むことなく暮らしていた。2000年初めから麻薬に手を付けて数年も経たないで家まで売り、一間の部屋でどうにかこうにか延命していて結局は保安部に捕まえられ、監獄に行ってしまった。このような麻薬中毒者は、北朝鮮社会で大きな頭痛の種である。

北朝鮮社会に蔓延した売春と麻薬の行為は、幸いに金正恩体制に入ってから減少の趨勢を見せている。当局の強力な統制と共に北朝鮮住民の生活水準がある程度は向上したのが、その理由なのであろう。チャンマダンが活性化する中、カネを稼ごうという欲求が大きくなるや、「道草を食う」余裕と時間が無くなったことも一定の役割を果たしたのであろう。

第4章
統一時代の創業ブルー・オーシャン、今は平壌だ

創業のブルー・オーシャン、平壌！

一緒に想像の翼を広げてみよう。2次、3次の南北首脳会談以後のある時点、ついに南と北の時代が開かれる。文在寅（ムンジェイン）大統領と金正恩（キムジョンウン）国務委員長が「統一宣言」を採択し、南北交流協力の時代を闡明する。宣言によれば、いま韓国はどのような制限もなく北朝鮮に投資できるようになる。いくらも経たずに韓国の数多くの投資者が、市場調査のために平壌へ向かう。実現可能性が高い想像である。

平壌の江南を探せ！

ソウルのある不動産業者が平壌市場調査団に入って行った。いま直ぐには韓国人が平壌の土地を買うことは出来ないが、遠い未来を見据えて決心した旅程である。

「私が、はばかりながら『アパート共和国』ソウルに住む不動産専門家なのだが、平壌市民よりは不動産を見る目が高いだろうよ。ソウルでカネを稼いだ人々、結局は不動産で稼ぎませんでしたか。平壌で1970年代のソウル江南のような所を探して投資すれば、大金を稼げるはず。」

この不動産業者は平壌へ向かう前に、まずインターネット検索により事前調査を始めた。平壌の通りの写真をあれこれと探して見て、資料としては2014年に現代経済研究院が「統一時代の進路のために苦悩する青少年」を対象に発表した展望報告書「統一韓国の12大有望産業」を参考にした。12大有望産業を探して見ると、該当しない産業が無い。建設、電力、エネルギー、有線・無線通信、資源開発、交通・物流、機械、素材、環境・バイオ、家電、自動車、航空宇宙、観光が基本の有望産業だという。全て雲を掴むような話と聞こえ、個人が投資するに足るものは、さほど見かけられもしない。

「そうだね、本からは答えを探し出せん。この報告書は参考だけにして、直接いって見なければね。」

韓国の平壌市場調査団を乗せて離陸した飛行機が平壌の順安空港に到着するまで、わずか1時間も掛からない。済州島に行くより遥かに早い。平壌中心部のホテルに旅装を解いた彼は、市内地図を広げて持ち、通りの見物に出て行った。平壌を歩き回りながら、創業するのに良い場所やアイテムを調べて見るためである。彼は真っ先に、平壌の中心部を回って見始めた。ソウルの不動産業者の感じとしては、うかつに投資するに足る所ではないという考えが浮かんだ。平壌中心部はアパート団地が余りにびっしり建て込んでいて、投資するに足る新しい敷地を探すのがほとんど不可能に見えた。あちこち見て回ると、新しいアパートを建設するのに必要な各種の承認手続きも、ひどく面倒くさいと思った。

ソウルの鍾路と言える中区域は、今も中央党幹部のようにカネと権力を持った高位層が暮らす。中区域の問題は、上下水道のような都市の下部構造網の設計図そのものが無くなったということである。平壌中心部の上下水道網は、日帝強占期に建設したものである。6・25戦争（朝鮮戦争）の時、平壌は米軍の無差別爆撃により廃墟となった。戦争が終わった後、急に再建してみると、日帝強占時期の上下水道網の上に新しいアパートを建てる外なかった。当時は平壌の人口が40万名くらいであった。今は250万名に肉薄するので、完全に古い水道網を掘り出さなくては、暮らし易い都市をつくるのは容易ではない。北朝鮮の建設全盛期であった1980年代末から1990年代初めにつくられた光復通りと統一通りも、同様である。この2ヵ所も、やはり上下水道の構築がきちんと出来ておらず、不便である。

彼は平壌へ来る前に、ある脱北記者の書いた文章で、ソウルの汝矣島のような潜在力を持った土地が大同江の中にあるスク島とその向かいの統一通り側で、そこは金儲けの場所だという情報に接したことがあった。スク島は、平壌駅から車で15分しか掛からない。スク島に到着した彼は、失望した。果てしない大平原であった。ソウルと平壌の間の鉄道路線上にあって位置は良く見えるのだが、いつ開発されるのか遼遠に思えた。ただし、汝矣島と似通った立地なので、今後に北朝鮮が国際機構を誘致するならば、この場所が有力なようであった。さらに肯定的に見れば、多くの国際機構と外国の大使館が位置を占める国際都市へ発展できるようであった。

「ところで、それがいつ可能であろうか？　道路も舗装し、橋も置いてと言えば、一体全体わたしが何歳になるのかな？」

彼はため息ばかりついて、その場所を去った。その脱北記者は、平壌で2番目に有名な地域として船橋区域を挙げた。大同江の大同橋を越えて行かなればならない所であった。彼は、車を借りて、船橋区域と東大院区域へ向かった。彼の目には、ソウルの九老とか新道林に比較できる地域であった。行く道で目に止まったものがあった。写真で見た時は平壌のあちこちに芝生が上手に植えられているようだったが、現実に見ると全てコンクリートで塗りつけてあった。

金正恩が父親の権力を譲り受ける中、真っ先に下した指示が芝生の植え付けであった。北朝鮮には2011年から芝生植え付けの風が吹いた。金正恩は都市の景観上、見かけが良くないので、地面が現れる部分を全て無くしてしまえと言った。平壌市民は、熱心に芝生を植え始めた。ところが、この芝生育成に手間が余りに多く掛かった。水を与えなければならない、肥料を与えなければならない、しばしば補修しなければならない。平壌市民は、その時にやっと芝生育成がどれほど難しい仕事かを知ることになった。「地面を無くすために、必ずしも芝生を植える必要は無いじゃないか。」 このように考えた平壌市民は、その次から地面が見える所にコンクリート舗装を施し始めた。世帯当たりセメントをバケツ1杯、砂利を麻袋に1袋、砂を1袋という式に割当量を賦課して、アパート周辺の土層被覆区域（土で覆われた地域）をコンクリートで舗装する事業が大々的に進行した。その結果、2017年にはほとんど全ての区域のアパート団地内の空間がコンクリートで舗装された。実際に、芝生が植えられた所を除外すれば、平壌市内で基本通りの道路はもちろん、それなりの住民の住居団地の小さな空間までが全て、コンクリート舗装になっている。

彼が船橋区域へ移動する間に、雨が降り始めた。舟橋区域に到着した彼は、近隣の東大院区域、長忠洞、北繍洞を見て回った。雨が多く降ったのではないが、道路がことごとく水浸しであった。周辺の環境が無茶苦茶に変わり始めた。彼は頷きながら、そこを去って、倉田通り、未来科学者通り、黎明通りなど最近になって建てられた通りへ移動した。やはり新しいアパートだけあって当然、外観で見るにはほとんど同じで良かった。少し詳しく調べて見ると、既にここは投機ブームが起きているそうであった。価格も酷く高かった。

「開発される前の江南のような所はどこだろうか？」

地図を広げて見るに、位置上でちょうどソウルの江南のように見える所が目に入って来た。東平壌と呼ばれる地域であった。

北朝鮮当局も将来、東平壌地域を平壌開発の中心と見なそうという意志があるという。実際に東平壌地域の核心である文繍地区には、10余年前に中国企業が大商業通りを建設すると言いつつ投資を始めたが、投資がしばしば中断されて、建設が不振である。

東平壌地域へ行った彼は、周囲をゆっくり眺め回した。ちょっと見にも長所が多かった。大同江を間に挟んで大使館が密集しており、大きな病院も多かった。ソウルからインターネットで接していた文繍水遊戯場、野外スケート場、柳京院、海棠花館のような文化・余暇施設（奉仕施設）も、すべてここにあった。河の向こう側には、TVで何度も見ていた、あの有名な玉流館の趣のある姿が見えた。

平壌市民は「城外」と「城内」と言って、大同江を境界として中心区域である大城区域、平川区域、牡丹峰区域などと、その向こう側の大同江区域、東大院区域、船橋区域、楽浪区域などを区分する。友達らの間では、冗談と見なして「城の外で暮らすくせに」のような言葉もしばしば述べる。城内という概念は、平壌城を基準にしたものである。この城内と城外の住宅価格の差異は、とんでもなく大きい。2018年6月現在、中区域の蓮花洞にある30m^2のワンルームアパートは1万ドルで、東平壌地域に属する大同江区域の清流洞とか玉流洞とかの80m^2以上で3～4部屋のアパートも同程度の価格である。面積対比価格を確かめれば、ほとんど2～3倍の差異がある計算である。参考として平壌では、「m^2」を「坪」と読む。それだから、100坪のアパートに住む平壌市民に会っても、気圧されする必要は無い。韓国の30坪台と同じだからという話である。平壌市民の大部分が大同江以南の地域にあるアパート価格の低廉なのは、インフラゆえであることをよく知っている。特に、交通と上水道が問題である。平壌には大同江を横切る地下鉄が無い。軌道電車と無軌道電車だけ利用するのだが、停電がしばしばで速度も遅く、不便な点が多い。

「核心は、交通だな。この周辺の長く経った平屋とアパートを全て解体して、新たに建てるならば、平壌の江南になり得るだろう。そうだ、平壌の江南は東平壌だ！」
彼は、満足そうな微笑をたたえて宿所へ向かった。

北朝鮮の資源、多いのか少ないのか

朴僅恵（パックネ）前大統領が「統一大博」を華々しく宣伝していた2014年[34)]、国際研究所である韓国開発研究院（KDI）が「北朝鮮の地下資源は過大評価されている」と指摘した南北経済統合報告書を刊行した。
「統一は大博」発言の後、統一の経済的な効果についての期待感が高まっていた状況であった。柳吉在（リュギルチェ）・統一部長官は「大韓民国と国際社会が協力し、北朝鮮にある膨大な地下資源、労働力、土地を活用するならば、北朝鮮経済が再び立ち上がれる」と明かし、北朝鮮の地下資源の価値は6,000～7,000兆ウォン（韓国の24倍）に達するという研究結果も後に続いていた。この時、国策研究機関が制動を掛けるように見える報

告書を出したのである。

韓国開発研究院の報告書内容は、私が北朝鮮の地下資源を見る視角とほぼ似通っている。この報告書は、北朝鮮産業の潜在力を評価しつつ「多くの資源があるとしても採掘費用、少ない需要のために価値が低い」と結論付けた。

まずもって北朝鮮には、高価な地下資源である石油や天然ガスが無い。地質の構造上、埋まっている可能性も低い。北朝鮮に多いと知られていた石炭も、価値が低い無煙炭、褐炭である。国際人気商品である瀝青炭（発電・製鉄用）は無い。韓国は2011年、瀝青炭160億ドル分を輸入したが、無煙炭の輸入額は18億ドル強であった。北朝鮮に無煙炭が多いとしても、韓国の需要は余り無いのである。

そうではあっても北朝鮮には、世界的な規模の鉄鉱石鉱山（茂山鉱山）があるが、北朝鮮の鉄鉱石は鉄の含有率が低い磁鉄鉱としてカネにならない。北朝鮮には電子産業の材料である銅、モリブデンなど、その他の鉱物資源も相当に多いけれども、需要層が狭い。結局、北朝鮮の地下資源は大博とは距離が遠いわけである。北朝鮮の2008年の鉄鉱石など5大地下資源の1人当たり販売額（194ドル）は、韓国の22倍である。しかし、これは資源大国オーストラリアの3.5%に過ぎない。

人力も同様である。北朝鮮も年を取る。生産可能人口（15～64歳）比率は、約10年後となれば下落傾向へ変わる。韓国開発研究院の報告書は「10年後から人口構造の変化が成長率を押し下げるはず」と展望した。この報告書の共同著者である金斗月（キムトドゥウォル）（音訳）・明知大経済学科教授は「北朝鮮に20～30代の人口が多いという考えは事実と異なっており、統一により我が社会の老齢化問題を解決するのは難しい」と述べた。ただし、北朝鮮の人力は高級技術者ではなくても、低賃金の労働集約的製造業に投入するのに優秀だと評価した。この報告書は、北朝鮮に最も適合した経済開発戦略は開放と低賃金の労働集約的製造業発展だと明かした。

外部の講演でこんな話をすれば、「希土類が北朝鮮に多いという話を聞いた」と言いつつ、北朝鮮の希土類埋蔵量を尋ねる場合が多い。この問題と関連して、北朝鮮でこれを充分に理解している人に尋ねてみたところ「平安道と黄海道地域の土地は、ほとんど全部が希土類の原料」という、信ずるべきか否か分からない答弁をした。彼は、北朝鮮もこれを重視して「すでに10年前、科学技術委員会に希土類資源開発事業を専門的に担当する部署を別に作り、事業を推進しているが、技術力量と投資資金の不足により、依然として手を付けられずにいる」と述べた。彼は、また「茂山鉄鉱山のような場合は探査された埋蔵量だけで数十億トンと依然として青春期」と語った。信ずるべきか分からない。

金に対する張成沢(チャンソンテク)の執着

以前から北朝鮮には、金鉱山が多かった。「ノダジ（富鉱脈、思いがけない幸運）」という言葉も、北朝鮮の金鉱から由来した言葉である。日帝強占期の時に開発され、金を生産してきた甕津鉱山と会昌鉱山のような所は、探査設備と技術の不足により依然として開発できない区域が少なくないと聞いた。特に、抽出技術が不足して処理できない低品位の尾鉱（選鉱作業中に分離された、価値の無い鉱石部分）が山をなしているという。

この低品位の尾鉱から金を選び出すための研究は、北朝鮮の多くの科学者が関心を注いでいる分野の中の1つである。そうだと見るや、ニセ学者も多く現れた。低品位の尾鉱から抽出した金を北朝鮮では「ベタ金」または「難抽出性金」と言うが、過去の北朝鮮ではこんな金を抽出すると言いながら、国家級の外貨稼ぎ機関を騙した大型詐欺が何回も繰り返された。特に、張成沢は処刑される前、労働党行政部の直属で専門の金研究所を作り、金日成(キムイルソン)大や金策(キムチェク)工大を卒業した専門の研究力量を引き入れて、こんな金までもことごとく回収しようとした。ところが、ここにもニセ者どもが入り込んで、結局は張成沢と一緒に生を終えたという風説もある。

高級アパート団地である倉田通りの建設の時、万寿台創作社の向かいに高級アパート団地2棟が建設された。当時、このアパート建設には平壌外国語大学の学生が動員された。この大学の保護者は、財力のある場合が多く、この高級アパート2棟の質的水準がかなり高かったという。張成沢は、このアパートを金研究所の研究員に与えた。その時、高級アパートまで配定を受けて華麗な将来を夢見て、張成沢の没落と共に人生を畳んだ若い人材が少なくなかったという。

どうであれ、社会主義の北朝鮮でも金についての欲望が他と異なり強いのは、認定しなければならない。また、この部分の研究が相当に進捗し、多くの研究力量が存在するため、ある程度は投資するならば、大博を収める良い機会になるかも知れない。

金正恩の炭素ハナ化学工業プラン

昨年『労働新聞』で見慣れない単語ひとつを発見した。

「金正恩同志の偉大な構想に従って進行する炭素ハナ化学工業の創設のための対象建設の着工式が14日、順川化学連合企業所で進行した。」

「炭素ハナ（ひとつ）」が何かと思ったのだが、石炭化学（C1）を意味する言葉であった。北朝鮮が言う炭素ひとつ（C1）化学工業は、北朝鮮に豊富に埋蔵された石炭の地下ガス化を利用して、水素と一酸化炭素を作り、これを合成して必要な化学物質を得る化学工業を意味する。もう少し具体的に説明すれば、石油や石炭を燃料として他の物質を作り出す化学工業では、炭素2つのエチレン（C_2H_2）と炭素3つのプロピレン（C_3H_3）などを出発物質と見なすのだが、石油や石炭の代わりに炭素1つの物質、すなわち一酸化炭素（CO）とかメタン、メタノール、ホルムアルデヒド（CH_2O）などを通じて合成しようというのである。実際に一酸化炭素と水素を「特殊触媒」を通じて反応させ、炭化水素を作り、これを利用して合成揮発油、合成軽油などを作るのが、正に炭素ハナ化学工業である。

この化学工業は、全く突拍子もない理論ではない。電力使用量を画期的に減らせるし、二酸化炭素の排出が無いので、世界的に脚光を浴びる雰囲気でもある。『労働新聞』によれば、張吉龍（チャンギリョン）・化学工業相は「炭素ハナ化学工業の創設は、単純な経済実務的な事業ではなく（中略）、国の経済的自立性を各方面で強化していく責任ある重要な事業」だと言いつつ、建設物の質を最上の水準で保障しなければならないと強調した。

調べて見ると、北朝鮮は2016年5月に党第7次大会で「国家経済発展5ヵ年戦略」を当面課題と提示する中、化学工業部門で「石炭ガス化による炭素ハナ化学工業の創設」方針を明らかにしたことがある。前で北朝鮮に希土類が多いと話した人は「北朝鮮には黒鉛と石炭も無尽蔵に埋蔵されていて、石炭が数百億トン程度は更に採掘できるし、安州地区のように海へ鉱脈が延びていった地域は、揚水設備など技術の不足で浸水した鉱脈が数知れぬほど多い」と述べた。

本当に信ずるべきかどうか分からないけれども、どちらにしても北朝鮮が石炭資源には自信感を持っているようである。それだから、炭素ハナ化学工業を創設し、それを発展させて、原油が無い難点を克服しようとしているのではないか。けれども、他の全ての鉱業部門と同様にやはり、この部分も投資が無ければ絶対に先進化を達成できないであろう。

平壌の無動力ボイラー

巨大な談論を去って、平壌市民が切実に望むものを尋ねてみよう。おそらく暖房が最初のそれであろう。平壌市民の大多数は、冬を最も恐れて辛い季節と数える。平壌市民は、冬になれば数ヵ月間、結露した水滴の花が白く咲いた窓を通じて風雪が吹きすさぶ通りを眺めている。分厚い服を着込み、布団の中に丸くなって座り、気を逃がさないようにして暮らす。

平壌に暖房システムが無いのではない。2つの大火力発電所である平壌火力と東平壌火力を建設して、温水を市内に供給するシステムは、もう数十年前に構築された。しかし、苦難の行軍の時期を経て、経済難の中に補修がなされないのを見ると、システムが完全に崩壊してから久しい。中央党と万寿台議事堂のような最高位級の機関程度になって初めて、持続的な整備・補修を通じて温水の供給を受けることが可能である。発電所に近接している楽浪区域と平川区域さえも、一部の地域を除外しては温水の供給を受けられない。

そうだとしても、従順に凍え死ぬ平壌市民ではない。飢餓もくぐり抜けてきた彼らの生存力は、平壌の暖房文化を変えた。無煙炭を利用した「無動力ボイラー」が平壌の代表的な暖房システムになった。無動力ボイラーの原理は、次のようである。台所に「水家（水筒）」を付けた火桶を置く。無煙炭で作った穴開き練炭を燃やして飯を炊けば[35)]、水筒を満たした水が一緒に加熱される。この水筒は床下に埋め敷かれた管に連結されていて、この管を通じて温水が床を温める。一名、水ボイラーで通じるこの暖房方式は、1980年代に韓国の練炭暖房家庭で使用していたものでもある。

床下を掘り出さずに管を設置も出来るけれども、そうすれば部屋の高さが低くなるので（床が高くなるので）、大概は床下を露わにして管を設置する。平壌のアパートの床面は、床下を剥がし出せば、以前に「中央暖房」を供給していた主鉄管と敷砂利がそのままあるので、それを利用することも出来る。

無動力ボイラーという名前は、温水が別途の設備なしに流体熱力学の法則に従って自ら循環するので付けられたのである。事実は、石炭を消費するために完全な「無動力」だと見ることは出来ないが、ともあれ飯を作れば部屋が勝手に温かくなる構造である。火桶で燃焼された石炭ガスは、煙突の役割を果たす煙筒を通じてアパートの通気口や窓の外へ排出される。

ところで、この方式の最も大きな問題は、ガス中毒事故を引き起こすということである。年ごとに冬となれば、平壌だけでも毎日たくさんの人が一酸化炭素中毒で死ぬ。特に天気が曇り、気圧が低い日は、事故が続出する。アパートの通気口がガス排出の役割をちゃんと出来ず、逆に煙気が部屋に戻って来るのである。無動力ボイラーを設置した家で共同排気口を通じて外へ出していたガスが、曇った日に上の家や下の家へ流れ入り、このボイラーを使用していない他家の一家族を死なせた不祥事もあった。甚だしくは、中毒した人は九死に一生で生き延びたとしても、植物人間として残るのが常である。

北朝鮮の家庭で無煙炭を買い、自ら作る穴開き練炭は、一酸化炭素の排出量が非常に高い。こんな事故を防ぐために、北朝鮮の多くの研究士が一酸化炭素の排出量を減らせる（完全燃焼させられる）各種の添加剤と材料を作り出したが、依然として明白な効果を出せないでいる。

平壌市民であれば誰でも無動力ボイラーゆえに、一酸化炭素を吸って頭が痛かった記憶を持っている。韓国でも練炭を燃やした1980～1990年代の初めまでは、年ごとに練炭ガスに中毒して命を失う人が多かった。平壌のある家は、初めから火桶をベランダに置いて、練炭ガス中毒事故を予防するという。

一晩中2時間ごとに新婚の家の門を叩く巡察隊

継続するガス中毒事故を防ぐために、平壌市人民委員会が本当に「奇抜な」方法を考え出した。世の中に無い「ガス巡察隊」を組織したのである。本当に人民の生命と財産を惜しむ「奇特な」心から始められたものだと認定するとしても、コメディという点には疑いの余地が無い。

2009年から一部の区域に組織されたこのガス巡察隊の任務は、次のようである。毎夕7時になれば洞事務所に行き、上番（勤務に入る前の事前点呼）を受ける。夜11時から2時間に1回ずつ担当区域を巡察しながら、人々の生死を確認し、その結果を日誌に記録した後、洞事務所に行って印鑑を受ける。このように夜通しで4～5回、担当区域と洞事務所を行ったり来たりしてみれば、朝になる。担当の巡察区域は普通、自分が属する人民班である。すなわち、冬であれば1つの人民班から1家庭ずつが当番として組織に入り、交代で毎晩ガス巡察を行うのである。

生死確認の方法は、家ごとに出入口を叩いて、中から応答する時まで待つというものである。応答があれば生きているものと見なして次の家へ行き、応答が無ければ大急ぎで班長に知らせ、洞事務所に報告して対策を立てる。この措置が実際の事故防止にどれだけ効率的だったのかは分からない。確実なことは、職場に通う人には苦々しい夜となるのである。普通は家に老人がいれば、彼らがガス巡察を一手に引き受けて進行するが、そうでない家は直接でて行く外はない。もちろん、この頃は職場に出て行ってみても、やる仕事が無い時が更に多いので、出勤して少し眠っても構わないけれども、ともあれ当番が回って来た日には、徹夜する苦労を甘受しなければならない。

いくらか前に話を交わした平壌の新婚男性は、こんな話を聞かせてくれた。

「新婚初期なので当然、妻と一緒にガス巡察に出て行きました。寒い冬でしたが、愛する人の手をしっかり握って、夜の通りを歩くのがちょうどデートをする心情なので、楽しいとまで思いました。ところが、夜9時から11時、夜更け1時、3時、5時まで5回を他家の門を叩きながら夜通し過ごすので、本当に辛さが言葉に出来ませんでした。翌日、出勤してコックリコックリ居眠りすると、同僚たちが新婚の夜は本当に蜜の味なのかなと言いながら、毎日からかうのですね。本当にそれで居眠りしたのであれば、いくらでもそんなからかいを甘んじて受けますよ。熟睡した人をわざわざ目覚めさせるのがそんなに楽しいことでもなく、そうだと言って生産的な延長作業をするわけでもなく、もの悲しい思いまで浮かびました。

いくらか後からは、順番が回って来るのが恐ろしく思われるようになりました。人民班長が我が家はちょっと抜かしてくれたら良いのに、という期待も持ってみたが、巡察日誌に各家の名簿と日付がそのまま書き込まれていて、こんな期待は単なる夢でしかありませんでしたね。ところが、巡察が除外される家もあります。無動力ボイラーさえも置く能力が無い一部の世帯は、巡察から抜かしてやります。部屋にビニールの薄膜により家ならぬ温室を1つ更に作り、着火炭により温めた熱い水筒を恋人のようにギュッと抱き締めて、一晩ぐっすり眠る彼らが羨ましくさえありましたよ。

少し過ぎて見るに、要領を考えつきました。人民班の巡察をせずに、洞事務所に直ぐに行って印鑑だけ受けて来ることでした。ところが、これもちょっとやって見ると、やはり大変に疲れる仕事でした。どちらにしろ5回も洞事務所に行かなければならないですからね。それで、タバコ数箱を与えて、担当の洞事務所の指導員と人民班長を買収し、勤務に立たねばならない日の夕方に予め印鑑を全て押しておいて、翌日に引き継ぐ方法を探し出しました。この頃の北朝鮮で賄賂があれば、出来ないことがありません。

ところで、よくよく見ると、私だけがそうやったのではありませんでした。大多数が巡察には回らず、そのまま洞事務所で印鑑だけ押して来ていたという話です。結局、洞事務所の指導員と人民班長だけ生き甲斐と楽しみを感じたでしょうね。

巡察を熱心に行って回る人も、いるにはいます。そんな人が当番になれば、2時間に1回ずつ各家を回り、責任を負って「起床」を強いてやるのだが、こんな日であれば、その人も人民班の他の人も一日、寝そびれることになりますよね。

私が新婚の夜を過ごす時も、時と所も構わずに門を叩いて、本当に……。愛を交わしていて門を叩く音がすると、あの人が外で我々の声を聞いていたのではないかと気遣われる中で、興がすっかり冷めますよ。それで、門を叩いて行った後にコトをやるのだが、愛も時間を合わせて行うというのが、本当に辛くて悲しかったなあ。」

1年の冬を越そうとすれば100ドルは使わねば

こんなガス巡察隊が平壌の全地域に存在するのではない。新たに建設された倉田通り、未来科学者通り、黎明通りの住宅は、だいたい中央暖房や地熱暖房を利用するように設計されていて、こんな巡察隊が必要ない。無動力ボイラーを利用できない貧しい世帯が多い洞や人民班にも、巡察隊が無い。

無動力ボイラーは、設置費がかなり高い。資材の種類と質に従って異なるが、大体は火桶、水筒、水管、設置費用などを含めて150～250ドル程度が要る。越冬用石炭を準備するのに、また50ドル程度が要る。穴開き練炭の材料を処理する費用も、アパートで集めて出さなければならない。無動力ボイラーは一度だけ設置すれば、だいたい数年は補修せずに利用できるが、水管が詰まったり水筒が壊れたりして、1〜2年に1回ずつは交換する家も少なくない。

無煙炭を載せて来て、穴開き練炭へ加工することから始まり、アパートにこんな穴開き練炭を上げて保管する仕事、無動力ボイラーの資材を準備して設置することまで、すべての作業が分業化されている。そういうわけで実は、カネさえあれば冬の準備をするのは難しくない。

平壌のどこでも職場には、名前だけ表に掛けておいて、ちょい稼ぎ（副業）をする事実上の無職業者が散在している。彼らは、稼ぎのために行き当たるままに「日工（日当職）」を行う。例を挙げるとすれば、次のようである。加工しておいた穴開き練炭の一塊を1階あげる価格は、北朝鮮のカネで10ウォンくらいである。無煙炭1トンからは穴開き練炭が350個（北朝鮮では350台と言う）ほど出て来る。アパート10階に住む人が350台を家に上げて保管しようとすれば、運搬費だけで3万5,000ウォン程度は与えなければならない。1ドルが8,000ウォンで計算すれば、4ドル強を与えて人を使い、穴開き練炭を家に全て上げて置けるのである。情の厚い家では、カネを与えた上にも酒やタバコを更に与え、食事までさせてやりもする。もちろん、同じアパートの入住民だとかいくらか顔見知りの人だとかでなければ、食事まで接待を受けられない。平壌では、このように同じアパートにも日工として働く人と日工を雇う人が一緒に暮らしている。

無煙炭を載せて来る人は、だいたい武力機関（軍部）の外貨稼ぎ単位の下級軍官が多いのだが、受け取る価格はトン当たり20〜30ドル程度する。無煙炭の価格は質にも左右されるが、北朝鮮の炭生産量よりは対中国輸出量に絶対的に左右される。輸出量が多くなれば、無煙炭が貴重になって価格が上がっていき、輸出量が少なくなれば、価格が下がっていくのである。

無動力ボイラーを利用する全ての世帯が暖房用無煙炭の購入と炭材の処理費用により、一冬に使うカネは少なくとも100ドル程度である。こんな無動力ボイラーの暖房を利用する世帯が平壌にだけでも数十万世帯と言うから、毎年の冬に数千万ドルが暖房に消費される。凍り付いた人の身体を温かく溶かしてやったり、罪の無い命を奪っていったりもしながら、煤煙を噴き出して微細ゴミ（粒子状物質PM2.5）で市内を汚染させるのは、オマケである。

北朝鮮に韓国のボイラーのようなものが入って行けば、全てが新しくなるであろう。だが、燃料費が遥かに高いので、おそらくカネのある金持ちだけが使用できるであろう。平壌の暖房問題は、本当に解決が難しい。

平壌を知ればカネが見える―創業アイテム

最近の南北和解の雰囲気の中、韓国の社長さんたち全体で見て、北朝鮮に進出して事業ひとつやって見るかと考えない人がいるだろうか。私の周囲にも南北の間に平和協定が締結されて往来が自由になり、投資が可能になるならば、平壌に中小企業をひとつ設けたいという人が少なくない。ところが、どんなことをすれば良いのであろうか？　どんな事業をすればカネを稼げるのであろうか？　韓国でそれを推定するのは容易ではない。平壌で人気になったいくつかの創業事例を紹介する。この事例を注意深く考察するならば、少しはヒントを得られるであろう。

平壌に吹き荒れたビリヤード場の熱風

私と親しい弟分の中には、平壌でちょっと遊んだという「遊び鳥」出身が多くいる。その中に、ビリヤードを本当に上手くやる平壌の金持ちの子弟もいる。その弟分の話では、韓国のポケットボールのプロと当たっても、自信があるという。

「兄貴、私がテレビで見たのだが、韓国のポケットボールの水準は、大したことがなかったね。私は、プロ10位圏の中に入る人でも勝つ自信があるよ。」

どこでビリヤードを習ったのかと尋ねたところ、2000年代の初めに平壌のビリヤード場で食べて寝たという。実際に北朝鮮で苦難の行軍の時期がちょうど終わった1990年代末から2000年代初めまで、平壌の食堂にビリヤード場、カラオケ、ゲーム場などが雨後の筍のように生まれ出た。数多くの餓死者を生みながら1990年代を送った北朝鮮住民が、ついに市場経済の意味を、人間の欲望を刺激してカネを稼ぐ資本主義的な経済の運営方式を悟るようになったのである。

北朝鮮当局の黙認の中に、このようなビリヤード場とカラオケは、1つ2つと増え始めた。その中には、住居が引っ付いた専業ビリヤード場を構えた人もいた。当時の平壌には、このような施設が数えられないほど爆発的に増えたが、どこも1つとして潰れたり損失を出したりしなかった。どのビリヤード場やカラオケに行って見ても、青春の男女で溢れ返っていた。当時、青年であった平壌市民すべての中で、ビリヤードの棒（キュー）を一度も握って見なかった人は、いないであろう。2002年の7・1経済改革の措置以後、当局が市場経済体制をある程度は許容し、中国、韓国など周辺国と経済交流を拡大したのが、このような市場形成に影響を及ぼしたものと見られる。

そうする中で2004年になって、当局は突然に中小の食堂で運営していたビリヤード場とカラオケを「資本主義の温床」と罵倒しながら無くしてしまった。ビリヤード場に若者たちが集まって賑わうのを見るに、事件や事故が絶えなかったのである。

平壌で有名だった事件の中には、次のような出来事もあった。2002年頃、牡丹峰区域のある食堂で運営していたビリヤード場において生じた出来事である。

崔（チェ）くんと李（リ）くんは大学の同級生だったのだが、崔くんは金（キム）さんと恋愛中であった。ある日、崔くん、李くん、金さんは、この食堂で酒を飲み、歌を歌いながら楽しんで、ビリヤード場に入って行った。崔くんと李くんは極めて親しい間柄ではなかったものの、ふたり共にカネがたくさんある家の子弟であった。崔くんの父親は中央の幹部で、李くんの父親は貿易商人なので、小遣い銭も豊富に使いながら、一緒に遊び回る間柄であった。

恋人の前で自分のビリヤードの実力を自慢したかった崔くんは、李くんと賭け事をした。試合で負けた人が当日、消費したカネを全て支払うことにしたのであった。ところが、李くんが勝って、カネは崔くんが全て負担することになった。恋人の前で体面を潰された崔くんは、李くんにもう1回やってみようと提案した。李くんは拒絶したが、崔くんの提案が繰り返されると、李くんは意外な賭け事の条件を持ち出した。自分が勝てば、金さんとの関係を断ち切れというのであった。一緒に遊び通って見ると、李くんも金さんを好きになったのであるが、友達である崔くんが先に仲良くなって、一歩を退いていたのである。怒りが頭の天辺まで達した崔くんは、この賭け事を受け入れた。ところで、金さんも男前でカネも崔くんより派手に使う李くんが嫌いではなかったのか、普通の女性であれば場を蹴飛ばして10回でも帰ってしまったであろうが、赤らんだ顔で泰然として試合を見守った。

この恋人を賭けて繰り広げられた試合で、崔くんが再び負けた。結局、崔くんと李くんは喧嘩をしたのだが、李くんはビリヤードの実力とは異なり、喧嘩は崔くんより上手くなかったようである。力が足りなかった李くんは、キューで崔くんの頭を叩き、血がドクドク流れるようにした。これを見守っていた金さんが悲鳴を上げ、それを聞いて走って来た人々が、やっと2人を引き離した。しかし、恋人の前で体面を余す所なく潰された崔くんの憤怒は、ここで終わらなかった。

この喧嘩が繰り広げられて4日が過ぎた日曜日、崔くんは李くんを彼の家の周辺にある学校の運動場に呼び出して、一緒に行った友達らと共に無慈悲に殴打した。ところが、李くんも崔くんが呼び出した時、こんな出来事を予見していたのか、ナイフを抱いて出て来た。彼は、ナイフで崔くんの腹を刺して失神させた。これを目撃した他の人たちの申告により、事態はどうにか収拾したが、崔くんは思想闘争会議で批判を受けて退学を食らい、李くんは正当防衛を主張したものの受け入れられず、刑を宣告されて監獄に引かれて行った。崔くんと李くんの父母も、やはり大きな災いを被ったであろう。この程度に大きな事件が引き起こされれば、父母も無事に済むのは難しいからである。

事実としてビリヤード場は多く消えたが、平壌の高麗ホテル、羊角島ホテル、西山ホテルなど外国人専用ホテルとか平壌ボーリング館（ボーリング場）のような一般大衆の利用施設には、依然として残っている。しかし、ビリヤード愛好家が確実に減って、ビリヤード場がひっそりと空いている時が多いという。

平壌でビリヤード場やカラオケが再び盛んになるであろうか？　考えてみるべき問題である。

大成功する卓球場

ビリヤード場が消える中、卓球場が弾けた。北朝鮮当局が「体育熱風」を高潮させると風を吹き入れたからである。

卓球場の利用価格は、施設の規模と質により異なるが、一般的に1時間に北朝鮮のカネで5,000ウォン程度である。1ドルが8,000ウォン台であることを勘案すれば、我が韓国のカネで600〜700ウォンの線だが、北朝鮮ではコメ1kg以上を買える大金である。床面に床板を張り、エアコンもある等、施設が相応に良い卓球場は、時間当たり2〜4ドルを受け取る。こんな卓球場に行けば、実力が水準級の人を多く見受けることが出来る。ほとんど全ての卓球場は、浴場と食堂を兼備していて、卓球が終わった後は風呂に入ったりビールを飲んだりする。

こんな卓球場に行けば、専門的に卓球を教えてくれる退職選手も多く見かけられる。「4・25体育団」、「鴨緑江体育団」などで卓球をして退職した選手たちなのだが、幹部とか少しカネのある金持ちは、こういう退職選手から卓球を習う。課外の価格は、選手の水準と習う人の懐具合により決定される。選手出身のプロに1日2時間くらい習おうとすれば、1ヵ月に100ドル以上のカネが要る。もちろん、アマチュア選手に習えば、これより遥かに低廉である。

独りで卓球場に行けば、アマチュア選手が相手をしてくれもする。この時には、間違いなくカネを与えねばならないが、1時間に1〜2ドル程度である。北朝鮮がどれほど資本主義化したか窺える肝心要の部分である。それでも卓球は、独りで打つことは出来ず、またこんな選手を相手にすれば実力がつくのが事実なので、小遣い銭が出来れば、そんな機会を探す人が多い。

卓球場の営業者は卓球場の活性化のために、こんな退職選手を各方面に尋ねて回り、競争的に招聘して来る。営業者と退職選手は契約を結び、一般的には選手が収益の10%くらいを営業者に出すという。営業者は卓球場の活性化と共に、顧客と選手すべてからカネを受け取れるから、いろいろと残る商売である。そういうことから、選手出身のプロを更に多く引き入れるために努力する外ない。

卓球場の事業を追いかけているバレー場事業

卓球場ほどではないが、バレー場も平壌で人気である。バレーボールは、2012年に芝生植え付けの風が吹いた時、アパート団地ごとに野外バレー場を作る中でブームが起こり始めた。「平壌の公園化」により中小の公園が多く生まれたのだが、この公園ごとにバレー場1つずつは必ずある。

バレー場の利用料は、条件により時間当たり北朝鮮のカネで8,000ウォンから2万ウォンの間で、ここにも専門的に教えてくれる体育団出身の「先生」が陣を張っている。しかし、バレーボールは職場の人員を充てなければならない種目なので、競技が容易になされずに空いているバレー場も少なくない。

最近になって、平壌の少なからぬ保護者が、子どもに卓球かバレーボールを教えようとしている。北朝鮮では、卓球かバレーボールだけ上手にやっても心配なく食べて暮らせる。

総合サービスモールが開かれる

このところ、平壌のトレンドは総合化、複合化である。ソウル麻浦区合井洞のメセナポリス（MECENATPOLIS）のような総合サービスモールが北朝鮮でも開かれているのである。

ビリヤード場とカラオケが消えた後、それなりに上手く行く業種は、サウナを備えた浴場であった。ところが、このような浴場も人気が下降している。一度に余りにも多く生まれ出た。そして、柳京院、蒼光院、1沐浴湯（浴場）のような大衆利用施設が補修されたのみならず、カネを稼ぐ企業所でサウナとプールまで付けた現代式浴場施設を大々的に建て始める中、競争力を失ってしまった。総合化、複合化のトレンドに合う現代的な浴場施設を建てた平壌の企業所としては「3・26電線工場」

と「楽浪栄誉軍人樹脂日用品工場」が代表的である。

この頃は奉仕施設も、総合化の趨勢である。大きな建物ひとつを建てておき、その中に商店、食堂、サウナが備わった浴場、水泳場、卓球場などを1ヵ所に集めてしまうのである。もちろん、平壌市民の反応は爆発的である。平壌で事業をやろうと思えば、このような総合化、複合化のトレンドを考慮しなければならない。ここに「バドミントン場」とか「ヘルス場」まで結合するならば、既存のサービスモールより更に成功的な事業にならないかと思う。

チキン、サムギョプサル、韓牛プルゴギ

平壌には専門料理食堂が多い。このような食堂が最も多い所は、平壌中心部の蒼光通りに位置を占めた飲食店通りである。平壌駅前の高麗ホテルの向かいである。ここには各種の専門飲食店と外国料理店が列をなして建っている。統一通りにも専門料理食堂が多い。アヒル肉の専門食堂、平壌犬肉店、平壌鯔汁飯店などが代表的である。

韓国の飲食も、やはりどれだけでも平壌に進出できる。平壌にチキンを初めて披露した人も、韓国事業家である。一時は韓国に100ヵ所を超える支店を擁したチキンのフランチャイズ「マッデロ村鶏」の崔元浩(チェウォノ)（音訳）代表は2007年[36]、平壌に北朝鮮で最初の「唐揚げ鶏」店を開いて有名になった。彼は2005年、鶏肉の輸入を打診するため北朝鮮に入って行き、初めからそこに韓国式チキン店を構えることへ方向を変えた。周辺から引き留めたが、彼は「平壌に行って見たら、カネが見えた」と言いつつ、所信を曲げなかった。南北間の経済協力が真っ盛りであった時節だから当然、政治的な危険も大きくなかった。

彼は2007年6月、平壌の牡丹峰区域凱旋門洞の北塞通りに韓国式唐揚げ鶏店である「楽園鶏肉専門食堂」を開いた。北朝鮮のパートナーが建物と人力を負担し、彼は食材料、調理、運営システム、食堂インテリアなどを引き受けた。総5億ウォンを投資し、収益金の70％を受け取ることにした。

初期に外信の注目も受けた。開店初期に鶏1羽を韓国のカネで1万2,000ウォンに該当する高い価格で売ったのにも関わらず、商売が上手く行った。北朝鮮の上流層と中国人が主な顧客であった。チェーン店を100ヵ所に増やす計画まで立てた。ところが、食堂を開いてから1年もならずに、李明博（イミョンバク）政権が出帆した。「平壌の道」が行き詰まり、彼は元も子も無くした。彼が出した楽園鶏肉専門食堂は、彼に経営方式を仕込まれた北朝鮮の料理師によって今も運営されている。平壌へ行く門が再び開かれれば、チキン店は再び繁盛する余地が充分にある。

韓国ではありふれているが、平壌では珍しい飲食が牛肉とサムギョプサルである。平壌市民も韓国と同様、牛肉を最高の肉だと評価する。韓国で横城韓牛を高く評価してやるのならば、平壌では「ミョンギ牛牧場」の牛肉が最高である[37)]。生産量が少なく、大部分は幹部の供給へ回り、一部が文繍通りにある専用商店に供給されるのだが、1kgに10ドルもする。

ソウルの味を経験した平壌出身の脱出者たちは、平壌にサムギョプサル店とか韓牛プルゴギ飲食店を出すならば、大成功するだろうと口を揃える。

無条件で大当たり！韓国の美容室

私も今まで記者として働きながら、取材源になってくれた北朝鮮の情報員に普通はカネで謝礼をしてきた。ところが、4年前に意外な要求を受けた。韓国のヘアーファッション雑誌を送ってくれというのであった。誌名まで教えてくれたが、初めて聞くものだから自然とインターネットで検索してみた。探して見るに、有名な雑誌であった。

なぜヘアーファッション雑誌が必要なのかと尋ねると、「親戚が美容室をやっているのだが、顧客に南側の雑誌を見せてやりながら、韓国のスタイル通りに頭を当たってやると言えば、カネを3倍も受け取れる」と述べた。

「あ、こんな風にすれば、かなりカネになるんだなぁ」と考えたが、この頃しらべて見ると、平壌も生活水準が向上する中、それに合わせて美容と理髪業が非常に盛んになっていた。美を重視する人間の本性は、同じなのであろうか。いま平壌では、理髪師と美容師が飢えて死ぬ心配は無いという。

平壌の中区域で美容により名声が広まった玄某（ヒョン）という美容師は一時、中学校を卒業し、気に入った職業が無くて、あちこち探して回りながら稼ぎをしていた有様であった。学校の時に勉強は死ぬほど嫌いだったが、美術には少し趣味があった彼は、友達を通じて美容師ひとりを知ることになり、その人を通じて基礎技術の伝授を受けた。1～2年は習って基礎を磨き、独立して自分だけの事業をやろうと決心した。

彼は、ひとまずカネを借り、某機関の建物を得て、専門の美容師として就職した。事実上は社長だったけれども、北朝鮮で個人事業は出来ないので、こんな方式で自分の美容室を設けたのである。北朝鮮では、芸術と関連した機関とか、関連が無くても女性が多い機関は、ほとんど専用「美容所（美容室）」を置いている。

そのように美容をやってきてから10年、中区域の交通の便の良い所に位置した彼の美容室は、日ごとに繁盛して、今は一日100ドル以上の収益を上げるという。月に最少で2,000ドルの所得が生まれるのである。この程度になれば、平壌で一番の金持ちに属する。玄さんは当然に高価な新居を買い、兄弟たちの結婚費用まで全て負担して、父母の供養も立派に行うと賞賛が広まり、イメージまで良い。

もちろん、全ての美容師が成功するのではない。玄さんの事例は、100名の中の1名くらいであろうかなかろうか、という事例に過ぎない。彼の成功の秘訣は、一言で「トン主だけ相手にする経営戦略」を立てて「立地選択」を上手く行ったところにある。彼に高級美容サービスを受けるのだけに、1人当たり50ドル以上が要るという。代わりに、最上の美容材料を使い、多様な頭の模様を演出して、差別化を渇望する平壌の貴婦人と韓国式の頭髪模様を好んで選ぶ女子大生を常連客として掴んでいる。

玄さんの事例がここに紹介されれば、ひょっとして本書が刊行された後に北朝鮮当局が彼に「どうして貴方が南朝鮮の本にまで事例として登場したのか？」と追及するかも知れないと予め明らかにしておく。彼は罪が無い。余りに有名で、韓国にまで知られたのが罪だと言えば罪である。

平壌には商業大学に理髪、美容を専門的に教える学科がある。純粋の美容師、理髪師だけ育成する学院もある。このような専門学院を卒業しても、能力が足らずに洞内のおばさんの頭でも当たってやりながら、1〜2万ウォンずつ受け取る美容師もいるし、玄さんのように能力と手腕により独力で一家をなした美容師もいる。

蒼光院は、北朝鮮が常に自慢する総合奉仕施設である。私も、大学生の時そこに多く通った。そこにも水泳場、サウナが付いた浴場と共に、専門理髪・美容師がいる。韓国に「北朝鮮のヘアスタイル」だと言って出回る写真は、この蒼光院で撮ったのが大部分である。

昔も今も日曜日の朝、蒼光院の前に行って見れば、長く列を作っている人々を見受けられる。他の人よりも先にチケットを買うためである。ある人たちは、夜明け5時から列を作るが、7時にもなればチケットが全て売り切れてしまう。もちろん、どんな日も少しマシだと言うだけで、事情は同様である。

このようにして買ったチケットは「国定価格」である。理髪費が800ウォン程度にしかならない。美容料金は、調髪だけするのか頭の形態を整えるのかにより異なる。蒼光院とか柳京院のような所で働く人は、専門家資格を受けた「権威者」である。もちろん、教育程度と実力は皆ことなるが、前で言及した玄某という美容師に比べれば、全ての面で優等である。やはり作業環境も、ずっと良い。けれども、月給は遥かに少ない。そうであれば彼らは、どのように暮らしていくのであろうか？　方法がある。正に常連と親戚である。

一般的に理髪チケットは、1人当たりの奉仕時間を40分で計算して売る。すなわち、8時間労働を基準として1日に12名の頭を当たれば、日課を終えられるのである。ところで、彼らが一般の顧客ひとりの頭を当たるのに係る時間は普通10分であり、長くても15分もあれば充分である。12名の頭を当たるのに係る時間が、たっぷりと取って3時間なのだから、5時間が残る。彼らは、この時間に「資本主義」を行う。一言で述べて、事業を行うのである。

国定価格で売られたチケットを全て消化した以後の理髪価格は、蒼光院の場合、最低1万ウォンである。それだからカネさえあれば、明け方の甘い眠りを放棄して騒々しく動かなくても、かの有名な蒼光院で理髪を出来るのである。好きな時間に蒼光院に行き、接受員に「通過税」であるタバコ1箱だけこっそり渡してやれば、美容所の中へ入って行ける。そして、理髪台に行き、理髪師に1万ウォンをやると数語いえば、取引が見事に成立する。

もちろん、常連が来ていれば、事情は異なってくる。常連は1万ウォンの顧客より奉仕順位が先になる。ところで、常連になるのも簡単である。カネをもっとやれば良い。常連になれば、理髪師が接受員に話を通しておいてくれるので、接受員に通過税のタバコをやらなくても良い。理髪したい日を電話し、定めた時間に訪ねて行けば、それで済である。

平壌の高級美容所の利用価格は、1回に100ドル以上である。200ドル也の美容もある。普通こんな高級美容所は、総合奉仕所の中にある場合が多い。そこに行けば、美容だけするのではなく、部分按摩と美顔奉仕まで受ける。もちろん、特権層の女性だけの好事である。

総合奉仕所では男性の理髪価格も2～5ドルを受け取るが、そこには美顔が含まれる。参考として述べれば、北朝鮮の「国定価格」の理髪奉仕料金は、前述したように500～800ウォンである。元来は数10ウォン程度だったが、その程度では理髪師の生活費の充当はもちろん国家計画も埋められず、2015年に理髪・美容を含む奉仕部門の価格を「合意価格」形態へ引き上げたという。

平壌の美容師がどんなに北朝鮮の流行を先導するとしても、外国まで行って習って来た韓国の美容師に比べるところではない。ソウルの数多い美容室の中の1つが平壌に開業して、韓国式の美容サービスに北朝鮮式の按摩と美顔を兼ね備えたならば、無条件に成功するであろう。

女性をターゲット、アクセサリーとファッション事業

金正恩の登場以後、平壌で最も目に付く変化の中の1つは、女性のファッションである。平壌の通りが華やかになった。ここには、ファッションリーダーとして浮上した金正恩の妻である李雪主(リソルジュ)の功が大きい。

ある平壌出身の脱北者は、「金正恩が登場する前には、男女が腕組みをして行き来する『ブルジョア軽薄風』が住民対象の講演で常連の批判素材だったが、金正恩夫婦が腕組みをして現れた後からは、誰も何だと言わない」と述べた。

李雪主の首輪、耳輪、指輪、膝の上まで上がって来る短いスカート、名品カバンは、すぐに北朝鮮の流行になる。いま平壌の若い女性は、短いスカートに身体と密着する正装を着て、ハイヒールを履く。また、名品ブランドであれば、偽物でも拒否しない。ある対北消息通は「当局は、初期に糾察隊を放ち、通りのファッションを取り締まった。『金正恩同志と李雪主同志のヘアスタイルは真似しても良いが、首が深く埋まった服や短いスカート、足首を露わにするズボンのような服は、真似して着るな』と言ったが、防げないと見るや否や、すぐに放棄した」と語った。

平壌市民は、身なりが社会的な地位と富を表すのに決定的な役割を果たすと考えている。美容業と同様に、美を追求する人間の本性と他人の視線を意識する社会風土が変わらない限り、やはり衣料業も平壌で競争力を持てるであろう。開城工業団地(開城工団)が繁盛していた時、韓国の衣料は平壌市民に爆発的な人気を得た。開城工団の製品であると言えば、尋ねもしないで買って行った。

平壌を代表する統一通り市場で女性の下着を専門に売るある女性は、初めて商店の門を開いた時、開城工団の商品だけ専門に取り扱った。ブラジャー、スプリング(ランニングシャツ)、パンティが主な品種であった。彼女は、開城工団で製品を受け渡しする「直取引ライン」を持っていた。このラインがあれば、利潤を大きく残せる。けれども、市場で売る開城工団の製品そのものが韓国企業から盗み出したものなので、この

直取引ラインを探し出すのは容易なことではない。

ある日、彼女の直取引ラインが製品価格をより多く認定してくれる他の商店へ取引先を移してしまった。彼女は、他の方法を探し出した。統一通り市場には開城工団の製品を模倣した製品が非常に多いが、一般の北朝鮮住民はこれを見分けられない。このような模造品は、普通は統一通りにあるもう1つのチャンマダンである「古い市場」で非常に安い価格で取引される。直取引ラインを失った彼女は、この古い市場からそれなりに最も質が良い模造品を買い、統一通り市場で売り始めた。

それでも商売が上手く行った。平壌の貴婦人たちが、彼女の売る模造品を依然として正品と信じたからである。「開城工団の製品だけ売るオバサン」というイメージにより商売を継続できたのである。

彼女は、堂々としている。

「いや、私だけそうですか？　私だけではなく、ここ統一通り市場の数多くの商売人が、古い市場の模造品を以て正品と騙して売っているよ。問題は、販売者の手腕と能力ではないでしょうか？」

平壌出身の脱北者の知人が聞かせてくれた話である。開城工団の稼働が中断した後、彼女のこの手腕と能力も、それ以上は発揮できないようである。

衣類業界には機会の地

これから南北経済協力が活性化し、再び開城工団が稼働して、その開城工団の製品が正常的に流通過程を経て平壌の市場に並ぶならば、どんな出来事が起こるであろうか。いや、そんな必要さえ無しに、開城工団に所属する衣類業界の経営者が平壌の市場に衣類商店を設けてしまうならば？　当然にその人は、平壌のファッションを率いる先導者となり、富と名誉を鷲づかみにすることになるであろう。

平壌の衣類加工技術は、非常に優れている。平壌西城区域の下堂チャンマダンは、平壌市内に廉価な衣類を供給する。ここに入って来る製品は、主に南浦の江西区域と平城から供給される「カデギ」である。カデギとは、平壌ではない地方で生産された値段の安い物品または模造品を指す。カデギ価格は、正品の60～70％くらいで、一部は半値以下で取引されもする。下堂チャンマダンに行けば、中国産の中古衣類も多く見られる。

けれども、少しまともに買う人は、そこの服を絶対に買って着ない。少し高いとしても平壌市内のチャンマダンで買ったり、常連として定めておいた既製服の商店に注文して買ったりして着る。質が異なるからである。ちょっと見にはそれなりに同じだが、仔細に見れば、加工と質は平壌の製品が遥かに良いからである。

男性服は、別に流行には乗らない。主に楽しんで着る服は「詰襟（襟の閉じた洋服）」である。我々が人民服と呼ぶ、金正恩が着て回る襟の閉じられた洋服を、北朝鮮では普通つめえり（쯔메리）と呼ぶ。ネクタイが見える襟の開かれた洋服は「ロマイ（로마이）」と言う。これら以外に平常服もある。それは、洋服と似通って襟を詰めた模様だが、重なる部分が無く、ボタンが更に多くて、ほとんど首の部分まで閉められる。平壌の男性ファッションは、これら3種類の衣服の類型から抜け出せないでいる。ほとんど団体服の水準である。それでも最近には、いろいろな作業服を模倣した服が出て来ている。

衣類文化は、南と北の差異が非常に大きい。未だ平壌では、ジーパン（ジーンズ）を着られない。ジーンズの身なりで市内を闊歩すると、糾察隊に引かれて行き、鍛錬隊（強度の高い労働をさせる集団収容施設）まで見物できる。もちろん、地方では作業する時、ジーンズを履くことくらいは知らないふりをしてくれたりもする。前述したように、女性の体形を露わにするズボンを履くことも厳禁である。韓国の女性が平壌でこんなズボンを履いて行き来すれば、外国籍者であることを誰でも分かるであろう。それでも、子どもは身なりの規制から自由である。立派に暮らす家の子どもの身なりを見れば、韓国の子どもと区別するのが難しいであろう。

美と趣向を追求する平壌の女性は、トレンドに従って行こうと不断に努力しながら、自らを誇示できる新しいデザインの衣類をとどまることなく探している。欲望と取締の力比べで、勝つのは結局、欲望である。

爆発する個人事業者

いま平壌では、個人が直接運営する事業が大きく繁盛している。職員が10人未満の企業の個人事業者は、自らが直接に職員を採用したり解雇したり出来る。このような北朝鮮の現状況は、私が見るに1985年頃の中国と似通っている。

前で何度か言及したように、北朝鮮では個人が本人名義で事業を行うことは不可能である。個人が事業をまともに行うためには、力のある機関の名義を借りなければならず、その機関の責任者に利益金の一部を捧げなければならない。

平壌で娯楽場を運営していたある脱北者は、2013年の1ヵ月に300～500ドルずつ入金する条件で、中央機関の籍（名義）を得て、個人事業を始めた。それ以外に150ドルくらいがタバコ銭とか食事費とかの名目で更に出て行った。娯楽場は、中央機関の従業員の休息空間として登録された。収入は、相当に良かった。従業員の休息空間は、当然に名目だけで、実際には平壌の金持ちの子どもたちが放課後に訪ねて来て遊んだ。

金正恩時代に雨後の筍のように生まれ出た個人事業者は、大概このような方法で事業を行う。金正恩は、企業所や会社の従業員の生計については、その企業所や会社の責任者が弁えて処理せよという指針を下した。これら責任者は、傘下に個人事業者を置いて、彼らに名義を貸してやる代わりに毎月、一定のカネを受け取って従業員の名節供給などを保障する。

このように名義を借りて企業を運営する個人事業者を北朝鮮では「入金組」と呼びもする。機関の力が大きければ大きいほど、収益を多く出す「良質の入金組」を「たくさん」召し抱えている。もちろん、やはり入金組も、この機関の力に比例して収益を差し出す。

事業をしなくても商売をする等、「独り食べて暮らす方法」はいくらでもある。この場合は、籍を置いた企業に毎月30～50ドル程度を差し出す。そうすれば、生活総和のような組織会議に参与せず、ひと月ずっと統制を抜け出て、個人の金稼ぎを行える。

もう一歩さらに

未婚の女性・独り者のチームで動かす「家巡り」たち

前述した南浦市江西区域は「模造衣類王国」である。カデギ（偽物）衣服とか靴類の生産量では、平壌近郊の平城市と順川市も江西区域に後れを取らないが、模倣水準と衣類供給能力では江西区域が断然1位である。

2000年代には「家巡り」が登場して、保安員による集中監視および逮捕の対象となりもした。家巡りと言えば、ちょっと聞くと個人の家を荒らす泥棒だと考えるかも知れないが、彼らがやった犯行は泥棒ではなく詐欺であった（時々は泥棒もした）。彼らは江西区域で作った模造品を平壌へ持って来て、正品と騙して売った。未婚の男性と女性が数名ずつ組をなして動いたのだが、普通は「体育人カバン」と呼ぶ大きなカバンに模造衣類とか布団、偽アディダス体育服などを入れて行き来し、高級アパート入住民を対象に詐欺を働いた。

彼らがどの家でも選んで門を叩いては「私は某体育団の何某です。国際競技に出向いて賞としてもらった（あるいは、そこで買って来た）物なのですが、いま直ぐ急にカネを使う用事が出来て売ろうと思うので、ちょっと助けて下さい」という風に言葉を掛ける。欠けるところが無い風貌に加え、服も体育人のように着て、頭まで短く刈っているので、真っ昼間に家を守る物界（世情）に暗い老人とか家庭の主婦が騙されないわけがなかった。やはり製品も、外側を見るには相当よかった。これが正に、カデギである。特に、布団はカバーのみ華麗なだけで、中身は完全に偽物である。何度か使えば、使えなくなるほどに質が低い。この家巡りたちは、こんな模造品を原価の5～10倍で売って回った。

家巡りたちは、このように家を回り巡って、もしか門に鍵を掛けていなかった空き家を発見すれば、仲間集団に連絡して直ちに泥棒に入ってしまう。

当局の取締と統制により、このような家巡りはほとんど消えた。詐欺を働いたり泥棒を行ったりはしなかったが、今も平壌のあちこちでは、このように製品を背負って家ごとに回り歩きながら商売をする人たちをしばしば見ることが出来る。

平壌で事業する時に
知っておくべきビジネス文化

中国で事業をするためには、关系（関係）を知らなければならない。ところが、この关系は北朝鮮で更に重要である。賄賂なしには一歩も動けない北朝鮮では、我々に慣れ親しんだプレゼンテーションの類は全く重要でないかも知れない。北朝鮮では、何よりもラインに上手く乗らなければならない。力のある決定権者と正確に連結されていなければならない。その次に、彼に「事業が成功すれば、彼の財布にどれほど入って行くのか」を上手く説明しなければならない。北朝鮮で権力の動員が無い事業関係は、砂上の楼閣に過ぎない。
そうだと言って、韓国でのように無計画に血縁、地縁、学縁を押し立ててラインを作ろうとしてもダメである。北朝鮮住民は、韓国人と異なって学縁に大きな意味を置いていない。やはり血縁と地縁も、韓国ほど重要ではない。
彼らの規則と原則を速く、ありのままに把握しなければならない。北朝鮮のビジネスでは、どのような原則を持って初めて成功するのであろうか？　いくつかをピックアップして見ることにする。知られている話だとしても、他に言うべきことは無い。北朝鮮社会がそうであるからである。

金冠、銀冠で編まれた社会

現在の北朝鮮住民が直接、企業を作って運営するのに最も重要なのは、人脈だと確実に述べることが出来る。北朝鮮で成功した「あらゆる」事業家は、権力者と緊密な人脈を形成していた。家族または親戚とか同僚が事業を後押ししてくれるに足る権力を持っていれば、錦上添花（鬼に金棒）である。2000年代と2010年代を経て、北朝鮮の「新興財閥」として登場した事業家は、ほとんど全部がパルチザン2世、3世であったり、彼らとの厚い人脈関係を引き継いだりした人である。

北朝鮮は集団主義、社会主義を標榜している。しかし、経済は既に社会主義の原則を脱け出してから長く、このような理念と施策では富を得られないということを誰より切実に実感した人たちが北朝鮮の権力層である。

カネを稼ぐためには、既存の原則を捨てなければならない。ところで、原則を捨てれば、どのようになるであろうか？　実際にあった事例を1つ聞いてみる。

商店、食堂、サウナを付けた浴場、理髪・美容所などの施設を備えた全く同様な条件の総合奉仕所が2つ隣り合わせで生まれた。リモデリングも似たように行い、奉仕価格も差異が無い。ところで、一方の総合奉仕所は市党の秘書が背後を世話してやり、他方は区域の保安署長の甥が運営している。韓国で例えれば、前者はソウル市庁（市役所）の局長が面倒を見てやる所で、後者は区警察署長の甥が運営する所である。このうち誰が生き残るであろうか？

区域保安署長の甥は元来、この方面に関心が高く、経験もあって、自分で思うには奉仕性が高い女性と水準級の料理師を物色して営業に取り込んだ。しかし、営業は思うように上手く行かなかった。どうしてなのか、客足が「隣家」へばかり向かうのであった。2つの総合奉仕所の差異点を比較した結果、市党の秘書が後押ししてくれる総合奉仕所は、密閉が上手く出来ており、カラオケ設備まで備えた多くの奥座敷に、個別に入浴が可能な内風呂を持っていた。浴室まで備えた密閉された部屋の用途は、誰にでも分かった。この総合奉仕所は、保安署長の甥のそれと比べて売上が2倍以上も多かった。

この総合奉仕所の運営に問題があるというのは、近隣の住民も皆しっていたけれども、その誰も口を開けなかった。この総合奉仕所の運営者の人脈が市党で終わるのではないからであった。市党で後押ししてくれるならば、その後押ししてくれる人の後ろには、また誰かがいるのが常であった。その終わりがどこなのかは、運営者だけが知っている。

保安署長の甥も、隣の総合奉仕所のように隠密な空間を作り、顧客を引き入れた。しかし、長くは持たなかった。2017年に当局は、許可を受けていなかったカラオケを厳禁しろという指示を下した。市警察署から出て来た検閲により、保安署長の甥が運営する総合奉仕所のカラオケ設備が押収された。苦労して作った隠密な奥座敷は、すべて一般の部屋へ原状復帰となってしまった。反面、隣の総合奉仕所は差し障りが無かった。許可を受けていたからである。

甥は、おじさんの力を借りて自分もカラオケの許可を受けようとしたが、無駄であった。あちこちとカネをこっそり渡してやっても、ダメであった。区域保安署長に力が無いわけでもなかった。ただ、市党幹部より弱かったのみであった。保安署にどれほど力があっても、労働党には勝てない。

このような場合を指して、北朝鮮では「金冠の隣家を置いた」という。または「金冠が銀冠を縛ってしまった」ともいう。銀冠が食べて暮らそうとすれば、銅冠とか布冠がある洞内へ引っ越す外ない。

そうだとすれば、隣家の金冠は血肉の関係でもないのに、どのように金冠を維持できるのであろうか？　正に賄賂である。この賄賂は「維持費」である。金冠が家族や親戚のように近しい関係であればあるほど冠の長さが短くなり、維持費が節約されて利潤の幅も大きくなる。冠の長さが長い場合は、それだけ維持費を更に使い、利潤の幅を減らせば良い。平壌にある、ほとんど全ての外貨稼ぎ機関、カネ儲けの企業は、こんな冠を数個ずつ持っている。この冠が無ければ、事業を行えない。党に連結された冠、保安署に連結された冠、人民委員会に連結された冠など各種の冠で絡み合った、この複雑な環が見えてこそ、北朝鮮で事業に成功できる。

場合によっては、どの冠から捨てねばならないのか、どの冠は絶対に捨ててはならないのかも逸早く理解しなければならない。この環が余りに複雑で、利害関係によって途中で1つ2つが断たれてしまうこともあり得る。それならば、さらに強固な新しい冠で補強すれば良い。

北朝鮮の労働党、保衛部、保安署、警察、人民委員会、行政委員会など各種の権力機関が存在する限り、この環は無くならない。韓国とか中国も同様であるが、北朝鮮の環は韓国や中国より遥かに複雑で多様である。

北朝鮮がベトナム式に開放するとしても、この冠は以前と同様に生きているであろう。特に、金冠は大丈夫であろう。平壌で創業するためには、どんな人脈関係を探し出すのかが第一に重要である。市場調査と同時に必要なのは、正にこの人脈探しである。

資金力より更に重要なこと

近しい人の中に必要な人脈が無いならば、いま貴方が出来るのは賄賂を使うことだけである。ところで、必ずしも賄賂でなくても、相手を感動させれば成功する余地がある。平壌で薬局を経営している、ある医師出身の女性の話である。

彼女は、医学大学を卒業した医師だが、苦難の行軍の時期に配給がまともに出て来なくなるや、病院を辞めた。そうして後、担ぎ商いから始め、ありとあらゆる苦労に打ち勝って、少なくないカネを集めることになった。余裕が生まれるや、彼女は専攻を活かして、商売が上手く行く薬局を設立したいと思った。医師なので薬局を作るのに必要な資格証は持っていたものの、家族、親戚、親類の中に人脈となるに足る人がいなかった。人脈どころか自分の助けばかり願う「可哀想な人民」であるのみだった。

どんなことでも同様ながら、薬局を設けようとすれば、とんでもない数の印鑑（許可）を受けなければならなかった。人民委員会と衛生防疫所のような基本関係単位はもちろん保衛部、保安署など法機関と電気監督隊に至るまで全ての機関の承認手続きを踏み、まともに印鑑を受けようとすれば、お婆さんになっても薬局を設立できないようであった。

商売と一緒に按摩治療も併行していた彼女は、過去に治療した患者たちに連絡を回す等、冠になるに足る縁故を探して回った。そのような中、過去に彼女の患者であった人の親戚が薬局を開こうとする地域の党責任者だということを突き止めた。彼女は自らの患者だった人と一緒に、少なからぬカネを備え持ち、その責任者を訪ねた。けれども、全く食いつかなかった。北朝鮮の高位幹部は、どんな賄賂でもがぶりと受け食らうわけではない。額数が少なかったのか、一緒に訪ねて来た親戚が負担に思えたのか、賄賂作戦は通じなかった。

それでも、彼女は退かなかった。そうこうするうちに、この幹部の妻が慢性的な疾病を患っているという情報を得た。彼女は、その幹部に分からぬように（知っていながら知らないふりをしたのか分からないが）、その妻を訪ねて行き、特技を発揮した。その妻は、次第に回復の兆しを見せた。彼女の精誠と絶え間ない努力が、ついに結実を見た。幹部が動くや否や、あれほど大変で複雑だった各種の手続きが、ひと月のうちに一瀉千里で終わってしまった。ついに夢を遂げた当日、彼女は独り裏部屋に行って声を張り上げた。

「こんな腐った世の中、滅んでしまえ！」

このように正直に生きる北朝鮮住民にも、人脈作りは容易なことではない。北朝鮮で権力は、代を継いで世襲される。金さん一家の政権だけ世襲されるのではなく、幹部の家の子どもも同様に父親が後押ししてくれるほど「一緒に組む」。このように組み合った子どもは、権力を振り回しながら金持ちになり、自分の父親がそうしたように、自らの子どもを後押ししてやる。物理的な破壊が無い限り、この世襲構造は崩れる可能性が無い。

権力とカネがあれば出来ないことが無いという点で、北朝鮮はそのどのような資本主義社会より更に資本主義的で、そのどのような権威主義社会より更に権威主義的である。こんな社会を我々は、朝鮮民主主義人民共和国と呼ぶのである。さらに進んで、北朝鮮を彼らの主張どおり社会主義と見てもならない。北朝鮮当局も、今は「国家予算制」の国営企業所に依存しては何事も出来ないことをよく知っている。それで、カネを稼げる機関は自ら稼いで食べて暮らせという指示を下して、今まで「非社会主義的現象」だと批判し、取り締まって統制していたことを言い紛らわして済ませ始めた。

今は北朝鮮でも適当な利益金さえ上納できれば、個人が多様な種類の事業を営為できる環境になった。職員10名未満の小企業は、自ら雇用と解雇まで全て責任を負う社長になれる。もちろん、国営企業の所属機関として名前を掲げ出さなければならないけれども、という話である。やはり国営企業も、さらに儲ける名目で傘下に各種の施設を設けて置いて、カネ儲けをやり始めた。権限が大きく規模がある機関であればあるほど、これを活用する機会が多い。

世の中に、このような社会主義は無い。

北朝鮮で事業する時、心に刻むべき点

北朝鮮で事業をしようと思えば、人脈を作るのと共に必ず銘心すべきことがある。北朝鮮は、信用度が地に落ちた社会という事実である。平壌の信用等級を評価するならば、おそらく世界で最下位の等級を受けるであろう。

石橋を叩いて渡るという中国の商人も、この「血脈」の国家では苦杯を舐めるのを避けられなかった。事業文化が似通って、社会主義体制の経験を共有してもいたが、北朝鮮に入りさえすると全くお手上げになる。

中国の500大企業に入る巨大鉄鋼企業である「西洋集団（グループ）」は、2006年に咸鏡北道茂山鉄鉱開発に4,000万ドルも投資したものの、2012年に一方的な契約破棄を食らった後に追い出されて、話題となった。北朝鮮は、2008年に一方的に資源税25％引上げを通報し、これに続いて2011年に西洋グループが茂山鉄鉱で高級鉄鋼生産に成功するや否や、突然に中朝労働者の同一賃金要求など16項目の要求事項を新たに提示した。西洋グループがこれを拒否するや、北朝鮮は契約を破棄して断電、断水措置を取った。北朝鮮が一方的に契約変更を要求した後、西洋グループを追い出した事例で、似通った事例が少なくない。

2009年に万向グループも、恵山青年銅鉱に投資し、苦労して鉱物を採掘し始めたが、北朝鮮が突然、鉱山の所有権を回収する騒動の中、賠償も無く追い出された。北朝鮮を相手に訴訟を起こしても勝つ道は無いので、中国も方法が無いのである。

それで、北朝鮮と事業を行う時は、彼らの「特技」を忘れないようにしなければならない。彼らは、ありとあらゆる種類の甘言利説で投資を誘致する。しかし、工場が全て建ち、技術まで大方は伝授を受ければ、条件が異なってくる。応じなければ、あらゆる種類の圧力が入って来て、西洋グループの場合のように断電、断水の措置まで取るようになる。

契約書を持って打ち振って見ても、何の役にも立たない。その契約書を作成した人が間違えたのだと主張する。その人を探し出してくれと言っても、監獄に行ったという風に述べれば終わりである。自分が契約した人ではない、全く異なる人と契約に関して話さなければならない。彼らは「お前たちが設備を置いて出て行けば、我々が持てば良い」という式である。それで、北で事業をしようと思えば、このようなリスクを必ず覚悟しなければならない。

最近、南北関係が良くなる中、大同江ビールの販権を買って来るという動きも起こっている。注意しなければならない。北朝鮮ならば、この販権を既に他の所に売っている可能性がある。中国にも売り、米国にも売り、甚だしくは韓国にも、多くの所に売っているかも知れない。

力のある権力者が確実に担保しても、容易に信じてはならない。なぜならば、北朝鮮は行政段階が余りに多く複雑で、ある人は必ずやりたいと思うが、その人より更に高位の人がやりたくなければ、事態が異なってくる場合が多い。

どの国で事業をしても全く同様に適用されることではあるが、北朝鮮で事業をしようと思えば、必ず事前調査を行わなければならない。関連する法令と規定を知らねばならず、現地の設備の有無と整備の容易性、社会基盤施設、運賃など運送関連情報、電力事情、通信環境、為替レート、販路など検討すべきことが多い。

最も重要なのは、リスクである。統制できない要素ではあるが、正に政治的、地政学的なリスクである。北朝鮮は米国、中国、韓国など東北アジアの国際政治状況に従い、政策を随時に変える。そのような政策変化に応じ、一瞬にして追い出され得ることを心に刻むべきである。

北朝鮮、信用を語り始める

「カネを借りた人は、労力英雄です。貸してやったカネを返してもらった人は、共和国英雄です。」

「カネを貸してやった人は、1等バカ。借りたカネを返してやった人は、特等バカ。」

北朝鮮で今も交わされる話である。北朝鮮住民は自ら、信用が無いということを認定している。信用が無いから、他人にカネを貸せず、貸してやったカネを返してもらうのも難しい。

1990年代に始まった北朝鮮式の市場経済は、乱舞するウソとそれに伴う信用破壊が反復されてきた歴史であった。騙し騙されながら、強者は生き、弱者は倒れる悪循環を繰り返してきた。このようにして20年が流れた。依然として北朝鮮には、不動産市場をはじめとした多くの所に公々然とした詐欺行為、信用破壊行為が残っている。

しかし、最近になって少しずつ違ってきている。代表的なのが今、平壌も「信用」という言葉を使い始めたということである。いま彼らも、信用の無い相手と取引しようとしない。誰もわざわざ騙されない。今は他人を騙すのが自らを騙すほど難しくなった。ひどく騙し騙されるので、今は騙す者が損害となるルールも作られている。

いま平壌市民は、信用が担保されない取引はもちろん、信ずるに足る取引にも喜んで乗り出そうとはしない。それで、今は「カネを貸してやった人は1等バカ、借りたカネを返してやった人は特等バカ」という言葉の代わりに「借りたカネを返してくれた人は信用者、戻してくれない人は信用不良者」という言葉が使われている。

北朝鮮で信用が保障され始めたということを生々しく見せてくれる事例が、正に国内送金方式である。銀行が事実上なんの役割も果たせない北朝鮮でも、今は座った場所から電話1本で相手に願う額数のカネを送れる。

仮に平壌から清津へカネを送ろうとすれば、以前には信じられる相手を物色し、必要な検証過程を経た後、謝礼費まで与えなければならなかった。しかし、今は資金需要を専門的に調査し、この都市とあの都市を結んでくれる「金融企業家」が生まれた。平壌に暮らすAが清津に住むBに100万ウォンを送ろうと思うならば、この「金融企業家」が清津から平壌へ送金しようという他の対象を探して取引してくれる。そうすれば、AとBは各々、自分が住む都市である平壌と清津で金融企業家が探してくれた送金対象に会って、カネを受け渡すことにより取引を終える。

このような方式は更に進化して、北朝鮮の都市のあちこちに「移管家」というのが生まれ出た。Aが移管家を訪ねて行き、カネを渡して、清津に電話すれば、Bは自分の地域でこの平壌の移管家と取引関係がある移管家を訪ねて行って、カネを受け取れば良い。銀行は何の役にも立たない北朝鮮では、これが最上のカネの取引方式である。今は移管家で外貨も送金が可能なほどに発達した。

北朝鮮は、国際的な商取引でも進化した姿を示している。今年（2018年）、金正恩は中国と往来して以後に「中国人が嫌う言動をしてはならず、中国事業の相手にイカサマをしてはならないこと」を指示したものと知られた。イカサマで得た利益より信用を失うことがより大きな損害だということを今や北朝鮮当局も悟ったのであろう。

もちろん、このような当局による指示の1～2回で北朝鮮社会が容易に変わる理は全く無い。北朝鮮が信用の重要性を真正に悟ろうと思えば、依然として行くべき道が遠い。その前に法規を徹底的に守る法治の概念から体得すべきであろう。

訳　注

1)「チャンマダン」とは、後述される通り、1990年代の「苦難の行軍」時期において自然発生的に各地で生まれ出た農民市場のことである。その発生、成長、展開については本書の該当部分を参照されたい。

2)「トン主」とは、後述される通り、苦難の行軍の時期に出現した新興富裕層のことである。主に商業資本家である彼らは朝鮮労働党幹部、政府高位職責者であることが多いが、これら政治的な権力のある人物と結託した富裕層も多い。なお、「トン」とは朝鮮語でカネを意味し、カネの主つまりは金持ちを意味することになった。

3)「メップシ麺」、「辛ラーメン」などは韓国製麺類の商品名、「オットギ」は韓国の食品会社名である。また「テノム・ラーメン」の「テノム」とは、朝鮮半島で中国人をバカにして呼ぶ言い方で、訳書では「中国産ラーメン」とカッコ書きをした。差別的ではあるが、原書での会話の様子を出すため、そのまま訳出した。さらに、北朝鮮の核開発に資金を提供している疑惑があるとして、開城工業団地は2016年2月10日に韓国政府の一方的な措置により閉鎖された。

4)「伝月貰」は、朝鮮半島に伝統的な不動産取引の形態である。一方の「伝貰」は、一定の金額を地主や家主に事前に預けることにより、定まった期間にその土地や家屋を利用でき、利用期間が終わると共に預けた金額で通常そのまま返金を受けることが出来る。地主や家主は、その期間に預かったカネを活用して利益を得る。他方、「月貰」は日本で言う賃貸借制度であり、通常は月ごとに賃貸借料が貸主と借主の間でやり取りされる。時には伝貰と併用されることもある。PC房とは後述される通り、一定の支払いを行ってパソコンやインターネットなどを利用できるサービスである。

5)「6.25戦争」とは、1950年6月25日に開始された朝鮮戦争のことを指す。「3大革命小組」は1974年から北朝鮮で繰り広げられた「3大革命赤旗獲得運動」の下で組織された運動主体を指し、ここで3大革命とは思想、技術、文化の3分野における革命を意味する。「苦難の行軍」については、本書（原書・訳書）で後述される通りである。

6) 北朝鮮の行政区画は通常、道、市、郡、里、洞のように分けられている。平壌の場合、市の中を区域に分け、その中に洞を置いていて、それが日本で言う町に当たる。最近になって三池淵郡が三池淵市へ格上げされたように、行政区画の変更は適宜なされる。

7) 韓国の会社「クークー電子」が販売する炊飯器の商品名。クークー電子は、炊飯器だけでなく広く家庭用電化製品を生産、販売している。

8)「典当舗」とは、朝鮮式の質屋のことで、ここでは小商人が国営企業に投資することによりその企業を私営化していったことを意味している。

9)「ISO4217」は、ISOで制定された国際基準のうちの1つで、各国ないしは各地域の通貨を3文字で表記できるようにしている。ほとんどの通貨には、独特なコードが割り振られている。韓国と北朝鮮の通貨は同じくウォンで、当てられているコードは前者がKRW、後者はKPWである。

10) 2015年3月当時の円ドル換算レートをもとに1ドル＝100円で計算した数値である。ちなみに原書では、韓国ウォンで各々、約8,800億ウォンと約6,200億ウォンと記している。

11) 17頁に付けた平壌の市街地図と地下鉄路線図を参照されたい。

12) 朝鮮王朝の身分として中人は、両班（貴族）、中人、常人、賤人という位階の中に位置づけられる。原書では、この歴史的な位置づけを踏まえて比喩的に大学教員の社会的な位置を述べている。

13) 日本語で言う未婚女性を「処女」と呼ぶだけで、いわゆるバージンを意味するわけではない。北朝鮮の独特な性文化や男尊女卑と関連があるので、このような部分は訳書の該当箇所を参照されたい。

14) もともと「チョギヨ」や「ヨギヨ」は方向を指す言葉であり、それぞれ「あちらです」「こちらです」の意味である。それらが呼びかけの意味で転用されたものであり、日本語では食堂や居酒屋で使う「ちょっと済みません」くらいの意味となる。

15) 韓国の「個人用達車」は、主に貨物の運搬を取り扱う個人が経営するサービスのこと。経営には貨物運送資格証が必要であるが、資格試験は毎月おこなわれている。サービスは簡単な運送から引越しに至るまで各種あり、それに応じて料金も多様である。

16) ここに出る「喊声」、「明誓」「生き残った者」、そして「広大な荒野」などは「ニムのための行進曲」や「朝露」の歌詞の一部である。なお、敬称を表す「ニム」が誰を指すかで韓国内に大きな論争が起きたことがあり、未だ結論は定まっていない。

17)「いま会いに行きます」は、韓国チャンネルAで毎週日曜日の午後11時から放映される番組。その紹介によると「脱北、北送、そして数度の死線を越え、今は大韓民国の国民として定着した脱北美女たち！　6・25戦争以後の断絶された民族の壁。依然として彼らを泣かせる韓国社会の誤解と偏見！　南と北の和解を模索する疎通バラエティ・プログラム」である。

18) この「倭野郎（왜놈）」は、朝鮮半島の南でも北でも日本人を指す軽蔑表現である。「倭」とは大陸の人に比べて背丈が低い人という意味で、全体として「ちびっこ野郎」くらいの意味になる。植民地統治下で広まった表現として、現在も使われることがある。

19)「ユン遊び」は、朝鮮半島の伝統遊戯である。日本の双六のように、サイコロの代わりに4本の棒を投げて、それらの棒が落ちた状態に応じてコマを進める。この棒のことを「ユッ（윷）」と呼ぶところから、遊戯の名称が生まれたと思われる。

20) 朝鮮半島の民俗的な遊戯で、中国から伝わったとされる。日本の蹴鞠と近く、「チェギ」と言われる独特な球を数人で蹴り合って遊ぶ。

21)「寒式」は元旦、端午、秋夕と共に4大名節の1つで、冬至から105日目（4月5日前後）に当たるとされる。当日と前後する一定の期間、火を用いず、冷たい料理を食べる。本書の通り、中国古代の風習から朝鮮半島に由来した。

22)「学院」とは、韓国で公教育を補う私立の教育機関を指す言葉。日本の塾のような機能を果たし、小中高校生の学習塾から成人向けに外国語教育を施す所まで多種多様である。

23) 訳注12）のように、朝鮮王朝では厳格な身分制度が敷かれ、国王の他は貴族階級である両班（文官と武官）だけが実質的な権力を持っており、他の身分はそれに従属する階級として、本書のような比喩が当てはまる存在であった。

24)「恨み」の朝鮮語である「ハン」は日本人に無い感情で、朝鮮半島の南北を問わず共通に流れている独特な感傷である。かつて訳者は「ハン」を「朝鮮人の無能力が内面化して心の奥深く沈殿した悲哀の感情」と定義したことがある。

25)「高麗医学」とは『朝鮮大百科事典』(2)、平壌、1995年刊行によると、「朝鮮民族が長い歴史的過程で創造し、発展させてきた民族伝統医学」で「今日の高麗医学は、主体医学の主要構成部分の1つ」だとされる。

26)「ビナロン」とは、李升基（リスンギ）博士が1939年10月に日本で開発した化学繊維で、日本の敗戦後に帰国した博士により北朝鮮へ伝えられた。

27) 北朝鮮軍で陸軍の階級としては、上から順に大元帥、共和国元帥、人民軍元帥、次帥、大将、上将、中将、少将、大佐、上佐、中佐、少佐、大尉、上尉、中尉、少尉、特務上士、上士、中士、下士、上級兵士、中級兵士、初級兵士、戦士である。

28) ソウルなどで宗教団体などを装い、主に金銭の略取目的で話しかけて来る行為が「道をご存知ですか？（도를 아십니까 ?)」と通称される。インターネットの情報によると、巧妙な手練手管で詐欺を働くと言い、その退治法も紹介されている。

29)「主礼」とは、結婚式などで礼式を引き受けて進行させる仕事で、その仕事を行う司会者も指す。日本では、式場の担当者が引き受ける役回りである。

30)「性戯弄」も「性醜行」も、どちらも韓国で使われる用語。日本語に訳すと、セクハラや性的暴行、さらには強姦やレイプに当たる。

31)「花売る処女」は、北朝鮮で有名な革命歌曲の1つである。金日成が1930年の秋に直接作曲したという革命歌曲に基づいて、1972年に万寿台芸術団により作られた。著者は、この経緯を念頭に皮肉っている。

32)「分（푼）」は朝鮮半島で通用した昔の貨幣単位で、日本で言う「文（もん）」に当たる。ごく僅かな金銭を意味する。

33)「トゥンメ洞」は、北朝鮮による行政区画の変更により、現在は舟橋区域と大同江区域に分かたれているようである。区画の変更が複雑で数次にわたるので、これ以上は詳細に追跡できないため、原書の記述どおり「大同江区域」として翻訳した。

34)「大博」とは、大きな幸運の意味で、統一⇒大博という宣伝スローガンになった。このスローガンは、この時期に主張された韓国の統一政策で、翌年にでも北朝鮮が崩壊して南北統一に繋がり、非常に大きな成功や幸運が舞い込むと言われた。

35) 原書の説明を見ると、この「穴開き練炭」は日本にも昔あった着火練炭に近い物であろうと推定される。ほぼ毎年1〜2回は訪朝する訳者ではあるが、さすがに冬季には訪問しがたいので、この練炭を見たことはない。しかしながら、1980年代にソウルで留学していた訳者には、このボイラーの仕組みが完全に理解できる。

36)「マッデロ（맛대로）」とは、「元の味そのままに」くらいの意味である。この村鶏代表の姓名の漢字表記は、数種類あって確定できなかった。

37)「ミョンギ」は地名と推定され、北朝鮮の指導者による数々の現地視察についての記事を通じ、北朝鮮の北部にある慈江道慈城郡松岩里にあるらしいことは分かるものの、正確な漢字表記は確定できなかった。

解　　題

はじめに

本書は、脱北者で現在はソウルに居住する周成賀（チュソンハ）氏を著者とする原書『平壌資本主義百科全書（평양자본주의백과전서）』を全訳したものである。原書には、副題「周成賀記者が伝える本当の北朝鮮の話（주성하 기자가 전하는 잔짜 북한 이야기）」が記してある。

原書を邦訳した本書（以下「訳書」と表記）では、読者の便宜を期して巻頭に著者の簡単な経歴を原書どおりに翻訳し、訳書の体裁、著者による原書ならびに訳書への両序文を、巻末には訳者による訳注を付けた。加えて、著者の写真、北朝鮮の最近の写真を複数枚、さらに平壌の地図２枚（平壌市内図と地下鉄路線図）を付録として掲載した。

以下、簡単に原書との遭遇、著者の紹介、原書の概要と特徴、そして翻訳を通して見た今後の北朝鮮を占い、本書の解題に代えたい。

1．原書との出会い

訳者が初めて原書を知ったのは、2018年の暮れに東京新聞記者の五味洋治氏からFBを通じ、その存在を知らされた時であった。当時の訳者は、同年３月末で不当解雇に遭って退職後、佐賀職業安定所（ハローワーク）主催の職業訓練（住環境CAD科）を受講していた時であった。そこで、この職業訓練が修了する当日の2019年2月28日の午後、ソウルへ飛ぶ航空機に飛び乗った。そして、３・１運動100周年記念のデモを横目に見ながら、鍾路にある教保文庫へ走り、慌ただしく原書を買い求めたのであった。

ソウルの宿泊先で原書に目を通して見るに、いちいち内容が腑に落ちた。訳者は1994年からほぼ毎年１～2回、北朝鮮を訪問して定点観測しているので、「朝鮮研究家」を自称する立場として、この本は是非とも邦訳して日本の読者に読んでもらおうと強く思った。善は急げ、翌日に早速この原書を持って東亜日報社を訪ねた。

一面識も無い悲しさから、この時は不発に終わったけれども、捲土重来を期して帰国した。帰国後に数人の友人や知人に相談したところ、脱北者の話は信用できない、そんな本を出しても売れないと批判する声も少なくなかった。確かに、身分の保証やカネ目当てに韓国の国家情報院に有ること無いことを話す脱北者がいる事実は、韓国の研究者仲間から伝え聞いていた。果たして原書も、その類いであろうか？

そうではない、と確信したのは、大同江ビールの説明（訳書110頁以下）まで読み進んだ頃であった。原書で大同江ビールを誉めている！数年来の訪朝のたび大同江ビールに舌鼓を打つ訳者としては、この本が単に北朝鮮を批判するだけでなく、ありのままに現状を伝えようとする内容であると確信するに至った。巻頭に付けた著者の序文にある通り、また原書に付いた著者の紹介文にもあるように、著者は良いものは良い、悪いものは悪いと自分の価値観に従って述べているだけである。

そこで、即位礼が済んだ5月2日に再びソウルへ飛び、原書を刊行した韓国の出版社である북돋움（プクトドゥム）事務所にて翌3日、周成賀氏と初めて対面するに至った。出版社々長の金基濠（キムギホ）氏のご厚意によるものであったが、こちらの一方的な押し掛けに、数々の修羅場をくぐった著者も、さすがに面食らったようである。

2. 著者の周成賀氏について

著者の序文や経歴にある通り、周成賀氏は北朝鮮で最高の大学である金日成総合大学を卒業した後、さまざまな方面で活動したが、最終的に脱北を決意して実行した。ところが、不幸にも3度も当局に捕まり、生死を分かつような辛酸を舐めたという。

そして、韓国への亡命が成功する過程で中朝国境を流れる河を越えた際、またもや当局の追撃が迫ったので、河の周囲にあった繁みに隠れていたところへ奇跡的に韓国人の牧師が原付バイクに乗って現れた。彼の助けを得て、ついに脱北が成功、韓国で祝賀されたと著者は自ら初対面で語った。彼のペンネームは、ここから来ているそうである。

そして、著者と訳者が飲み交わしながら話す中、この壮年の脱北者が非常なインテリであり、同時に辛い過去を背負っていることが分かった。彼は多くを語らないが、訳書からも読み取れる広範囲にわたる該博な知識、それをもとに主張を導く論理的な構成力と著述の妙、そして人間の心理を弁えている理と情の絶妙なバランス感覚は、悲哀の雰囲気の中にも鮮やかなインパクトを以て読者に迫るものがあると思う。

脱北者という立場から、最近やっと写真の掲載も許すようになったそうであり、いくらか警戒心も緩んできたと言う。日本で講演を求めたところ、朝鮮総連に襲われないか心配していたのには少し笑えたが、それほど本国では酷い仕打ちを受けたという証左である。我々には見せないが、身体に無数の傷があるといい、精神的なダメージはもちろん肉体的にも甚だ言葉に表しにくい待遇を受けて来たことが窺える。

初対面だったにも関わらず、とても幸いだったのは、意外にも著者と訳者の共通の知り合いに朴明林・延世大学校教授（金大中ライブラリー館長）がいた点である。著者が脱北後にソウルの同大学校で学んだ際、訳者とは長い親交のある朴教授の講義を受けたそうである。このような因縁もプラスに働き、著者は翻訳の話を快諾してくれ、5月の上旬から本格的な翻訳作業が開始された。

もともと訳者が押し掛けて翻訳を願ったのであるから、翻訳はスムーズに進んだ。本来は昨年10月末を第1次素訳の締切日と定めていたところ、余りに内容が面白く、実際には9月末に不明点を残しつつも素訳が終わった。その間に日本での出版社を社会評論社と確定した。同社は以前、訳者の著書や訳書を出版していただいた関係から、当初から依頼を考えていた出版社で、社長の松田健二氏からは快諾の意を頂戴した。

こうして素訳を修整していく中で、出版に値する体裁が整い、原書の内容もより明確に理解できるようになった。浅学の訳者が語るには力不足ながら、原書の概要と特徴を次に整理しておきたい。言うまでもなく、これらは訳者の個人的な意見や感想であり、読者諸氏には本書（原書や訳書）から遥かに豊富な内容を汲み取っていただけるであろう。

3. 原書の概要と特徴

まず、原書は学術的にも高い水準に達しているものの、決して研究書や学術書ではなく、あくまでも一般読者、特に韓国の人々に向けた読本、読み物である。韓国との対比や比喩も多く使われているため、最近の新たな「韓流」ブームから韓国を知る日本人にも、馴染み易い内容となっている。北朝鮮での対日認識も散見されて面白い。

必ずしも現下の日韓対立を意識して出版時期を選んだのではないが、計らずも北朝鮮に関する韓国書籍の翻訳出版となり、日本と韓国、日本と北朝鮮との友好親善を促進する役割を果たすかも知れない。脱北者の手になる書籍であるから当然、北朝鮮からは出版に異議を提起されるであろうが、訳者も著者と同様に北朝鮮をありのままに伝える一念であって他意は無い。ここから、もともと原書には学術書のように索引は付いていない。

次に、原書は「百科全書」と銘打ったように、平壌の現状を過去からの経緯を踏まえて政治、経済、社会、軍事、文化、体育、芸術など多方面からの切り口で解き明かし、それを通じて北朝鮮全体の真の姿を我々に示そうとしている。しかも、各方面が互いに関連して語られるところに、内容全体の構造的な連関性が貫かれていて、読み進めていて前の記述だけでは気づけなかった点が後に悟られたりするという面白味がある。

例えば、いわやるチャンマダンを賑わすトン主と呼ばれる新興富裕層が最初に語られるのであるが、それでは富裕層でない人々、端的に言って売春や麻薬に手を染める貧困層がどんな思いで暮らしているのか、その光と陰を読み進める中で知ることになる。言うまでもなく、資本主義化が北朝鮮にもたらす不可逆的な両方の作用だと言えるが、著者は両方の真相を丁寧にすくい取って我々に示してくれるのである。

したがって、第三に原書からは、明瞭に視点として資本主義の波に乗れないでいる人々の立場を感じられることであろう。逆説的な経緯ながら、1990年代に北朝鮮住民を襲った「苦難の行軍」と言われる国家経済の破綻とそこから来る経済難の中から生まれた農民市場で、必死に生き残るために営まれた庶民の経済活動が、とうとう北朝鮮で国家経済の主流をなすに至った。これが北朝鮮の光と言えば、そう評価することも出来よう。

しかし、その陰には犠牲になった数多くの住民が社会主義のシステム全体に見切りをつけていく裏話が随所に盛り込まれていて、原書を翻訳して行きながら決して飽きさせない醍醐味がある。それが陰であると同時に、訳者には北朝鮮に変化を導く契機と映るのである。むしろ、光でなく陰を見せるために原書は書かれたのかも知れないと思える。

第四に、ここから原書は、単に平壌と北朝鮮全体の今を明らかにするという目的を越えて、今後の北朝鮮が進むべき道にも言及している。原書が刊行された2018年は、前2017年の軍事的に緊迫した状況から一転して南北朝鮮の和解が進んだ時期だったから、自ずと著者は和解から統一へという方向に沿って著述している。そのような時間的な特徴はあるものの、原書には過去と現在に縛られない近未来的な内容も各所に散見される。

例えば、韓国は外国という認識が時々あらわれるのは、正にその代表である。脱北者の韓国内での差別的な処遇が問題になった昨年であったが、同じ民族ではあるが北朝鮮と韓国は、もはや相互に代替体制とはなり得ず、外国だという認識が見て取れる。訳書249～250頁には、果たして「韓国人をはじめとした外国人」、「異邦人」という表現が見られる。

この点は、韓国を一種の理想郷と夢見て亡命した脱北者には悩ましいところであろう。だが、現実に昨年からの動きは、正に韓国と北朝鮮が2つの別々の国である方向へ動いていると見て間違いなかろう。この動きを前述の朴明林氏は、朝鮮戦争の開始70周年に当たり端的に指摘した記事を書いて注目された（朴明林「【中央時評】韓国と朝鮮：南北関係から韓朝関係に」、電子版『中央日報』日本版、2020年1月15日）。

翻訳を進めながら感じた著者の祖国・北朝鮮への愛情と失望は、読者諸氏にも充分に共有していただけると思う。酷い目に遭ったから尚更、その複雑な思いは強いのである。金さん家族を筆頭とする権力層への峻烈な態度とその下で呻吟する住民への優しい視線は、愛憎の内実を示している。著者と共に訳者も、状況の好転を祈らずにはいられない。

この点を踏まえて、今後の北朝鮮を訳者なりに占い、解題の締め括りとしたい。原書が近未来を示す内容に充ち満ちているからである。

4. 今後の北朝鮮を占う

原書が描く近未来の理想図は、視点が2018年までに限定されているので、国家を動かす朝鮮労働党の「高位級幹部」の最近の変化は当然ながら考慮されていない。だが既に報道された通り、金正恩の「脳死説」がまことしやかに流れたり、妹の金与正が前面に登場したりと、北朝鮮の現体制を支える首脳部に何らかの変化が現れているのではないかと見られる。この変化は、米中対立と深い関係がある。

米中の対立と緊張が深まる中、両国ともに北朝鮮が「非核化」の約束を違えて再び2017年へ逆戻りすることを望んでいない。米国は大統領選挙の結果次第であるが、中国としては紛争の種になる政権に代わり、自国の言うことを素直に聞く「最高尊厳」が望ましいのに変わりは無い。それが分からない北朝鮮ではなく、国際的な対北制裁が継続する中、逸早く中国に忠誠を誓った（「北朝鮮外相、香港問題で中国支持を表明」、電子版『聯合ニュース』2020年6月5日）。

今後なにが起こるか全く予断を許さないが、米大統領選挙の結果を北朝鮮が見切った上で行動を起こすのではないかと推測される。仮にバイデンが政権を握れば、対北制裁を維持しつつもクリントン元民主党政権の包括的関与政策に再び乗り出すかも知れない。反対にトランプが引き続き政権を担えば、思わぬサプライズも待っていると踏んでいるのだろう。ひとまず今回の米大統領選挙がもたらす結果が注目される中、米中対立の余波で思わぬ変化を期待するのは何とも面白い限りである。

おわりに

解題の範囲を越えて論述した感があるが、原書から受ける未来志向性は、どうしても著者と同調する結果となった。それもこれも北朝鮮内に「三重苦」と言われる何らかの変化を起こす動因が次第に蓄積されつつあるからである。訳書の内容は、その動きを理解するのに必ずや助けになると共に、むしろ読者からする予測を可能にさせると信じる。

最後に、訳書の出版をめぐり、快く出版を許していただいた著者の周成賀氏、韓国の金基濠社長、日本で出版を引き受けていただいた松田健二社長に深い感謝を申し上げる。コロナ感染の全国的な拡散によって当初の出版予定を大幅に延期せざるを得なかったものの、関係者のご尽力により日の目を見ることが出来たのは、不幸中の幸いであった。

言うまでもないが、本書の間違いや不適切な表現などは全て訳者の責任である。読者諸氏のご批正を切にお願い申し上げたい。同時に、著者と同様な理由から、ペンネームにより訳者の姓名を記す外なかった点も、よろしく諸氏のご了解を乞う次第である。なお、本書についてのご批判、ご意見などは、次のメールアドレスへお寄せいただければ幸いである：morizen2@yahoo.co.jp

2020年10月　吉日

訳者　　森善　伸子（現代韓国・朝鮮研究）

平壌資本主義百科全書

2020年12月1日　初版第1刷発行

著　者：周　成賀
訳　者：森善伸子
発行人：松田健二
発行所：株式会社　社会評論社
113-0033 東京都文京区本郷 2-3-10
電話 03-3814-3861　FAX03-3818-2808
http://www.shahyo.com
装　幀：右澤康之
印刷・製本：倉敷印刷　株式会社